安全な実験室管理のための
# 化学安全ノート
第4版

日本化学会 編

丸善出版

教育用スライドの作成資料として，本書に掲載されている図版が利用できます．
丸善出版株式会社のホームページ
https://www.maruzen-publishing.co.jp/info/n20868.html
より無償でダウンロードが可能です．
zip ファイル解凍パスワード：chem_anzen2024　（半角英数字）

# まえがき

　本書は，日本化学会 環境・安全推進委員会 安全小委員会が，化学実験を安全にかつ環境に配慮して行うためのテキストとして作成したものである．同小委員会は，平成12年から化学実験の安全確保の推進のため，化学実験を行う研究組織において安全管理を担う指導者の養成を目的として，毎年，化学安全スクーリングと称する講習会を実施してきた．本書は，このスクーリングの副読本として，また受講した安全管理指導者が自分の組織に戻って，化学実験を行う学生，研究者，作業者らを教育するときに使用できるテキストとして活用できるよう，受講者の要望に応えるかたちで出版したものである．毎年講習を実施するなかで内容の見直しを行い，このたび第4版の発行となった．

　化学実験においては，化学物質の危険性・有害性および実験操作や実験環境に起因する危険性から生じるリスクが存在するため，これらのリスクを的確に理解して安全確保をしたうえで，環境配慮も適切に行うことが必要である．化学物質については，現代社会にはなくてはならない有用なものである一方で，爆発・火災危険性，健康有害性，環境有害性の三つの危険性・有害性（ハザード）を有しているため，これらの危険性・有害性が顕在化すると事故につながるおそれがある．化学物質は多種多様であり，使用条件によってもその危険性・有害性が変化することから，とくに化学実験においては一般的注意に従うだけでは不十分であり，危険性・有害性の発現の仕組みや原理を知っておくことが求められる．本書では旧版からこのような要求に応えるために，化学物質，実験操作，実験環境の危険性・有害性を的確に把握し，そこから発生するリスクを最小化することの重要性を説明してきた．

　2022年に公布された労働安全衛生法関連法令の改正により，職場における化学物質の管理において，危険性・有害性が確認されたすべての化学物質に対して，国が定める管理基準の達成を求めるものの，その達成のための手段は法令では指定しない方式に大きく転換した．これは自律的な管理とよばれ，事業者自らリスクアセスメントを実施することが求められる．このような自ら把握し対策する考え方は本書の旧版から述べてきたところであるが，第4版においては，危険性・有害性を把握し，そこから発生するリスクを評価し管理するという枠組みを念頭において，各章の構成も全体に見直し，さ

らに新たに「8章 リスク評価と自律的リスク管理」を新設した．

　本書の構成は目次を見ていただくとわかるように，化学実験の安全確保と環境配慮のための一通りの内容を網羅しており，総合的に体得できる．また，項目ごとに内容の要点をまとめた図を付し，図を見ながら解説を読むことで効率的に理解できるよう工夫した．

　本書は，前述のように安全管理指導者向けの解説本として活用いただけるとともに，実験を実施する学生，研究者，作業者などの安全テキストとしても活用することができる．大学，研究機関，企業での化学実験，さらには化学物質を扱う種々の実験の安全を確保するために利用できる．前述したように，2022年公布の労働安全衛生法関連法令の改正で求められる自律的な管理の基本を知ることにも適している．また，安全管理者が教育用のスライドなどの資料を作成するときの参考書としても使用しやすくなっている．

　本書の原稿をまとめる段階で，新井 充 東京大学名誉教授に詳細に査読いただいた．多くの有用な指摘をいただき，本書をより分かりやすく統一感のあるものにすることができた．ここに記して御礼申し上げます．

　本書を活用していただくことによって，少しでも化学実験の安全性が高まり，化学実験を行う者への安全教育および安全な実験室管理が進むことにつながれば幸いである．

　　令和6年 初夏

　　　　　　　　　　　　　　　　　　　　　編集委員長　　土　橋　　律

# 執筆者一覧

## 第4版

**編集委員長**

土 橋　　律　　東京理科大学創域理工学研究科

**編集幹事**

辻　　佳 子　　東京大学環境安全研究センター

**執筆者**

色 川 俊 也　　東北大学環境・安全推進センター　　［5, 8章］

岩 田 雄 策　　消防大学校消防研究センター　　［2章, 付録］

貴 志 孝 洋　　筑波大学環境安全管理室　　［8章］

熊 﨑 美枝子　　横浜国立大学大学院環境情報研究院

　　　　　　　　　　　　　　　　　　　　　　　　［4章, 付録］

佐 藤 康 博　　消防大学校消防研究センター　　［2章, 付録］

辻　　佳 子　　東京大学環境安全研究センター　　［6, 8章］

土 橋　　律　　東京理科大学創域理工学研究科　　［1章, 付録］

富 田 賢 吾　　名古屋大学環境安全衛生推進本部　　［7, 8章］

豊 田 太 郎　　東京大学大学院総合文化研究科　　［3章］

（2024年7月現在，五十音順，[ ]内は執筆担当項目）

## 第 3 版

| | | |
|---|---|---|
| 新井 | 充 | 東京大学環境安全研究センター |
| 大谷 | 英雄 | 横浜国立大学大学院環境情報研究院 |
| 刈間 | 理介 | 東京大学環境安全研究センター |
| 古積 | 博 | 消防大学校消防研究センター |
| 小山 | 富士雄 | 東京大学環境安全センター客員研究員, 東京工業大学非常勤講師 |
| 辻 | 佳子 | 東京大学環境安全研究センター |
| 土橋 | 律* | 東京大学大学院工学系研究科 |
| 松永 | 猛裕 | 産業技術総合研究所 |
| 若倉 | 正英 | 災害情報センター |

（*は編集委員長，2016 年 7 月の初版発行時点，五十音順）

## 改訂版

| | | |
|---|---|---|
| 新井 | 充 | 東京大学環境安全研究センター |
| 安藤 | 隆之 | 労働安全衛生総合研究所 |
| 上原 | 陽一 | 横浜安全工学研究所，横浜国立大学名誉教授 |
| 大島 | 義人 | 東京大学大学院新領域創成科学研究科 |
| 大谷 | 英雄 | 横浜国立大学大学院環境情報研究院 |
| 刈間 | 理介 | 東京大学環境安全研究センター |
| 黒川 | 幸郷* | 日本化学会 |
| 古積 | 博 | 消防大学校消防研究センター |
| 田村 | 昌三* | 横浜国立大学安心・安全の科学研究教育センター, 東京大学名誉教授 |
| 土橋 | 律* | 東京大学大学院工学系研究科 |
| 富田 | 賢吾 | 東京大学環境安全本部 |
| 若倉 | 正英 | 神奈川県産業技術センター |

（*は編集委員，2007 年 1 月の初版発行時点，五十音順）

## 初　版

| | |
|---|---|
| 新　井　　　充 | 東京大学大学院新領域創成科学研究科 |
| 安　藤　隆　之 | 産業安全研究所 |
| 上　原　陽　一 | 横浜安全工学研究所，横浜国立大学名誉教授 |
| 大　島　義　人 | 東京大学環境安全研究センター |
| 大　谷　英　雄 | 横浜国立大学大学院工学研究院 |
| 佐　宗　祐　子 | 消防研究所 |
| 玉　浦　　　裕 | 東京工業大学炭素循環素材研究センター |
| 田　村　昌　三* | 東京大学大学院新領域創成科学研究科 |
| 土　橋　　　律 | 東京大学大学院工学系研究科 |
| 内　藤　裕　史 | つくば中毒研究所，筑波大学名誉教授 |
| 若　倉　正　英 | 神奈川県産業技術総合研究所 |

（＊は編集委員，2002 年 6 月の初版発行時点，五十音順）

# 目次

## 1章　安全の基本　1

- 1-1　安全と安全管理 …………………………………… 2
  1. 安全の定義　2
  2. なぜ安全確保が必要か，何をどのように守るか　2
  3. 安全管理とは　3
     法令に従った管理と自主的管理(3)　化学物質を取り扱う場の特性による違い(3)　化学物質の総合安全管理(4)
- 1-2　リスクとは ………………………………………… 5
  1. 決定論的安全(絶対安全)と確率論的安全　5
  2. ハザードとリスク　6
  3. リスクの計算例　7
  4. 化学物質の三つの危険性・有害性(ハザード)およびリスク　7
- 1-3　リスクアセスメント，リスクマネジメント ……… 8
  1. リスクアセスメント　8
     三つのリスクについてのリスクアセスメントの手法(8)　ハザードの特定(10)　リスクの評価と低減対策の検討(11)
  2. リスクによるマネジメント　11
     リスクマネジメント(11)　3管理，5管理(12)
  3. リスクの最適化　13
     リスクとベネフィット，コスト(13)　対抗リスク(14)　リスクの最適化(14)
- 1-4　リスクによる管理と課題 ……………………… 15
  1. 想定外，未知のリスク　15
     想定外(15)　未知のリスク(16)　発生頻度の設定できないリスク(16)　シビアアクシデント(17)　ヒューマンファクター(17)
  2. リスクの社会受容　18
     リスク認知(19)
- 1-5　安全文化，安全風土 …………………………… 20
  1. 安全風土の構築　20

## 2章　事故例と教訓　23

- 2-1　事故事例と教訓 ………………………………… 24
- 2-2　事故例 …………………………………………… 25
  1. 酢酸の蒸留中の事故　25

2. DMSO の蒸留中の爆発事故　25
　　3. シリコーン油の発火　26
　　4. マグネシウム火災　27
　　5. ナトリウムの廃棄中の爆発，火災　27
　　6. 黄リンの処分中の発熱発火　29
　　7. 有機リチウムの火災　29
　　8. グリニャール試薬による火災　30
　　9. トイレタンク用の洗浄剤による火災　31
　　10. 試薬の誤用による事故　31
　　11. 文化祭の演示実験（銀鏡反応）中に爆発　32
　　12. 画用液に含まれる植物性乾性油の蓄熱発火による火災　33
　　13. 過酸化物の生成による爆発　34
　　14. 硫化水素の生成による中毒　34
　　15. 液体窒素による酸素欠乏（低酸素）症　35
　　16. フッ化水素酸による薬傷　35
　　17. ヒドロキシルアミンの爆発　36
　　18. 冷蔵庫内での爆発的燃焼　36
　　19. 真空ポンプの破裂　37
　　20. シリコン製造施設の設備整備作業における発災　37
　　21. プラント内の分解炉のデコーキング作業中の事故　38
　　22. プランクトンからの毒素の発生　39
　　23. X線による負傷　39
　　24. 水銀温度計の破損による飛散事故　39
　　25. オートクレーブ耐圧試験時の出火　40
　　26. 廃酸用タンク内での化学物質の混合による破裂事故　40
　　27. ナトリウム–カリウム合金の発火　41
　　28. 薬品の落下等による事故　41
　　29. 停電による冷蔵庫内の温度上昇　42
　　30. 高圧ガスボンベの腐食による破裂　42
　　31. 塩化水素ボンベからの漏えい　43
　2-3　まとめ……………………………………………………………… 44
　　1. 事故を起こさないために　44
　　　　事故を起こしやすい人は誰か（44）　取り扱う物質の危険性を知る（44）　実験中の心構え（44）　溶媒について（44）　資格取得のすすめ（45）　その他の一般的な注意事項（45）
　　2. 地震・暴風雨対策　46

# 3章　実験室安全の枠組み　47

　3-1　研究開発の現場の特徴と潜在危機の把握……………… 48
　　1. 研究開発の現場の状況変化をつねにシミュレートする　48

　　　　2. リスクを許容できるレベル以下に抑える　49
　　　　3. 潜在危機と向き合うリスクアセスメント　49
　3-2　本質的対策：モノへの対策 …………………………………… 51
　　　　1. 個々のオペレーションを精査する　51
　　　　2. 購入前に危険有害性情報を収集する　51
　　　　3. 化学物質の保管場所と実験環境　53
　3-3　工学的対策：ハード面での対策 …………………………… 55
　　　　1. 安全な実験環境とは　55
　　　　2. 安全装置の考え方とメンテナンス　56
　　　　3. 安全な実験器具と実験器具の安全な扱い方　58
　3-4　管理的対策：ソフト面での対策 …………………………… 60
　　　　1. 化学物質管理システム　60
　　　　2. 実験環境の情報の透明化　61
　　　　3. 実験操作の見直しと適切な保護具の利用　61
　3-5　まとめ ………………………………………………………… 63

## 4章　化学物質の爆発・火災危険性　65

　4-1　化学物質と潜在危険 ………………………………………… 66
　　　　1. 化学物質の潜在危険性　66
　　　　2. 危険物の分類・指定数量　66
　　　　　国連危険物(67)　消防法危険物(67)　労働安全衛生法危険物(68)
　　　　3. 火災・爆発の発生　68
　　　　　火災の発生機構(68)　着火源(69)
　　　　4. 静電気　75
　4-2　爆発・火災のリスクアセスメント ………………………… 76
　　　　1. 情報収集　77
　　　　2. 特徴的な原子団　78
　　　　3. 熱化学計算・酸素バランス　78
　　　　4. スクリーニング評価　80
　　　　　発熱量・発熱開始温度(80)　着火感度(80)　打撃感度(81)
　　　　　摩擦感度(81)　反応熱量(81)

## 5章　化学物質の健康有害性と予防・応急処置　83

　5-1　化学物質の健康有害性 ……………………………………… 84
　　　　1. 有害性による化学物質の分類　84
　　　　　有機溶剤(84)　特定化学物質・特別管理物質(85)　製造禁止物質(86)　感作性物質(86)
　　　　2. 化学物質による健康被害・労働災害　87
　　　　　インジウム粉じんばく露による重篤な肺障害(87)
　　　　　1, 2-ジクロロプロパン(DCP)ばく露による胆管がん(87)

o-トルイジンばく露による膀胱がん(89)

  3. 急性中毒と慢性中毒　89
   急性中毒(89)　　慢性中毒(90)

 5-2 人体の器官・組織構造とばく露経路 …………………… 91
  1. 化学物質のばく露経路と器官・組織構造　91
   呼吸器の構造と吸入ばく露(91)　　皮膚の構造と経皮ばく露(92)
   消化器の構造と経口ばく露(92)　　眼の構造と粘膜障害(92)

 5-3 化学物質のリスクの見積りと指標 ……………………… 93
  1. ばく露量と健康影響の指標　93
   量–影響関係(93)　　量–反応関係(93)　　閾値やその他の指標(93)　　閾値のない化学物質の指標(94)　　ばく露の管理に関する指標(許容濃度と管理濃度)(94)　　発がん性分類(95)
  2. リスク評価の情報源　95
   安全データシート(SDS)(96)　　世界調和システム(GHS)(96)
   PubChem(96)

 5-4 作業者の健康に配慮した作業環境形成 ………………… 98
  1. 健康リスクを低減する作業環境形成の考え方　98
   安全衛生の5管理と作業環境改善(98)

 5-5 予防・健康管理 ………………………………………… 99
  1. 健康診断　99
   健康診断の種類と目的(99)　　特殊健康診断の概要(99)
  2. 作業条件の簡易な調査　101
   導入の背景(101)　　作業条件の簡易な調査の内容(101)

 5-6 応急処置 ………………………………………………… 103
  1. 医師・救急隊が来る前の処置　103
   吸入時の対応(103)　　誤嚥時の対応(104)　　気道異物の除去(104)　　一次救命処置(104)　　皮膚に触れた場合の対応(106)
   熱傷・薬傷(106)　　眼に入った場合の対応(107)　　フッ化水素酸が皮膚・粘膜・眼に接触した場合の対応(107)

## 6章　化学物質の環境影響　　109

 6-1 はじめに ………………………………………………… 110
  1. 環境安全の重要性と組織の責務　110
  2. 環境要素　111

 6-2 環境リスク評価 ………………………………………… 112
  1. 生活環境分野におけるリスク評価　112
  2. 気候変動分野におけるリスク評価　113

 6-3 循環型社会 ……………………………………………… 114

 6-4 事業者における廃棄物管理 …………………………… 116
  1. 廃棄物の種類　116
  2. 廃棄物管理に関する基本原則　116
  3. 廃棄物の取扱い　119
   排水(119)　　生活系廃棄物(120)　　実験系廃棄物(122)

　　　　　　　　　排ガス(130)
　6-5　化学物質排出把握管理促進法 …………………………132
　　　1.　PRTR 制度　132
　　　2.　SDS 制度　132
　6-6　まとめ ……………………………………………………134

## 7章　実験研究における安全管理と危機管理　　135

　7-1　はじめに ……………………………………………………136
　7-2　研究現場における安全活動 ………………………………137
　　　1.　現場の安全向上のために　137
　　　　　危険物などの適切な管理(137)　　リスクアセスメント(138)
　　　　　点検・巡視の重要性(139)
　　　2.　安全の組織的な運用のために　141
　　　　　安全管理体制の例(141)
　7-3　事故時の対応と再発防止 …………………………………143
　　　1.　緊急時の対応と考え方，通報連絡　143
　　　2.　けが人が発生した場合の対応　144
　　　3.　火災・爆発発生時の対応　145
　　　　　火災発生時の初期対応(145)　　消火方法の選択(147)
　　　　　現場対応の引き継ぎ(148)　　行動分担・訓練(148)
　　　　　爆発への対応(148)
　　　4.　環境などへの漏えいが発生したときの対応　149
　　　　　漏えい対応の基本原則(149)　　室内空気中への漏えい(150)
　　　　　水域への漏えい(150)　　土壌・大気への漏えい(151)
　　　5.　漏水が発生したときの対応　152
　　　6.　事故情報の共有と有効活用　153
　7-4　自然災害発生時の措置 ……………………………………154
　　　1.　地震発生時の対応　154
　　　2.　風水害が発生したときの対応　155
　　　3.　寒冷被害への対応　156
　7-5　危機管理 ……………………………………………………157
　　　1.　リスク管理と危機管理　157
　　　2.　危機管理の流れ　157
　　　　　危機管理の流れ(158)　　マスメディア対応(159)
　　　3.　保　険　160
　　　4.　訓練の重要性　160

## 8章　リスク評価と自律的リスク管理　　163

　8-1　化学物質のリスク …………………………………………164
　8-2　化学物質のリスクアセスメントの社会的動向 …………166
　　　1.　化学物質の法令準拠型管理と自律的管理　166

2. "自律的管理"への転換　166
　　　3. 化学物質のリスクアセスメントに基づいた自律的管理　167
　　　4. 化学物質管理者と保護具着用管理責任者　168
8-3　大学等における化学物質のリスクアセスメントの考え方 …………170
　　　1. 研究，実験の特徴　170
　　　2. リスクアセスメントの本質　171
8-4　リスク評価手法 ……………………………………………173
　　　1. 化学物質のリスクアセスメントの流れ　173
　　　　Topics. 化学物質のリスクアセスメントをやってみよう(173)
　　　2. 正しいアセスメントを行うために　176
8-5　健康有害性リスク評価に基づいた健康管理 ……………177
　　　1. 作業者の健康有害性リスク評価法　177
　　　　実測値によるリスクアセスメント(177)　数理モデルを用いたリスクアセスメント(178)
　　　2. リスクアセスメントに基づいて行うべき対策　178
　　　3. リスクアセスメント(RA)対象物健康診断　179
　　　　概要と健康診断の種類(179)　リスクアセスメント対象物健康診断の適用と化学物質取扱者の健康診断(180)
8-6　環境安全教育 ………………………………………………182
　　　1. 環境安全教育の目的　182
　　　2. 化学物質取扱者を対象とした教育　184
　　　　環境安全講習会・見学会(184)　講習修了証制度の導入(185)
　　　3. 環境安全教育受講の管理　185
　　　4. まとめ　186

## 付録　化学物質に関連する法令　189

1　法令の概要 ……………………………………………………190
2　おもな法令の内容 ……………………………………………191
　　　1. 労働安全衛生法　191
　　　2. 消防法　195
　　　3. 高圧ガス保安法　200
　　　4. 毒物及び劇物取締法　206
　　　5. 環境保全関連法令・廃棄物関連法令　208
　　　6. 放射線関連法規　210
　　　7. その他　211
　　　　薬事法(211)　農薬取締法(211)

索　引 ……………………………………………………………213

# 1　安全の基本

**本節で学ぶこと**
■ 安全の定義
■ なぜ安全確保が必要か
■ 何をどのように守るか
■ 安全管理とは

# 1-1 安全と安全管理

## 1. 安全の定義

化学安全の説明をするにあたり,最初に安全とは何かを考えておきたい.安全の定義を知るために,辞書などで安全の意味を調べてみると,

- 「危険がなく安心なこと.傷病などの生命にかかわる心配,物の盗難・破損などの心配のないこと.」(大辞泉)
- 「安らかで危険のないこと.平穏無事.」「物事が損傷したり,危害を受けたりするおそれのないこと.」(広辞苑)

などと記載されている.いずれも,危険や心配などが"ない"という表現となっている.つまり,危険は個別に特定できるが,安全は特定はできないため,危険に対応がなされている状態を安全ということとなる.すなわち安全の確保には,種々の危険をすべて想定し,それらすべてを考慮し対応する必要があることは頭に入れておかなければならない.ISOでは,安全を「許容できないリスクからの解放」と定義している(ISO/IEC GUIDE 51:2014).本章ではこのあとでリスクについて説明し,おもにリスクの概念を用いて安全を考えていくため,このISOの定義で安全を捉えていただくのが適当と考えられる.

## 2. なぜ安全確保が必要か,何をどのように守るか

**なぜ安全確保が必要か**

事故が発生すると
■ 研究室
  人的,物的損害
  被害が小さくても実験中断
  → 研究遅延
  被害が大きければ研究中止も
■ 事業所
  人的,物的損害
  被害が小さくても製造中断
  → 製造遅延
  被害が大きければ設備の使用停止 → 再開困難な場合も
■ 社会的責務(CSR)の発生

安全確保の必要性はいうまでもないことであるが,事故が発生するとどのようなことが起こるかは想像しておく必要がある.まず実験現場である研究室においては,事故により人がけがをしたり,実験装置や建物が損傷したりして,人的・物的損害が発生する.最悪の場合,人が亡くなったり,建物が焼損したりすることも実際に起きている.このような損害を考慮することがまずは重要であるが,それ以外に,実験や研究の存続にかかわる事態に発展する可能性にも考慮が必要である.つまり,大学,研究所,企業などの組織として,事故の影響の重大性や対策の有効性に鑑みて実験や研究の存続に対する判断をすることもあるからである.とくに事故の被害が大きい場合には,安全管理責任が追及されたり,組織の社会的責務(CSR: corporate social responsibility)の観点からの対応が求められたり,さらには組織の信頼低下にもつながることもありえるわけである.このような点にまで思いを巡らせ,安全確保の重要性を認識していただきたい.

事故により重大な被害を被りうる対象としては,人命,財産,機械システムが基本的なものである.近年では,重要な情報が失われることも重大な事故であり,情報を守ることも重視されるようになっている.事故によりこれらが失われることは,規模に応じて,組織,会社,社会の機能が失われることにもつながる.これらの安全を確保するためには,機械システムや情報シ

ステムに対するハードウェアの安全対策，人の安全教育や防災訓練などのソフトウェア対策，ハード・ソフトのインターフェースに対する安全対策，組織に対する管理，認証などの安全確保対策，法律や規格・基準など法規的対応による安全対策がある．

> 何を，　　　　　　どのように，
> ■ 人　命　　　　　■ 人（教育，訓練）
> ■ 財　産　　　　　■ 技術（機械的機構，安全装置，自動監視）
> ■ 機械システム　　■ 情報（蓄積，伝達，処理）
> ■ 情　報　　　　　■ 人間・機械系（インターフェース）
> ■ 組　織　　　　　■ 組織的機構（管理，監査，認証）
> ■ 会　社　　　　　■ 法規（法律，規格，基準，罰則）
> ■ 社　会
> ■ 地球（環境）

*何をどのように守るか*

## 3. 安全管理とは

本書は"化学安全ノート"であり，化学物質を取り扱う場での安全を主眼においているため，本書ではおもに化学物質管理を対象とする．そのような場での安全管理では，"危険源を特定し，危険・有害性が発現しないように管理すること"が目的となる．なお，放射性物質も化学物質ではあるが，放射性物質は法令等でその取扱いが細かく規定されており，種々の教材も存在することから，本書では放射性物質の説明は基本的に入れていない（必要な場合は，放射性物質の専門教材等を参照のこと）．

● 法令に従った管理と自主的管理

**法令に従った管理：** 法令は，最低限の安全を確保する内容であるが，コンプライアンスの観点から必ず遵守しなければならない．ただし，法令を遵守しただけで確実に事故が防げるわけではないことは認識しておく必要がある．

**自主的管理：** 事業者や研究者が自ら，物質や作業の危険・有害性を特定して，事故の発生の抑制をはかる．通常法令の範囲を超えた管理が行われ，より実効的である．労働安全衛生法改正（化学物質管理関係，2022年から施行開始）では国が定める管理基準の達成を求めるものの，達成のための手段は指定しない方式（自律的管理と名づけられている）への転換が掲げられた．

化学物質を取り扱う場の状況を考慮した自主的管理のなかで法令要件も満たされることが効果的，合理的である．

● 化学物質を取り扱う場の特性による違い

安全管理の対象となる場によって，その特性にあわせた安全管理が必要となる．製造現場と研究現場の違いを以下に述べる．

**製造現場における安全管理（設備や取扱量：大きい）：** 取扱物質，取扱方法は事前に決まっている．同じ作業を繰り返す．物質・設備管理，作業・人

員管理，健康管理，環境・廃棄物管理などは担当者が分担して行うこととなる．

**研究現場における安全管理（設備や取扱量：小さい）**： 取扱物質，取扱方法は実験経過や結果を観察して随時変化する．日々同一でない作業を行うことが多い．同一実験室で複数の違う研究が行われる．物質，作業，設備や健康管理，環境・廃棄物管理も研究者が実施あるいは手配しなければならない．研究現場での安全管理の複雑性を理解することが必要．

● **化学物質の総合安全管理**

従来は化学物質の爆発・火災危険性や毒性，あるいは排出された場合の環境影響などに対する化学物質の安全管理は，別々に考えられていた．現在でも国内では別々の法律に基づいて規制が行われており，化学物質の規制を目的とした法律は数多く存在する．しかしながら，ある化学物質，たとえばガソリンを考えた場合，製造時，輸送時，貯蔵時，使用時，あるいは廃油として廃棄されるときのどの段階でも事故を起こしてはいけないわけであり，ガソリンが燃焼して火災となる事故防止だけでなく，ガソリン蒸気や廃液が人体や環境に悪影響を与えることも防がなければならない．このように，個々の取扱場面や個々の影響への対応だけではなく，全体を見通した総合的な安全管理について考える必要がある．このような総合的な安全管理は**総合安全管理**とよばれ，1992 年の国連環境サミットで総合安全管理の推進が合意された．総合安全管理のためには，化学物質の危険性・有害性を各国が簡便に知る必要があり，そのために国連は **GHS**(Globally Harmonized System of Classification and Labelling of Chemicals，化学品の分類及び表示に関する世界調和システム)を定め，2003 年に国連から各国に勧告された．2022 年に告示された労働安全衛生法の新たな化学物質管理では，GHS が取り入れられ，日本で GHS 分類が未設定の物質についても分類を進めている．

---

**化学物質の総合安全管理**

■ ライフサイクル（製造，輸送，貯蔵，使用，廃棄）にわたって，爆発・火災災害，健康影響，環境影響の観点から総合的に化学物質を管理（1992 年環境サミットで合意）
■ 国連は，GHS により国際的に共通な危険性・有害性の分類と表示（ラベルと SDS）の方法を定めた
　GHS (Globally Harmonized System of Classification and Labelling of Chemicals)
■ 日本では，GHS は 2005 年から労働安全衛生に取り入れられ，2022 年の化学物質管理の改正では，国が新たな GHS 分類を進め，リスクアセスメント対象物質への追加，濃度基準値の設定等を行うこととなった

# 1-2 リスクとは

**本節で学ぶこと**
- 決定論的安全（絶対安全）と確率論的安全
- ハザードとリスク
- リスクの計算例
- 化学物質の三つの危険性・有害性（ハザード）およびリスク

## 1. 決定論的安全（絶対安全）と確率論的安全

　従来は，安全と危険は反対語として扱われていた．安全でなければ危険であり，危険がなければ安全という考え方である．このような，安全と危険に明確な境界が存在するという考え方による安全は**決定論的安全（絶対安全）**とよばれている．たとえば，化学物質の引火点，発火点，爆発限界といった危険性にかかわる特性値は安全と危険を区分けする決定論的な境界として取り扱われることが多かった．つまり，これらの限界値に達していない条件では，確実に安全と考えられていたことになる．ただし，これらの値が多くの条件に依存するため，条件や測定装置が異なると異なる値が測定されることもよく知られている．さらに，条件や測定装置が同一でも限界付近では毎回同じ結果にならないことやヒューマンエラーによって条件が変わる可能性もあり，現実には決定論的に安全を決定することは困難である．

　自動車事故は日常的な危険であり，2023年には日本国内で2678人，10万人あたり約2.14人が死亡している．これは統計的な事実であって日本人一人一人が自動車事故で死亡する確率が1年間でこの程度あることはわかるが，特定の一人が1年内に死亡するかどうかを決定することはできない．同様に，化学プラントで使われている配管やバルブなどがいつ壊れるかは品質管理上の問題であり，統計的に毎年何本あるいは何個に1個は壊れるということが知られているが，ある特定のバルブが壊れるかどうかの予想はつかない．したがって，これは確率で表されるような潜在危険であり，決定論的に危険とか安全とか表現できるものではない．そこで，**確率論的安全**という考え方が出てきた．

　確率論的に潜在危険の大きさを表したものを**リスク**という．リスクにはいろいろな定義が存在するが，ここでは工学的なリスクの定義を使用し，次節で説明する．潜在危険の大きさをリスクで表した場合に，リスクがまったくない状態は存在しないとされている．決定論的安全では，安全と危険が明確に区分されているが，確率論的に危険性の大きさを考えた場合に，潜在危険の発生確率が1であれば必ず危険だといえるが，発生確率ゼロと断定することは困難であるためである．後述のようにリスクは発生確率だけでなく，潜在危険の大きさ（影響の大きさ）も加味して決められる．影響をヒトの死として年間の死亡率を求めたものが，しばしば用いられる年間死亡リスクである．リスクゼロがないとすると，リスクがどの程度小さければ安全とみなせるかという問題が出てくる．ここで問題としているリスクの大きさは，年間死亡リスクで$10^{-4}$あるいは$10^{-6}$という程度の日常生活ではほとんど起こらないと考えてもよいような小さな値であるが，リスクの議論では，この程度の値がしばしば問題となる．どの程度なら安全とみなして許容できるかのレベルには，一般に工学的許容レベルと社会的許容レベルの二つがあり，両者は

---

**決定論的安全の例**

■ 可燃性ガスの爆発限界
　メタンの爆発範囲：空気中 5〜15 vol%
　たとえばメタン濃度が5 vol%未満に管理されていれば絶対に着火は発生しないことになる．しかし，実際の管理では時間的空間的に濃度が変動したり，ヒューマンエラーによる漏えいなどが発生する可能性もある．
→ 実際の管理には確率論的アプローチが必要．

**確率論的安全の例**

■ 自動車事故 年間死亡率
　$2.14 \times 10^{-5}$/年・人
　（10万人あたり2.14人，近年減少傾向）

■ 決定論的には決められない
　ある一人が自動車事故で死亡するかは決められない．
　プラントであるバルブが壊れるかは決められない．

■ 安全対策には許容リスクレベルが必要
　潜在危険の発生確率をゼロとすることは困難．
　安全対策では許容できるリスクレベルを定め目標を明確にすることが必要．
　工学的許容レベルと社会的許容レベルがある．

同じではないとされている．工学的許容レベルは設計者がここまでリスクが小さければよいとして許容する値であり，社会的許容は一般市民がリスクはこれくらい小さくなければ安心できないという値である．

**決定論的安全（絶対安全）と確率論的安全**

- **決定論的安全（絶対安全）**
  安全な状態と危険な状態に明確な境界が存在する．
- **確率論的安全 ⟹ リスク**
  潜在危険はなくならない，それが顕在化するかどうかは確率を用いて表される．
- **受容リスク（0にならない確率論的安全評価の結果をどう受け入れるか）**
  リスクの社会受容

**リスクとは**

- **安全工学でのリスク**
  "潜在危険（ハザード）の発現する可能性"
  安全工学でのリスクの算出で用いられる．
  （リスク）＝（事故の発生確率）×（事故の影響の大きさ）
  ［単純なかけ算とは限らない］から，事故の発生確率と被害の大きさの組合せと理解するとわかりやすい．
- **広義のリスクの定義**
  "目的に対する不確かさの影響"
  （ISO 31000，JIS Q 31000）
  投資リスクなどではプラスの影響もあることも考慮した表現となっている．これに対し，前述の安全工学でのリスクは工学的リスクとよばれる．

## 2. ハザードとリスク

ハザードとリスクは，ともに日本訳は危険となるが，安全分野では明確に異なる意味をもつ単語として区別して用いられる．**ハザードは潜在危険**を表し，人身への危害，財産損失など，何らかの価値が失われる危険を意味する．**リスクは潜在危険の発現する可能性**を表したものである．安全工学で用いられる工学的リスクは，このハザードの起こりやすさとハザードの大きさの組合せとして表される[1]．工学的にはリスクを数値で表してそのプロジェクトなどの目標値（**工学的許容レベル**）と比較して**リスクが許容レベル以下になっているか**を確認する必要があることから，組合せは数値が求められる関数で表現されることになる．関数としては，潜在危険の大きさと潜在危険の発現する可能性を積で表したものがよく使用される．より具体的には事故の発生確率と事故の影響の大きさの積となり，すなわち，以下の式で表せる．

$$リスク ＝ 事故の発生確率 \times 事故の影響の大きさ$$

安全の問題を議論する場合には損失側のリスクのみが問題とされることが多いが，経済分野でのリスクでは利得側もリスクに含まれる．このようなことも含めた広義のリスクの定義として，「**目的に対する不確かさの影響**」（ISO

**ハザードとリスク**

- **ハザード**
  人身への危害，財産損失などの潜在危険
  危険の源となる物質，状態
- **リスク** $r$
  工学的には
  ハザードの起こりやすさ $p$（発生確率）
  ハザードの大きさ $c$（損害の大きさ）
  の組合せで，リスクの大きさは関数で表せる．たとえば
  $$r \equiv f(p, c) \approx p \times c,\ p \times c^2,\ \text{etc.}$$
  一例を具体的に書くと
  （リスク）＝（事故の発生確率）×（事故の損害の大きさ）

31000, JIS Q 31000)が用いられることもある．本項では化学物質管理をおもに扱うため，工学的リスクの定義を用いる．

## 3. リスクの計算例

たとえば，あるドライバーが1年間に自動車事故などでいくら損失する可能性があるかをリスクとして計算してみる．ドライバー一人が死亡事故を起こすリスクは，全国のドライバー数が5000万人で年間の自動車事故による死者数が3000人とすると，一人のドライバーが一人を死亡させる頻度は0.6/10000（人/年）である．死亡者一人の損害賠償額を1億円とすると，死亡事故の損失リスクは6000（円/年）となる．これに車どうしの衝突事故による修理費用や単独事故の修理費用などを加算したものがドライバー一人の損失リスクとなる．いくら自分が安全な運転をする，あるいは安全に運転できるような装置を付加するといった対策を施しても事故を完全になくすことはできない．このような安全対策を行っても残存するリスクを残留リスクといい，残留リスクに対処するために保険を掛ける行為はリスクの移転とよばれる．

---

**リスクの計算例**

あるドライバーのリスク$R$（円/年）を考える．

・死亡事故を起こすリスク$r_1$は，
$$r_1 \approx \frac{3000 人/年}{5000 万人} \times 1 億円$$
$$= 6000 円/年$$

・車どうしの衝突事故のリスク$r_2$は，
$$r_2 \approx \frac{1}{100} 台/年 \times 10 万円$$
$$= 1000 円/年$$

・……

トータルのリスクは個々の事象のリスクの合計．
$$R = \sum_i r_i$$

これを自動車保険というかたちで移転している（金銭的にはリスクの移転が可能）．

---

## 4. 化学物質の三つの危険性・有害性（ハザード）およびリスク

化学物質管理においてリスクを考えるとき，そのハザード（潜在危険）は通常以下の三つに分類される．リスクを管理するためには，これら三つのハザードにより発生する三つのリスクを考慮する必要がある．

**爆発・火災危険性**(fire and explosion hazard)： 化学物質が燃焼や爆発的反応を起こすことにより，焼損などの熱的影響，爆発による破壊，爆風による影響などが発生するハザードであり，これに起因するリスクを**爆発・火災リスク**とよぶ．影響が熱や力など物理的なものであるため，フィジカル・ハザードともよばれる（フィジカル・ハザードは，爆発・火災のみならず，重量物あるいは高速飛翔体の衝突などのハザードも含んでいる）．

**健康有害性**(health hazard)： 化学物質の**有害性**により，それにばく露された人間の健康に影響が出るハザードであり，これに起因するリスクを**健康有害性リスク**とよぶ．

**環境有害性**(environmental hazard)： 化学物質が環境中に排出されたときに，環境に悪影響を及ぼすハザードであり，これに起因するリスクを**環境有害性リスク**とよぶ．

**本節で学ぶこと**
■ リスクアセスメント
■ リスクによるマネジメント
■ リスクの最適化

# 1-3 リスクアセスメント，リスクマネジメント

## 1. リスクアセスメント

リスクアセスメントは，リスクを見積もることをいい，以下に記したリスクアセスメントの一般的プロセスの①〜②にあたる．見積もった後にリスクの大きさを評価し，リスク低減の対策を検討するところまでを含める場合もある（①〜④）．

① ハザードの特定（危険性・有害性）
② リスクの算出
③ リスクの評価
④ リスク低減対策の検討

● **三つのリスクについてのリスクアセスメントの手法**

前述の三つのリスクについて，リスクアセスメントの手法を説明する．実際の場のリスクとしては，算出された三つのリスクを総合的に捉えて評価することとなる．

**(1) 爆発・火災のリスクアセスメント**

爆発・火災のリスクアセスメントでは，

$$リスク ＝ （発生可能性）＊（影響の大きさ）$$

により計算される．"＊"は演算を表し，掛け算がしばしば使われるが，影響の大きさを2乗して掛け算をするなど種々の方法もある．

発生可能性や影響の大きさは，定量的に算出が困難な場合もあるため，これらの大きさを数段階にランク分けし，**リスクマトリクス**とよばれる双方のランクからリスク算出ができる表を用いてリスクを求めることも行われる．

---

爆発・火災リスクの算出の例

■ **発生可能性と影響の大きさの組合せ**
　　リスク ＝（発生可能性）＊（影響の大きさ）
　　　　　　　　　　　　　　　　　＊は掛け算等の演算
死亡被害という影響が発生する可能性を算出することで年間死亡リスクを計算する場合もある．

■ **リスクマトリクス**
定量化が困難な場合は，ランク分けにより，リスクマトリクスを用いてリスクを求める．

リスクマトリクスの例

| | | 影響の大きさ | | | |
|---|---|---|---|---|---|
| | | 重大 | 大 | 中 | 小 |
| 発生可能性 | ほぼ確実 | 5 | 5 | 4 | 3 |
| | 高い | 5 | 4 | 3 | 2 |
| | あり | 4 | 3 | 2 | 1 |
| | ほぼない | 4 | 3 | 2 | 1 |

| リスクの大きさ | |
|---|---|
| 5 | 非常に大 |
| 4 | 大 |
| 3 | 中 |
| 2 | 小 |
| 1 | 非常に小 |

リスクアセスメントでは，考えられるハザードの顕在化のシナリオを設定してリスクの算出を行うが，たとえばガス爆発事故では，可燃性混合気形成や着火という発生可能性に関する過程と，着火しガス爆発が発生したときに被害が発生する過程のシナリオを設定することとなる．シナリオが複数想定される場合は各シナリオから算出されたリスクの合計をリスクとして用いる．

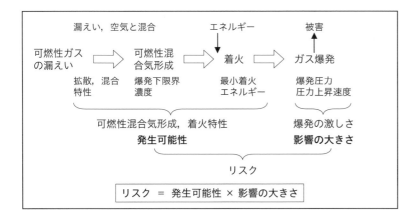

シナリオを設定したリスクの算出（ガス爆発災害を例として）

### (2) 健康有害性のリスクアセスメント

健康有害性のリスクアセスメントでは，

$$リスク = (発生可能性) * (影響の大きさ)$$

における(発生可能性)は，有害物質へのばく露程度になるため，通常は(推定ばく露量)が用いられる．(影響の大きさ)は(有害性)となるため，

$$健康有害性リスク = (推定ばく露量) * (有害性)$$

となる．さらに，有害性のデータは許容限界量で与えられる場合が多いため，(有害性)を許容限界量の逆数とし，＊を掛け算とすると，

$$健康有害性リスク = (推定ばく露量) \times (1 / 許容限界量)$$

となり，たとえば健康有害性リスクを1以下に抑えようとすれば，推定ばく露量を許容限界量以下にするという簡便な関係式も得ることができる．

ばく露量と有害性がランク分けで推定される場合は，前述のリスクマトリクスを用いた方法も可能である．

> 健康有害性リスクの算出の例

■ 推定ばく露量，作業場所濃度による評価
  リスク ＝（発生可能性）＊（影響の大きさ）
           ↓
  リスク ＝（推定ばく露量）×（1／許容限界量）
        影響の大きさ ＝ 有害性 ≈ 許容限界量の逆数とした
  リスク≦1が満たすべきリスクの大きさとすると，
    推定ばく露量 ≦ 許容限界量
    作業場所の濃度 ≦ 濃度基準値
  などとなるため，ばく露量や作業場所濃度の算定によりリスクアセスメントが実施できる．

■ ばく露程度と物質の有害性によるリスクマトリクス法など

### (3) 環境有害性のリスクアセスメント

環境有害性については，生態系への影響などを対象とする場合は，ばく露量と有害性を用いた健康有害性のリスクアセスメントと同様の方法で行うことができる．

また，ばく露量や有害性とは違ったリスクを評価する場合は，爆発・火災のリスクアセスメントと同様に，リスク＝（発生可能性）＊（影響の大きさ）として評価するか，リスクマトリクスを用いた評価を行う．

> 環境有害性リスクの算出の例

■ 環境濃度による方法（生態系影響など）
  生態系の許容濃度を用いて行う（健康影響のリスク算定と同様の方法）．

■ 火災・爆発のリスク評価と同様の方法
  許容濃度が使えない環境影響については，
    リスク ＝（発生可能性）＊（影響の大きさ）
  リスクマトリクスを用いた方法
  などによりリスクを算出する．

### ● ハザードの特定

リスクアセスメントの最初に行うのが，ハザードの特定である．ハザードすなわち潜在危険は，実験・研究で用いる物質や操作などに内在するハザードを数え上げる必要があるが，GHS や SDS（安全データシート）により化学物質のハザードについては情報が提供されているため，これらを参照することが必要である．

GHS は，前述したが Globally Harmonized System of Classification and Labelling of Chemicals の略であり，化学品の危険性・有害性（ハザード）ごとに分類基準およびラベルや SDS の内容を調和させ，世界的に統一されたルールとして提供するもので，ラベルなどからその化学物質の GHS 分類を知ることでハザードを把握することができる．

SDS は，safety data sheet の略であり，化学物質を譲渡または提供するときまでに，化管法 SDS 制度により，当該化学品の特性および取扱いに関する情報を提供するものである．ハザードの特定のみならず使用する化学物質の SDS には目を通しておくべきである．

> 実験,作業に内在するハザード(潜在危険)を特定
> → 種々の情報が利用可能だが,化学物質のハザードについてはGHS, SDSが確実に入手可能で有用.
>
> ■ **GHSによるハザードの分類と表示**
> 化学物質を危険性・有害性(ハザード)ごとに世界で統一化されたルールにより分類,表示を行うもの.薬品のラベル表示により危険有害性のランクを知ることができる.
>
> ■ **SDSによる情報**
> 化学物質の物理化学的性質,危険有害性,取扱いに関する情報などを提供するもの.
> 特定の危険有害性の記載は法令で求められており,GHSとの整合もはかられている.
> 使用物質については,SDSを入手し一読しておくべき.

*ハザードの特定*

● **リスクの評価と低減対策の検討**

前述のように"③リスクの評価""④リスク低減対策の検討"をリスクアセスメントに含めることもあるので,それらについて簡単に説明しておく.

**(1) リスクの評価**

算出したリスクが,目標とするレベル以下になっているかを評価する.目標レベル以下になっていない場合は,リスク低減が必要となり,目標レベル以下を達成した場合も,数値的にぎりぎりの場合は,リスク低減対策を検討することが望ましい.

**(2) リスク低減対策の検討**

リスク低減対策は,リスク算出に用いた(発生可能性)や(影響の大きさ)を小さくしてリスクを低減させることになる.リスク算出の段階で,どの項目がリスクを大きくしているかは把握できているはずであるので,リスク増大のおもな原因となった項目から対策していくことが効果的である.

## 2. リスクによるマネジメント

● **リスクマネジメント**

リスクアセスメントによりハザードを適切に評価してリスクを算出しているのであれば,そのリスクを用いて安全をマネジメントすることが合理的である.これはリスクマネジメントとよばれ,以下のようなプロセスをとることが通常である."③リスクの評価"で算出したリスクが目標レベルを達成できない場合は,何度でも対策 → 再評価を繰り返すこととなる.

リスクアセスメント，リスクマネジメント

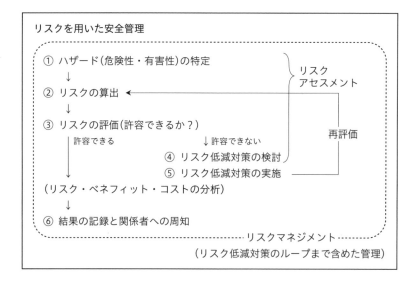

① ハザード（危険性・有害性）の特定
② リスクの算出
③ リスクの評価
　　　┣━ リスクが目標レベル未達成（許容できない）
　　　　　④ リスク低減対策の検討
　　　　　⑤ リスク低減対策の実施
　　　┗━ リスクの再評価（②に戻る）
　リスクが目標レベル達成（許容できる）
⑥ 結果の記録と関係者への周知

⑥の前に，リスク・ベネフィット・コストの分析（後述）を行うこともある．

● 3管理，5管理

労働安全衛生の分野では，3管理，5管理という言葉が用いられる．これらの意味は以下のとおりである．

3管理： 作業環境管理，作業管理，健康管理
5管理： 作業環境管理，作業管理，健康管理，総括管理，労働衛生教育

個々の管理の内容は以下のとおりである．

・**作業環境管理**：作業環境中の有害因子の状態を把握して，できる限り良好な状態で管理していくことであり，状態の把握には，作業環境測定が用いられる．
・**作業管理**：有害要因のばく露防止，作業負荷の軽減，環境の汚染防止などを達成する作業方法を定めて，その適切な実施を管理するもの．
・**健康管理**：労働者個人個人の健康の状態を健康診断によりチェックし，健康の異常を早期に発見し，その進行や増悪を防止し，さらに，もとの健康状態に回復するための医学的および労務管理的な措置をとること．
・**総括管理**：労働衛生対策を効果的に進めるためには，産業医や衛生管理者などの労働衛生専門スタッフが有機的に結びついて連携をとっていく総合的管理が必要であり，これを総括管理とよぶ．

- **労働衛生教育**：労働者が管理体制や労働安全衛生の3管理・5管理について理解し適切に行動することが重要であり，理解を深めるために労働衛生教育が行われる．

## 3. リスクの最適化

● リスクとベネフィット，コスト

　欧米ではリスクとベネフィット（便益）のバランスでそのリスクを受け入れてよいかどうか決定しようという考え方がある．何かをする場合あるいはしない場合のリスクは小さいほうがよいのは当然である．しかし，リスクを小さくするためには安全対策が必要であり，安全対策にはコストがかかる．安全対策にかかるコストはベネフィットを小さくする方向にはたらく．新しい技術などからベネフィットを得るためには，安全対策に費用がかかり過ぎることは望ましくはない．もちろん，リスクがあまりにも大きいものは受け入れられないが，ベネフィットの大きいものについて，リスクをある程度小さくすることができ，ベネフィットがリスクより大きいことを保証できるのであれば，それを受け入れてもよい，という考え方である[4]．

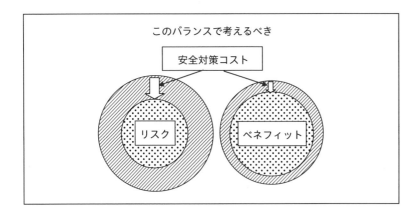

リスクとベネフィット，コストのバランス

　これは，英国において蒸気機関が使われるようになった初期において，ボイラーの製造技術が未熟でボイラーの爆発事故が多発したためにできた考え方である．ボイラーの爆発事故により多くの死傷者が出たが，蒸気機関はその損害を上回るベネフィットを生み出しているので，蒸気機関を存続させることを目的としてつくられたものである．安全対策に費用がかかり過ぎてベネフィットが得られないようでは，新しい技術等を社会に実装することは考えられないため，工学的にはこのリスクとベネフィットのバランスを考慮して，ある技術等が社会に実装できるかどうかを考えるというのが主流である．のちほど述べるが，この考え方を一般市民が受け入れられるかどうかは，少なくとも日本では議論されておらず，原子力発電所の再稼働問題などの議論で明らかなとおり，いくらベネフィットがあってもある程度以上リスクがあれば許容できないとする一般市民も少なくなく，そのリスクがどの程度のレベルかということについてもいろいろな考えがあるのが現状である．

● 対抗リスク

**リスク低減対策の実施により別のリスクが生まれることがあり，これを対抗リスクとよぶ．**

たとえば，薬の副作用（薬で疾病は改善したが，副作用で別の健康影響が生じた），スプレー噴射剤をフロンから可燃性の DME（ジメチルエーテル）に変更（フロンによる環境影響はなくなったが DME による燃焼，爆発事故が発生）などがある．

化学実験室において，薬品蒸気へのばく露リスクを低減するためドラフトを増設したが，ドラフト運転のための電力が増加し，結果的に発電所での二酸化炭素排出量が増大し地球環境に悪影響を与えた，というのも対抗リスクの例といえる．

● リスクの最適化

ある作業のリスクは，前述の三つのリスクの総和となるとともに，それぞれの対抗リスクまで考えると，全体を見渡した総合的な最適化が必要となってくることに注意が必要である．

| リスクの最適化 | ある作業のリスクは，三つのリスクの総和となるとともに対抗リスクまで考えると，総合的な最適化が必要な問題となる． リスク　ベネフィット　コスト 爆発・火災リスク →リスク低減→ 対抗リスク 健康有害性リスク →リスク低減→ 対抗リスク 環境有害性リスク →リスク低減→ 対抗リスク |
|---|---|

# 1-4 リスクによる管理と課題

> **本節で学ぶこと**
> ■ 想定外
> ■ 未知のリスク
> ■ 発生頻度の設定できないリスク
> ■ シビアアクシデント
> ■ ヒューマンファクター
> ■ リスクの社会受容
> ■ リスク認知

## 1. 想定外,未知のリスク

リスクによる管理は,合理的,効果的であるが,いくつかの課題もある.想定外,未知のリスク,発生頻度が設定できない場合の問題について以下に記しておく.また,関連する問題としてシビアアクシデント,ヒューマンファクターについても触れておく.

### ● 想定外

東日本大震災では,想定外という言葉がよく使われたが,原子力発電所の事故のみならず千葉県市原市製油所の爆発炎上事故も想定外の出来事とされた.石油コンビナート事業所では,通常時や地震時について被害想定を行う防災アセスメントが行われており,千葉で経験した程度の震度には耐えられるはずであった.しかし,地震が発生したときに,最初に被災した球形タンクは定期点検中であり,中には液化石油ガスではなく水が入っていた.普通に考えれば,水なので漏れても大きな被害が発生するとは思えず,事故が起こるとは考え難い状況にあった.ところが,水は液化石油ガスより比重がかなり大きく,地震により発生した振動による応力が球形タンクの耐震強度を超えてしまった.これにより球形タンクの脚部が破壊され,重量物であるタンクが横転して周辺の配管を破壊し,配管内の可燃物が流出した[5].

定期点検を3年に1回行い,水張り試験は1日程度で終わるとすれば,1/1000(回/日)程度の頻度があることになる.1基の球形タンクであれば,この程度の頻度であるが,球形タンクが100基あれば,1/10(回/日)となるし,1000基あればほぼ常に点検中の球形タンクがあることになり,定期点検中に地震が起こることは到底無視できる頻度ではない.1事業所では手に余る想定であったかもしれないが,コンビナート防災本部レベルでは想定しておくべき事象であっただろう.この事故を反省し,今後に生かしていくことが課題である.同様に,一つの職場では小さな無視できるくらいのリスクであっても,同種の職場が数多くあれば,無視できないリスクになると考えられる.あるいは同型の装置を数多く設置する場合には,装置1基のリスクは小さくとも,装置数が多くなれば全体のリスクは大きくなることを考えておくべきである.以上のように,想定外として対応や改善を諦めてしまっては安全レベルの向上は望めない.想定外は完全にはなくならないかもしれないが,新たな事例や解析結果を取り入れて見落としのないアセスメントを目指し続けることが必要である.

東日本大震災での想定外の例

東日本大震災（平成 23 年 3 月 11 日）での千葉県市原市の製油所の爆発炎上も想定外であった．

- **定期点検中に地震が発生した．**
  - 被災した球形タンクの耐震強度は LPG の比重を想定したものであった．
  - 定期点検のため球形タンク内には水が張られていた．
  - 内容物の質量が設計より大きく，地震による振動で発生する応力が耐震強度を超えた．
  - 球形タンク脚部が破壊された．
  - タンクの横転により周辺の配管が破壊され，内容物が流出した．

- **建設中，運転中の事故想定は行われているが，点検中については想定されていなかった．**

● 未知のリスク

次のような，学問的に未知であったために想定できなかったという事象がある．

学問的未知のリスク
（リバティー船の脆性破壊）
[出典: 失敗知識データベース, リバティー船の脆性破壊より
http://www.sozogaku.com/fkd/cf/CB0011020.html]

＊1 ほとんど変形することなく割れが広がって，突然破壊すること．

＊2 き裂がきっかけとなり破壊すること．

- 米国は第二次世界大戦遂行のための国家プロジェクトとして，全溶接の戦時標準船（DWT 11 000 t 貨物船，リバティー船）の連続ブロック建造を計画し，日米の太平洋戦争突入を機に，1942 年から本格生産に入った．
- リバティー船は 1939～1945 年の 6 年間で 2708 隻が建造された．1946 年 4 月 1 日までに，リバティー船の脆性破壊＊1 の損傷と事故が 1031 件も報告された．そのうち 200 隻以上が沈むか，または使用不能という重大な損害を受けた．スケネクタディ号はその 1 隻で，岸壁に係留中に突如大音響とともに船体が真二つに折損した[6]．
- 原因は鋼材の溶接継手の破壊じん性の不足による脆性き裂＊2 の発生と進展という，当時未知の現象であった．この大量の事故は，まさに高価で壮大な世紀の大実験といえるものだった．米国は脆性破壊について貴重な知見を世界に示し，これが破壊力学の体系化への出発点となった．

このような学問的にも未知な現象による事故が発生する可能性もないとはいえない．

● 発生頻度の設定できないリスク

フランク・ナイトによれば，不確定なことには，確率によって計測できるものと計測できないものがあり，計測できるものがリスク，計測できないものは真の不確実性である[7]．確率によって計測できるものには，数学的に決まる先験的確率と実測値によって定められる統計的確率がある．工学的リスクを考えた場合，先験的確率が求められるようなハザードはないので，統計的に発生頻度が求められるハザードについてリスクを算出していることにな

る．地震の発生も発生頻度の推定には馴染まないとされているが，そのような発生頻度の設定できないハザード，あるいは未知のハザードが工学的リスクの算出からは漏れていることを忘れてはならない．このようなリスク算出から漏れた災害事象については，リスク管理ではなく，危機管理の対象とすべきものである．

> フランク・ナイト 著，奥隅榮喜 監訳，「危険・不確実性および利潤」（文雅堂銀行研究社，1959）によると，
>
> ■ 不確定なことには，確率によって計測できるものと計測できないものがある．
> ■ 確率によって計測できるものがリスク，計測できないものが真の不確実性である．
> ■ 確率によって計測できるものには，サイコロの目のように数学的に決まる先験的確率と実測値によって定められる統計的確率がある．
>
>
>
> 工学的に表現できるリスクは広義のリスクの一部にすぎない．

**発生頻度の設定できないリスク**

● シビアアクシデント

**シビアアクシデント（過酷事故）**とは，一旦発生してしまうと取り返しのつかないような大事故を指す用語で，原子力関連施設の事故などで使われることが多い．シビアアクシデントを起こしてしまった原子力施設は，周囲に多大な影響を与え，さらに再稼働が困難で廃棄せざるを得なくなる．一方，医療の世界でも，致命的な手術の失敗も結果の重大性という意味ではシビアアクシデントである．成功すれば病気が完治し，失敗すれば死につながるような手術の場合，事前には経験的成功頻度の値は，手術を受けるかどうかの決断の参考となるため，重要なデータである．しかし手術後には，成功率50%だったとして0.5人生き残ったという結果はありえず，成功か失敗かという判断しか存在しない．つまり，シビアアクシデントの場合，発生してしまうと事前のリスク評価は意味がなかったと問われることもある．しかし，リスクは事前に考える概念であり，事後にはリスクは考えられない．事前のリスク評価とリスク低減の対応をいかに有効に行うかが肝心である．また，工場などの大きな事故が連続して発生することがあると，"大事故は続けて起こるものだ"というようなことをいう人が出てくるが，明確な連続する理由がない場合がほとんどである．工学的リスクは経験的発生確率に基づき，事故が独立して無秩序に発生するということを想定している．したがって，大事故の発生は定期的に起こるものではなく，ランダムに発生するものである．ランダムということは，連続したり，間隔が大きく空いたり，ということであり，ある程度連続して大事故が発生したからといってランダム仮説を棄却する必要はないものと思われる．

**シビアアクシデント**

シビアアクシデント（severe accident，過酷事故）とは，事故の被害程度を表す用語の一つであり，日本では一般に，原子力関連施設に関する大規模事故を指す．

■ 致命的な手術の失敗も結果の重大性という意味ではシビアアクシデントである．
■ シビアアクシデントは発生してしまうと事前の発生確率の予測は意味を失う．起こるか起こらないかという判断しか存在しない．

● ヒューマンファクター

リスクは人間と環境とのかかわりによって生じるものであるので，人間と

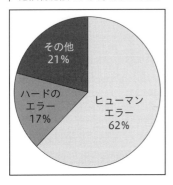

危険物施設の火災事故発生要因

環境との関係を考えることが重要である．人間の環境に対する何らかの行為あるいは行為しないことによって事故が起こる潜在危険性が生じる．人間には機械のような正確性，再現性などを期待することはできず，このような人間的要素を**ヒューマンファクター**とよぶ．この人間の行為あるいは行為しないことが何らかの事故につながった場合，人間側に何らかの逸脱があったとされ，それは**ヒューマンエラー**とよばれる．消防白書によれば，危険物施設の火災事故発生要因を調べると，多少の数字の変動はあるが，おおむね6割程度がヒューマンエラーによるものとされている[10]．

ヒューマンファクターを議論する場合，結果的にエラーになるか，ならないかという違いがあったとしても表に出てきやすいのはエラーになったものであるから，エラーに結びつくようなヒューマンファクターの分類が使われることが多い．エラーは，意図，行為，結果，状況などで分類されるが，詳細については関係書籍を参照されたい（たとえば，J. Reason による意図に関する分類[3]など）．

## 2. リスクの社会受容

個人リスク

- 事故によるプラント周辺の一人の人間の潜在致死率
- プラント周辺の地図上で等高線（等リスク線）で表示

社会リスク

- 事故によって生じる死亡者数とその被害を引き起こす事故の発生頻度
- 事故発生頻度（$F$）と被害者数（$N$）を$F$-$N$曲線で表示

社会的なリスクの受容を考える場合，**個人リスク**と**社会リスク**という二つのリスクが対象とされる[8]．個人リスクは，ある特定の一人の潜在致死率で表され，たとえばあるプラントの事故により，周辺住民などがある地点にいた場合の潜在致死率を周辺マップ上に等高線表示するといったことが行われる．オランダでは，プラントを新設するさいのリスクアセスメントにおいて，この個人リスクが $10^{-6}$/年，すなわち100万年に1回，その地点にいる人が死亡するような事故が想定される地点を結んだ等高線が，周辺民家にかかった場合には，そのプラントの新設は許可されないそうである．一方，社会リスクは事故によって生じる死者数（$N$）とその被害を引き起こす事故の発生頻度（$F$）で表され，$F$, $N$ を軸とした二次元座標上に $F$-$N$ 曲線として示される．オランダでは $F \times N^2$ が $10^{-5}$ を超えた場合には，そのプラントの設置は許可されないとのことであり，前述のリスクを表す関数が $F \times N^2$ となっていることがわかる．

社会リスクで用いる $F$-$N$ 曲線

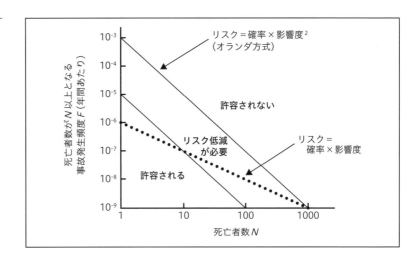

● リスク認知

認知心理学によれば，人間は外部からの入力を知識・経験や価値観に基づいて認知する．通常，一般市民には知識・経験が不足しており，専門家は知識・経験が豊富である．したがって，一般市民と専門家ではリスク認知が異なるのが自然であり，一般市民による社会的受容と専門家による工学的受容には大きな差が出ることとなる．専門家のリスク評価はリスク推算の結果に近いものであるが，一般市民のリスク評価は発生頻度にはあまり影響されず，もっぱら被害が生じたときの被害の大きさに依存していると考えられている[9]．また，一般市民は価値観に重きをおくことが多く，これも前述のようなリスクとベネフィット，コストとのバランスをとろうとする工学者との受容レベルの差を生じることとなる．価値観を重視することは，日々の恩恵が感じ難い原子力発電所と，日々恩恵を受けていることが明白な自動車に対するリスクの受容レベルに大きな差があることなどに表れている．

---

リスク認知

■ 人間は外部からの入力を知識・経験や価値観に基づいて認知する．リスクについても同様．

■ 一般市民には知識・経験が不足している．

■ 専門家は知識・経験が豊富．

■ 一般市民と専門家ではリスク認知が異なるのが自然．

■ マスコミ報道，リスクのコントロール可能性などによりリスク認知にバイアスがかかる．適切なリスクコミュニケーションも有用．

本節で学ぶこと
■ 安全風土の構築
■ 安全な状態

# 1-5 安全文化，安全風土

安全風土の構築

■ これまでは
・事故はない
・法規対応・形式的対応
・経営の負担
・設備重視の安全管理
・"墓標型安全管理"

■ これからは
・事故はありうる
・本質安全化
・独立多重防護
・経営にとって不可欠
・総合的安全管理
・"予防型安全管理"

　これまでは，とくに危険なことをしなければ事故は起こらないので，法規を形式的に守っていればよく，法規を超えた安全対策は経営の負担であるとする企業が多かったように思われる．労働災害により，死亡者が発生した場合には，同じ事故を繰り返さないよう安全装置等を追加するといった設備重視の安全管理が行われていた．死亡事故が発生することで，安全対策が進むという意味で，このような手法を墓標型安全管理とよぶ．

　このような墓標が立つまで安全管理が進まないという状況を打破するため，これからは事故はありうるという立場から安全管理を行うべきである．起こり得る事故を想定することにより，それを避ける方策を検討することが可能となり，想定された事故が本質的に起こらない設備とすることができる．重要な設備については，安全装置の故障なども考えて，独立して安全装置を多重設置することも検討すべきである．また，近年，大企業であっても事故や不祥事により倒産するような事例も見られるようになってきており，安全対策は経営にとって不可欠のものとなってきている．また，事故は人間と設備などとのかかわりのなかで発生するものであるから，安全装置をつけたからよしとするのではなく，作業者の事故に対する感性を高めることによっても大事故を小規模な事故に留められる可能性がある．したがって，設備の安全対策のみではなく，作業者の安全教育なども含めた総合的安全管理を行うことによってより安全な作業環境をつくることができる．このような，事故がありうることを前提として，事故が発生する前にあらかじめ防止対策を実行していく手法を予防型安全管理とよぶ．

## 1. 安全風土の構築

　近年，企業における安全管理に関して安全文化という言葉がよく使われるようになってきた．ヒューマンファクターの節で述べたように事故の大半がヒューマンエラーで起こることがわかっており，安全装置の設置などハードウェアに関する安全対策で事故を防ぐことには限界があることから，作業者の安全意識を高めることによって事故件数の削減を目指そうとするものである．

　ところで，日本では安全に関する企業風土があって，その一部として安全に関する企業文化が形成されていると考えられているようである．企業風土が基盤となっていて，その上に事柄に関する文化があり，安全文化もその一つという考え方に立ち，基盤の風土は変えられないが，安全文化は向上させることができると考えているように思われる．英語では，安全文化，安全風土のそれぞれに対応した safety culture, safety climate という言葉が使われている．この safety culture はチェルノブイリの原子力発電所事故を受けた国際原子力機関（IAEA）の事故調査報告書で使われ始めたものであり，

1991年にはIAEAよりINSAG-4 "Safety Culture"というレポートが出ている．その後のこの分野での研究論文を見ていると90年代はほとんどがsafety cultureという言葉を使っていたが，その後徐々にsafety climateを使った論文が増えてきており，最近ではsafety climateのほうが多いように思われる[11]．これは，英語の意味としては，cultureは日本文化，アメリカ文化，フランス文化といったように長年にわたって培われてきた容易には変え難いものであるのに対して，climateは環境によって変わるものと考えられていることによると思われる．つまり，safety cultureというよりもsafety climateといったほうが，変える努力が報われやすいのだと思われる．日本語でも本来の意味では，文化のほうが変え難く，風土は環境によって変わるものなのではないだろうか．

---

- 日本では安全に関する企業風土があって，その一部として安全に関する安全文化があると考えられている．
- 企業風土は変わり難いが，安全文化は変えられるのではないかという考えのように思える．
- 英語では安全文化，安全風土にはそれぞれsafety culture, safety climateという用語が使われている．
- 2000年以前はsafety cultureが使われていた．
  IAEA・INSAG-4："Safety Culture"（1991）
- 2000年以後は，徐々にsafety climateが使われるようになってきている．
- safety cultureは深く変わり難いのに比べてsafety climateはそれほど深くなく，変えやすいと考えられている．日本の考え方と逆？

---

安全文化，安全風土

なお，安全文化を改善する効果的な方法は確立されていないが，安全文化のレベルを計測する手法は種々検討されている．良好な安全文化が維持されていることの一つの指標に5S（整理・整頓・清掃・清潔・躾）をあげることができる．日本の工場ではよく見られる5S活動ではあるが，目視による観察が可能な指標であり，安全管理・品質管理の基本であるので，安全管理の文化が根づいていることの一つの指標になりうると考えられる．

現状では，日本では人への危害や災害などが起きていない状態を安全な状態と捉える風潮がある．事故などを頻繁に起こすのは危ない企業であり，事故を起こしたことのないのが安全な企業という認識である．しかし，取り扱っている物質の種類や量によって，事故の発生可能性や発生した場合の影響の大きさは変わり，つまりリスクが違ってくることになる．さらに，リスクは確率論的概念であるため，事故を起こしたことがない企業のリスクが小さく，事故を起こしたことがある企業のリスクが大きいとは一概にいえない．つまり過去の事故歴だけで安全な状態かどうかを判断することはできない．EUの製品の安全・品質に関するニューアプローチ欧州指令のように，国際的には，人への危害や災害などが起きていない状態を確保する対策・手段が講じられ，確実に実施されている状態が安全な状態なのであって，何もしていないのにたまたま事故が起こっていない状態は"安全な状態とはいえな

い"と認識されている．"リスクによるマネジメント"の項で述べたように，リスクを下げる安全活動を継続して行うことによって安全が確保されるという考え方である．日本においてもそれぞれの企業風土をこのように変えていくことによってより安全な社会の構築に向かっていくことが望まれる．

安全な状態

| 日本の現状 | 望ましい状態 |
|---|---|
| ・人への危害や災害などが起きていない状態． | ・人への危害や災害などが起きていない状態を確保する対策・手段が講じられ，確実に実施されている状態． |

参考文献
1) リスクマネジメントシステム調査研究会 編，"リスクマネジメントシステム構築ガイド"，日本規格協会(2003)．
2) R. Collins, Heinrich's Fourth Dimension, *Open J. Saf. Sci. Technol.*, 1, 19(2012)．
3) ジェームズ・リーズン 著，佐相邦英 監訳，"組織事故とレジリエンス"，日科技連出版社(2010)．
4) 日本リスク研究学会 編，"リスク学辞典"，TBS ブリタニカ(2000)．
5) コスモ石油株式会社プレスリリース，千葉製油所火災爆発事故の概要・事故原因及び再発防止策等について(2011 年 8 月 2 日)．
http://www.cosmo-oil.co.jp/press/p_110802/
6) 科学技術振興機構，"失敗知識データベース"，リバティー船の脆性破壊(2005 年 3 月 23 日公開)．
http://www.sozogaku.com/fkd/cf/CB0011020.html
7) フランク・ナイト 著，奥隅榮喜 監訳，"危険・不確実性および利潤"，文雅堂銀行研究社(1959)．
8) B. J. M. Ale, Risk Analysis and Risk Policy in the Netherlands and the EEC, *J. Loss Prev.*, 4, 58(1991)．
9) 芳賀 繁，"事故がなくならない理由"，PHP 研究所(2012)．
10) 総務省消防庁，"平成 25 年版 消防白書"，総務省消防庁ホームページ．
http://www.fdma.go.jp/html/hakusho/h25/h25/index.html
11) A. R. Hale, ed., "Safety culture and climate", Pergamon(2000)．

# 2 事故例と教訓

## 2-1 事故事例と教訓

　大学，研究機関(企業，公的)などの化学実験室では，さまざまな化学物質が使われているので事故が起きやすい．研究者として予期できない事故も起きてはいるが，その多くは，化学物質の性質や過去の事例から推測できるものである．化学実験室での事故の危険性は大別すると次の二つに分けられる．
　(1) 危険性が高い化学物質の取扱いに伴う事故
　(2) 危険性が比較的低い物質でも，使い"慣れ"と"油断"により，安易に扱ったために起きる事故

(1)の例としては，有機リチウム，ナトリウム，カリウム，ジエチルエーテル，特殊なガス類(硫化水素，塩化水素など)の高い危険性を有する物質の取扱い時に起きるものがあげられる．(2)の例としては，酢酸の蒸留中の事故やシリコーン油の出火のように比較的危険性が低い化学物質を大量に扱うときに，過信や慣れのために安易な取扱いをすることで事故に至る場合があげられる．

| おもな実験事故の形態 |
| --- |

■ 化学物質の爆発・火災に伴う事故
・自己反応性物質の取扱い中の爆発
・可燃性物質による火災，爆発
・禁水性物質，自然発火性物質などによる火災，爆発
・反応実験での火災，爆発
・蒸留中の分解性物質の濃縮による爆発
・酸素による事故

■ 有害物質による事故，酸素欠乏症
・有害物質の取扱い中の漏えいや誤混合による有害物質の発生
・液体窒素などの漏えいによる酸素欠乏症

■ 実験用の器具や設備による事故
・ガラス器具の破損
・分析機器，動力機器による感電
・X線やレーザー光による眼の損傷

■ 保管中の事故
・自己反応性物質の生成や，冷蔵貯蔵中の事故，有害危険物の漏えい

■ 廃棄作業中の事故
・混合(による発火や有害物の発生)事故，有害物質の漏えい

## 2-2 事 故 例

### 1. 酢酸の蒸留中の事故

● 事故概要

大学の化学実験室で酢酸を蒸留中，突沸が起こり出火した．100 ℃付近で温度上昇が一時的にストップしたため，加熱を強めたところ，急に沸騰が起こるとともに発生した酢酸蒸気に着火し，火災となった．幸いガラス容器は割れず，短時間で消火した．

● 事故原因

【原因物質】：酢酸

酢酸(引火点 39 ℃)は沸点が 118 ℃であるが，水溶性のため含水しており，100 ℃付近で温度上昇がストップしたと考えられる．この事例では，学生が蒸留中，不用意に加熱速度を上げてしまい，実験条件を逸脱したために事故が発生した．学生どうしまたは教員との安全情報の伝達がうまくいっていなかったためとも考えられる．

● 教 訓

本事故は，蒸留中に実験者が沸点手前の温度で加熱速度を上げたという単純な操作ミスだが，蒸留中の事故は多い．たとえば，

(1) 蒸留の過程で不純物が濃縮された結果，その不純物による触媒効果などにより蒸留物が反応を開始し，爆発を引き起こす．
(2) 長時間の加熱により，想定外の化学反応の結果として爆発性物質が形成され，さらにその濃度が増し爆発を引き起こす．
(3) 長時間の加熱で，徐々に蒸留残渣が不純物などと反応，暴走反応に至る．

事例-1　ヒドロキシルアミンの爆発事故(工場および実験室)が有名である．不純物として共存している鉄イオン濃度が高い場合，ヒドロキシルアミンは分解反応を起こすが，蒸留によって不純物である鉄イオン濃度が高まり，ヒドロキシルアミンの分解反応による爆発事故が起きた．

事例-2　化学合成反応でメタノールを使用中，そのさいに生じたメチルヒドロペルオキシド(有機過酸化物)がメタノールの除去中に濃度を増し，爆発に至った．

事例-3　イソシアネート(isocyanate; R-NCO)類の蒸留中，不純物として含まれていた水との反応が徐々に起きて，数時間後に暴走反応に至った．

### 2. DMSO の蒸留中の爆発事故

● 事故概要

平成 11 年 1 月，企業の実験室において，ジメチルスルホキシド(DMSO)の蒸留中に激しい爆発が起き，負傷者 6 名を出した．

| 酢酸の性状 | |
|---|---|
| 外 観 | 無色液体，強い特有臭 |
| 融点 [℃] | 16.7 |
| 沸点 [℃] | 118 |
| 引火点 [℃] | 39 (密閉式) |
| 消防法危険物 | 第四類第二石油類 水溶性液体 |

蒸留装置

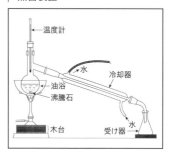

[出典：日本化学会 編 "第5版 実験化学講座 基礎編 I", p.171, 丸善 (2003)]

爆発を起こした蒸留装置

右側が上部(気相部)で，爆発が気相部で起きていることがわかる．

### DMSOの性状

| | |
|---|---|
| 化学式 | $(CH_3)_2SO$ |
| 外観(室温) | 無色液体 |
| 融点 [°C] | 18.5 |
| 沸点 [°C] | 189 |
| 引火点 [°C] | 89 |
| 発火点 [°C] | 300 |
| 爆発範囲 | 3.5～42% |
| 消防法危険物 | 第四類第三石油類 水溶性液体 |

● 事故原因

【原因物質】：DMSO

蒸留中に突然爆発が起きた．爆発は気相部で起きており，高温・気化したDMSOが爆発したものと推定される．原因調査のために行った加速速度熱量計(ARC)などによる実験の結果，DMSOは不純物の存在で，分解開始温度が低下することがわかった．この事故は，硝酸イオン濃度が高く，pHは約3で酸性であったが，これがDMSOの分解爆発に関係した可能性がある．

● 教 訓

溶媒として広く使われているDMSOは，引火点が高く，単純な火災に対しては，比較的安全といえる．しかしながら，非常に多くの爆発事故が，とくに蒸留中に起きている．これは，蒸留器内に存在する不純物が蒸留によって濃縮され，DMSOの分解熱により爆発を引き起こすためと考えられている．DMSOのSDS(安全データシート)を見てもこのような危険性に関する記述はほとんど見当たらない．実験を行う前には扱う物質の事故情報を積極的に調べておくことが望まれる．

## 3. シリコーン油の発火

● 事故概要

大学の実験室でシリコーン油を使って終夜運転で加熱中，発火した．

シリコーン油は有機ケイ素化合物の総称で，実験室で使う熱媒体としては，引火点が高く(引火点 300 °C程度以上)，着火に対する危険性が低いと考えられることから，広く使われている．しかし，長時間の加熱で油面が低下し，ヒーターが油面上に出たり，温度制御部に故障が生じたりすることでシリコーン油の温度が予想外に上昇すると，引火，発火することがある．

● 事故原因

【原因物質】：シリコーン油

使用したシリコーン油の発火点は不明だが，耐熱性であれば発火点は通常300 °C以上であり，使用上の危険性は少ない．液面調整，温度調整を誤った場合に発災につながる．長時間運転，とくに深夜運転はミスを犯しやすいが，緊急事態に対処する人手が少なく，重大事故につながりやすい．

● 関連の事例

シリコーン油が発火し，その消火のために液体窒素を投入したため，液体窒素の突沸を引き起こし，学生2名がやけどを負った．液体窒素の沸点は－196 °Cで一定の冷却効果はあるが，液体窒素の急激な沸騰を引き起こす危険性が高い．

類似の火災・事故例は石油会社でも多い．たとえば，アスファルトタンク(貯蔵装置)は，ときどき爆発火災を起こすが，これは液面調整を誤り，ヒーターが液面上に露出することによる過熱が原因である．

また，長期間の使用でヒーターや温度調整器が故障し，研究者が過熱に気づかなかった例もある．

● 教 訓

反応性化学物質の管理や危険性には注意が払われるが，シリコーン油槽の

### シリコーン油の性状(代表例)

| | |
|---|---|
| 外 観 | 無色液体 |
| 引火点 [°C] | 300～350 程度 |
| 消防法危険物 | 指定可燃物 |

温度管理までは注意が回らないのかもしれない．とくに夜間の定常的な実験では，教員や他の研究者が不在で事故が起きたときの対応が難しい．教員や安全担当者による教育が必要である．また，シリコーン油は多様な種類があり，発火点が 150 ℃程度のものもあるため，耐熱性の製品を使用する．

## 4. マグネシウム火災

### ● 事故概要

事例-1　マグネシウム再生工場において溶融マグネシウムを鋳型に流し込んでいるさいに，冷却用扇風機の風で飛散した粉体が発火し，地面にあったマグネシウム粉末に引火，燃焼し，保管していたマグネシウムに延焼し，工場建屋が全焼した．

事例-2　マグネシウムダイカスト製品から発生する切削くずを保管する鋼製容器の底部が破損しており，外側から保管容器をアーク溶接したところマグネシウム切削くずに引火燃焼し，作業者 2 名が死亡，1 名がやけどを負った．

### ● 事故原因
【原因物質】：マグネシウム

マグネシウムの形状は粉体，粒体，成形体（板状，棒状など），インゴットに大別できる．粉体，粒体などのように比表面積が大きい形状では，酸化されやすく着火しやすい特徴を有する．マグネシウムの切削くずは切削の方法や条件により，薄い，脆い，凹凸が激しいといった形態を有することもあり，火災に対して細心の注意を払う必要がある．

### ● 教　訓

延焼拡大の危険性を低減するため，マグネシウムなどの切削くずの保管量は抑え，保管は延焼拡大の危険性が低い金属製などの容器を使用する．

また，水溶性切削油などにより水が付着したマグネシウムなどの切削くずは，水との化学反応により水素が発生する可能性があるため，水素の滞留防止のため，上部にガス抜き口を設ける等により密閉を避け，通気性のよい場所に保管する．また，マグネシウムは燃焼時に空気中の窒素と反応し，窒化物を生じることがある．この窒化物は水と反応し，有害ガスであるアンモニアを発生させる．

| | |
|---|---|
| 燃焼反応 | $Mg + 1/2 O_2 \longrightarrow MgO$ |
| 水素が発生する反応 | $Mg + 2 H_2O \longrightarrow Mg(OH)_2 + H_2$ |
| アンモニアが発生する反応 | $3 Mg + N_2 \longrightarrow Mg_3N_2$ |
| | $Mg_3N_2 + 3 H_2O \longrightarrow 3 MgO + 2 NH_3$ |

## 5. ナトリウムの廃棄中の爆発，火災

### ● 事故概要

大学の実験室で学生が実験で使用したナトリウムをティッシュペーパーで

ふき取って，そのままごみ箱に捨てたところ，ごみ箱内で発火，学生が負傷した．ナトリウムは水と激しく反応し，また，空気中の酸素で徐々に酸化される．水との反応では水素を生じ，爆発に至ることもありうる．

● **事故原因**

【原因物質】：ナトリウム

学生がナトリウムの危険性を十分認識していなかった．ナトリウムを可燃物が存在する可能性のあるごみ箱に捨てることは誤りである．大学が学生に対してどの程度の安全教育をしていたのかが問われる事例で，実験系の研究者への安全教育は必須である．

● **類似事故**

ナトリウムやリチウムなどの金属の廃棄処分中に事故が多発している．ナトリウムの廃棄処分のため，ナトリウムをメタノールと徐々に反応させてナトリウムメトキシドを生成する反応中に爆発が起きた．この反応は，以下のように，発熱を伴い水素が発生するため，冷却しながら廃棄することが望ましい．

$$Na + CH_3OH \longrightarrow CH_3ONa + \frac{1}{2}H_2$$

なお，メタノールの代わりにエタノールも使用できる．

● **教　訓**

アルカリ金属と水との反応による事故が非常に多い．ナトリウムやリチウムと水との接触は危険であることは認識していても，誤って水と接触させ，発熱・発火に至ることがある．

---

事例-1　装置内に付着していたリチウムを清掃していたところ，誤って水につけてしまい，爆発が起こり，さらに周囲の可燃物に着火した．負傷者1名．

事例-2　実験台上のカリウムをトルエンで洗浄していたところ，誤って水につけてしまい，発火，周囲の可燃物に着火した．

---

**参考：ナトリウム，カリウム，リチウム，マグネシウム，チタンの性状**

金属類のうち，ナトリウムは化学反応で広く使われているが，反応中や，余った場合あるいは古くなったために廃棄処分するさいの事故が非常に多い．過去に火災・事故を多く起こした金属を示す．このほか鉄粉，カルシウム，バリウムなども消防法危険物に該当するものがあるが，火災事例は少ない．チタンは，室温では安定な金属だが，高温，酸素雰囲気では酸素と反応するため，ときどき火災例が報告されている（たとえば，チタン製オートクレーブが高圧酸素と反応した）．

|  | ナトリウム(Na) | カリウム(K) | リチウム(Li) | マグネシウム(Mg) | チタン(Ti) |
|---|---|---|---|---|---|
| 外　観 | 銀白色，柔らかい金属 | 銀白色，柔らかい金属 | 銀白色，結晶 | 銀白色，固体 | 灰白色 |
| 融点 [℃] | 97.8 | 63.2 | 180.5 | 649 | 1668 |
| 沸点 [℃] | 881.4 | 770 | 1347 | 1105 | 3287 |
| 水との反応性 | 激しく反応する | 非常に激しく反応する | 徐々に反応する | 徐々に反応する | 安定 |
| 消防法危険物 | 第三類 | 第三類 | 第三類 | 粉末，リボンは第二類 | 粉末は，第二類可燃性固体（金属粉第二種可燃性固体） |

## 6. 黄リンの処分中の発熱発火

● 事故概要

ラベル表示が不明確(手書き)なリンが長期間保管中だったので,その処分を検討中,放置していたところ,大量の白煙を生じた.

当初,空気中においても反応が見られなかったので,黄リンではないと考えていたが,しばらく放置後,白煙を生じ始め,発熱もみられた.発火には至らなかった.

● 事故原因

【原因物質】:黄リン

リンに限らないが,長期間の保管で薬品容器のラベルがはがれたり,毀損して手書きされたものがあることがある.また,汚れて読めない場合もある.そのため,黄リンかどうか確認するために,空気中でも変化がないことを確かめたにもかかわらず,大量の白煙を生じた.

● 教訓

品名が明確でない化学物質の処分は,原則内容物を同定してから行う必要があるため,容易ではない.廃棄物処理業者などへの外部処理委託は,比較的高額であるため,研究者の判断で自ら処理を行う例がみられるが,その結果,事故につながることもある.本事例は,化学物質の廃棄処分中の事故で,研究者もある程度の知識はあったが,それでも事故につながった.研究者の自己責任で廃棄する場合,万全な対応で行うことが必要である.

■ 黄リンと赤リンの違い

|  | 黄リン | 赤リン |
|---|---|---|
| 形状 | 白色または淡黄色,ロウ状固体 | 赤褐色固体(粉末) |
| 融点 | 44 ℃ | 600 ℃ |
| 発火点 | 約 50 ℃ | 260 ℃ |
| 水との反応 | 水に不溶 | 水に不溶 |
| 消防法危険物 | 第三類(指定数量 20 kg) | 第二類(指定数量 100 kg) |

## 7. 有機リチウムの火災

● 事故概要

2008 年 12 月 29 日(月),米国の大学の化学実験室で,若手研究者が 60 mL シリンジで $t$-ブチルリチウムを採取中,針が折れて試薬が吹き出し,研究者の衣服(セーター)に掛かり発火,全身やけどで死亡した.

● 事故原因

【原因物質】:$t$-ブチルリチウム

研究者のミスではあるが,危険な化学物質をこのような方法で採取するよう指示をした教員に問題がある.

$t$-ブチルリチウムは有機合成試薬として広く使われているが,空気中で自然発火する性状を有する危険な物質であり,空気中に噴出した段階で発火する.実験者は,有機リチウムの危険性について十分な知識を有していなかった.

● 安全対策

化学物質を扱う場合,扱う物質の危険性に応じた白衣(または作業服),保護めがね,ニトリルゴム製手袋などの着用は必須である.

● 教訓

一般に若手研究者は研究熱心で,成果を求め無理をしがちである.当日は,クリスマス(〜年末の)休暇の時期であったが,熱心に実験に取り組んでいたのだろう.そのためか白衣ではなく,私服(セーター,合成繊維)で実験をし

■ $t$-ブチルリチウムの性状

| 化学式 | $C_4H_9Li$ |
|---|---|
| 形状 | 無色固体 |
| 分解温度 [℃] | 36〜40 |
| 空気との反応 | 発火 |
| 水との反応 | 激しく反応 |
| 消防法危険物 | 第三類アルキルリチウム |

■ $n$-ブチルリチウムの性状

| 化学式 | $C_4H_9Li$ |
|---|---|
| 形状 | 無色液体 |
| 分解温度 [℃] | 80〜90 |
| 空気との反応 | 発火 |
| 水との反応 | 激しく反応 |
| 消防法危険物 | 第三類アルキルリチウム |

ていた.

この事故では，試料の採取量が多く，シリンジで採取する以外の方法を取るべきであった．

## 8. グリニャール試薬による火災

### ● 事故概要

化学工場で，グリニャール反応を利用してポリマーの原料製造を行う反応器でグリニャール試薬の合成反応を行っていたところ，稼働中の反応器内の温度・圧力が異常上昇して制御できなくなり，内容物が漏えい・爆発し，火災に至った．

### ● 事故原因

【原因物質】：グリニャール試薬

発災した反応器はポリマーの原料を製造する工程の1段階目として，塩化ビニル（VCM）とマグネシウム（Mg）をテトラヒドロフラン（THF）中で作用させ，グリニャール試薬の合成反応を行っていた（図参照）．残渣物を分析した結果，多くの未反応原料が残っていたことから，グリニャール試薬の合成反応の停滞が確認された．それにもかかわらず塩化ビニルの導入を続けたため，大量の塩化ビニルが存在する状態でグリニャール合成反応が開始し，暴走反応に至った．グリニャール試薬の合成反応が停滞した原因として，反応促進剤として反応初期に導入したグリニャール試薬が劣化していた可能性が考えられている．

反応器の温度・圧力が急上昇していたため，内容物の漏えいはフランジな

グリニャール試薬の製造手順

＊ 反応促進剤として反応初期に投入した VGR（種 VGR）

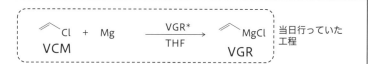

当日行っていた工程

| 物質名または略称 | 特徴など |
|---|---|
| Mg | 粒径 2 mm 以上のものを使用．非危険物．本反応工程ではあらかじめ全量（412.5 kg）を反応器に投入した． |
| THF | $C_4H_8O$．テトラヒドロフラン．第四類第一石油類水溶性液体．引火点 −17.2 ℃．溶媒として一般的に使用される．本反応工程では3回に分けて（合計 4380 L）投入された． |
| VCM | $CH_2=CH-Cl$．塩化ビニルモノマー．常温常圧では気体（沸点 −13.9 ℃）．爆発限界 3.6〜33.0 % の引火性を有する気体．本反応工程ではコンピュータ管理により自動投入された．THF に徐々に溶け，Mg と反応する．発災時には全量 1071 kg のうち約 1030 kg までは投入されていた． |
| VGR | $CH_2=CH-MgCl$．グリニャール試薬の一種．グリニャール試薬は R-MgX の総称（R は炭化水素基，X はハロゲン）で，水により容易に分解してしまう．VGR は水と反応するとエチレンとマグネシウム塩に分解する．<br>$CH_2=CH-MgCl + H_2O \longrightarrow C_2H_4 + MgCl(OH)$ |

どから生じていたと考えられる．反応器内では，酸素がないため発火しなかったが，漏えい箇所付近の温度が漏えい気体と空気との混合気体の発火点を超えたことで発火し，爆発に至った．

● 教 訓

原料が劣化している場合には想定していない化学反応が起こることもあるため，品質管理を適正に行った原料を使用することが重要である．また，複数の手段により反応状態を監視し，反応の進行管理を行う必要がある．化学反応や異常時の対応に関して，十分な教育を施す必要がある．

## 9. トイレタンク用の洗浄剤による火災

● 事故概要

洗浄剤の原料をパッケージングしている事業所で，保管されていたトイレタンク用の洗浄剤が発火した．

● 事故原因

【原因物質】：炭酸ナトリウム過酸化水素化物

炭酸ナトリウム過酸化水素化物は，炭酸ナトリウムと過酸化水素が2：3のモル比で混合された付加化合物である．通称として過炭酸ナトリウムとよばれることが多いが，実際には過炭酸のナトリウム塩(ペルオキソ二炭酸二ナトリウム)ではない．

| | |
|---|---|
| 炭酸ナトリウム過酸化水素化物 | $2\,Na_2CO_3 \cdot 3\,H_2O_2$ |
| ペルオキソ二炭酸二ナトリウム | $Na_2C_2O_6$ |

トイレタンク用の洗浄剤は，炭酸ナトリウム過酸化水素化物と炭酸ナトリウムが主成分となっており，微量の生石灰を含む．洗浄剤中の炭酸ナトリウム過酸化水素化物や生石灰は水分と反応し発熱する．さらに炭酸ナトリウム過酸化水素化物から分離した過酸化水素の分解により新たな水が生成することで，発熱が継続する．蓄熱により包装袋などの発火温度に達したことで，出火したものと考えられる．また，過酸化水素の分解により酸素も発生するため，燃焼が促進されることも考えられる．

● 教 訓

炭酸ナトリウム過酸化水素化物は分解しやすく，高温多湿の環境では周囲の可燃物に着火する可能性がある．事業所の関係者は，洗浄剤の成分や火災の危険性について認識していなかった．原料および製品の取扱いや保管に注意を払う必要がある．

## 10. 試薬の誤用による事故

● 事故概要

二クロム酸カリウムと硫酸を混合して洗浄液であるクロム酸混液を作成しようとしたが，二クロム酸カリウムがなかったため，過マンガン酸カリウムで代用したところ，急激な反応が起きた．飛散した試薬が目に入ったことに

より研究者は両眼を失明した．

二クロム酸カリウムと過マンガン酸カリウムはともに強い酸化性を有するが，反応性に大きな違いがあり，暴走反応を起こしたものである．

**二クロム酸カリウムと過マンガン酸カリウムの性状**

|  | 二クロム酸カリウム | 過マンガン酸カリウム |
|---|---|---|
| 化学式 | $K_2Cr_2O_7$ | $KMnO_4$ |
| 外　観 | 赤橙色結晶 | 深紫色結晶 |
| 融点 [℃] | 398, 242(転移→単斜晶系), 500(分解) | 200(分解) |
| 消防法危険物 | 第一類 | 第一類 |

● **事故原因**

【原因物質】：過マンガン酸カリウム

中途半端な知識によって試薬を誤用した．マニュアルと異なる方法や物質を用いる場合は，とくに使用する物質の性状や危険性，事故例を十分に調べたうえで実施する必要がある．

● **教　訓**

上記の二つの物質はともに強い酸化剤ではあるが，とくに過マンガン酸カリウムを濃硫酸と混合すると，爆発性の七酸化二マンガンを生成することが知られている．

クロム酸混液は環境負荷物質として使われなくなった．

## 11. 文化祭の演示実験（銀鏡反応）中に爆発

● **事故概要**

高校の文化祭の演示実験として銀鏡反応を行ったところ，爆発が起こり，負傷者が出た．銀鏡反応で用いるトレンス試薬を作成した後，長時間放置していたため雷銀*が生じ，それが爆発したものと思われる．

銀鏡反応は，アンモニア性硝酸銀水溶液（トレンス試薬）とアルデヒド基をもつ化合物（還元糖など）が反応して，還元された銀が析出する化学反応であり，アルデヒド基は酸化されてカルボン酸となる．

アンモニア性硝酸銀水溶液　　$2Ag^+ + 2OH^- \longrightarrow Ag_2O + H_2O$
　　　$Ag_2O + 4NH_3 + H_2O \longrightarrow 2[Ag(NH_3)_2]^+ + 2OH^-$

銀鏡反応　　$RCHO + 2[Ag(NH_3)_2]^+ + 2OH^-$
　　　　　　　　　　　　$\longrightarrow RCOOH + 2Ag + 4NH_3 + H_2O$

● **事故原因**

【原因物質】：アンモニア性硝酸銀水溶液

生徒は試薬の長時間保管は安全面からしてはならないことを知らなかった可能性がある．教師は事前に教えておくべきである．

● **教　訓**

銀鏡反応を演示実験するにあたって，十分な安全面の知識を持ち合わせていなかった．高校生は，実験への興味はあっても安全面への配慮は忘れがちである．そのため，安全面での指導をする必要がある．教師の責任が大きい．

＊ 組成式 $Ag_3N$（一窒化三銀，窒化銀）と $AgNH_3$（銀アミド）の混合物で，窒化銀そのものを指すこともある．黒色の結晶で，外部からの刺激に非常に敏感であり，少しの摩擦でも爆発する．

銀鏡反応

[http://blog-imgs-45.fc2.com/t/a/n/tanokaga/ginkyo.jpg]

## 12. 画用液に含まれる植物性乾性油の蓄熱発火による火災

● **事故概要**

絵画実習室で油絵に使用した画用液約 80 mL を雑巾などでふき取り，紙くずなどが入っている紙袋内に約 400 g を捨てたところ，出火した．

● **事故原因**

【原因物質】：アマニ油などの乾性油

画用紙中のアマニ油が酸化発熱し，紙袋内の雑巾などに着火したと考えられる．なお油絵に使用する画用液には，アマニ油などの植物性乾性油や乾燥促進剤が含まれている．乾燥促進剤はコバルト，マンガン，鉛などの金属塩であり，乾性油の酸化や重合を促進することにより，油絵具を早く固めることができる．

● **教 訓**

アマニ油などの乾性油は空気中で容易に酸化され，常温でも蓄熱発火する可能性がある．そのため，金属製容器に分別し，大量に放置しないようにする．オリーブ油などの不乾性油であっても，加熱した状態では酸化が促進され，蓄熱発火する可能性がある．一般家庭でも類似の事例が十分に起こりうるため，危険性を広く周知することが重要である．

---

■ **植物油の分類**

植物油は，一般に乾性油，半乾性油，不乾性油 に分類される．ヨウ素価が大きいほど酸化によって固化しやすくなる．ヨウ素価とは，油脂 100 g に付加できるヨウ素の重量(g 単位)で，この値が大きいほど脂肪酸の二重結合の数が多いことを示す．

| | ヨウ素価 | 性質・用途 | 例 |
|---|---|---|---|
| 乾性油 | 130〜 | 酸化によって固化するため，空気中で完全に固まる．塗料，絵具などとして利用 | アマニ油，ヒマワリ油 |
| 半乾性油 | 100〜130 | 酸化により流動性は低下するが，完全には固まらない．食品加工用，せっけんなどとして利用 | ナタネ油，綿実油 |
| 不乾性油 | 〜100 | 空気中に放置しても酸化せず，固化しない．食用，せっけん，化粧品などとして利用 | オリーブ油，ヒマシ油 |

---

事例-1　老人福祉施設で，乾燥機から取り出した洗濯物の一部から発煙する事象があった．洗濯物の所有者は，治療のために上半身にオリーブ油を塗っていた．オリーブ油は不乾性油であり常温での蓄熱発火の可能性は低いが，加熱されることで，酸化が進み，火災に至る可能性がある．

事例-2　加熱した天ぷら油を廃棄するさい，熱いまま古着などに染み込ませてベランダに放置していたところ出火した．天ぷら油にはリノール酸，オレイン酸などの比較的酸化されやすい不飽和脂肪酸が含まれている．

## 13. 過酸化物の生成による爆発

● 事故概要

パイロット試験で 2-クロロピリジン-N-オキシドを製造するため，過酸化水素を酸化剤として 2-クロロピリジンを酢酸溶媒中で酸化させていたところ，溶媒の酢酸が酸化されて過酢酸が生成蓄積し，熱暴走反応を引き起こした．

● 事故原因：想定外の酸化生成物の生成と蓄積

【原因物質】：過酢酸

● 安全対策

副反応による熱危険性を事前に調べ評価する．

● 教　訓

酸化反応で過酸化水素のような過酸化物を酸化剤とする場合，危険な中間体が生成する可能性がある．とくに以下に示す化合物は，容易に危険な過酸化物を生成するため，反応だけでなく保管中の過酸化物の生成にも注意する必要がある．

- 貯蔵のみで爆発性の過酸化物生成の可能性がある物質：
   ジイソプロピルエーテル，ジビニルアセチレン，塩化ビニリデンなど．
- 貯蔵や副反応で過酸化物が生成した後，濃縮により爆発しうる物質：
   ジエチルエーテル，テトラヒドロフラン，シクロヘキセン，2-プロパノールなど．

## 14. 硫化水素の生成による中毒

● 事故概要

肥料製造施設の実験室で，原料の羊皮を用いて肥料製造の予備試験を行った．羊皮約 2 t をオートクレーブ中で蒸気加熱していたところ，多量の硫化水素が生成，漏えいして 14 名が中毒し，実験者は死亡した．

● 事故原因

【原因物質】：硫化水素

従来の原料である牛皮に比べて，羊皮では硫化水素生成量がかなり多いことが確認された．少量での試験を経ずに，多量の試料を使った予備試験を行ったところ，想定外の硫化水素が発生した．

● 安全対策

小規模試験で有害物質発生などの危険性確認を行う．硫化水素に限らず毒性のある気体を扱う場合は必ずドラフト内で実験を行うと同時に，少量でも漏えいすると危険なため，ガス検知警報器の設置や事前の教育が必要である．

● 教　訓

硫化水素は生物の腐食や，強酸と硫化物など化学物質の誤混合などにより発生することが多いが，硫化水素ボンベからの漏えい事故も発生している．硫化水素は 700 ppm 以上で呼吸中枢麻痺を起こし即死する猛毒ガスである．また，致死量以下の硫化水素でも，肺水腫が生じ死亡することもある．このガスを吸入したときは必ず医師の検診を受けることが必要である．

## 15. 液体窒素による酸素欠乏(低酸素)症

● 事故概要
半導体関連の研究所で休日出勤していた研究員が,クリーンルーム内で液化窒素を大型ボンベから小型容器に充填していた.充填中に別の作業を行っていたため,液体窒素がオーバーフローしたことに気づかず,気化した窒素により酸素欠乏となり,死亡した.
● 事故原因:液体窒素の気化による酸素濃度の低下
【原因物質】:窒素

酸素欠乏:空気中の酸素濃度と健康の関係

| 酸素濃度<br>(%) | 酸素欠乏(低酸素状態)による症状 |
|---|---|
| 18 | 安全下限界,換気や呼吸保護具の使用が必要 |
| 16〜12 | 脈拍・呼吸数増加,集中力の低下,頭痛,吐き気など |
| 14〜9 | 判断力低下,異常な疲労感や酩酊状態,全身脱力で操作ミスなどの危険 |
| 10〜6 | 嘔吐,行動の自由を失う,中枢神経障害,全身痙攣,ばく露時間により死亡 |
| 6以下 | 数回の呼吸で失神,昏倒,呼吸停止,心臓停止 |

● 安全対策
液体窒素は換気のよい場所で使用する.
● 教 訓
6%以下の低濃度酸素空気中では数回の呼吸で死に至る.また,酸素欠乏に気づいたときには体が麻痺して救援を求めたり,脱出することができなくなり,重大な結果を招くことが多い.

## 16. フッ化水素酸による薬傷

● 事故概要
耐食手袋や保護めがねを着けて,フッ化水素酸で硫化水素分析器を洗浄した.その後,外した手袋を素手でさわったため薬傷を負った.
● 事故原因:保護手袋の使用方法に対する知識,教育不足
【原因物質】:フッ化水素酸
● 安全対策
フッ化水素酸は皮膚や粘膜に付着すると痛みを伴い深く浸透する.フッ化水素は吸入ばく露により刺激性,化学火傷などを引き起こす.適合する保護手袋を使用するとともに,ドラフト内での取扱いを徹底する.
● 教 訓
フッ化水素酸は弱酸であるが腐食性は硫酸や塩酸より強いうえ,ばく露の経路にかかわらず人体に吸収されやすく,死に至ることもある.

フッ化水素酸の性状

| 外 観 | 無色液体 |
|---|---|
| 沸点 [℃] | 19.5 |
| 毒 性 | きわめて高い毒性を有する |
| 消防法危険物 | 該当せず |
| その他 | フッ化水素(HF)の水溶液 |

## 17. ヒドロキシルアミンの爆発

● 事故概要

ヒドロキシルアミンを分離するためにメタノール溶媒中でヒドロキシルアミン塩酸塩と水酸化ナトリウムを蒸留していたが，分離したヒドロキシルアミンが濃縮して爆発した．

● 事故原因：爆発性の危険物の濃縮

【原因物質】：ヒドロキシルアミン

● 安全対策

反応により危険物が生成する場合は，発火危険性評価での予測ができないことがある．事故例などの事前調査がきわめて重要である．

● 教訓

混合物を加熱分離する蒸留は潜在危険性が大きい．50％以下のヒドロキシルアミン水溶液は常温では安定だが，温度上昇や金属類との接触などで容易に分解するほか，濃度が高くなると激しく分解する．以下にヒドロキシルアミン水溶液の濃度と示差走査熱量測定（DSC）による発熱曲線の傾き（発熱速度の大きさを示す）の関係を示す．80％以上では分解反応が加速することがわかる．

ヒドロキシルアミン濃度とDSCによる発熱曲線の傾きの関係

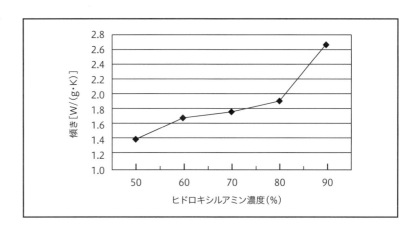

## 18. 冷蔵庫内での爆発的燃焼

● 事故概要

出勤してきた教師が理科実験室の冷蔵庫が壊れているのを発見した．前日にカエルの解剖のために使用したジエチルエーテルを含んだ綿などがビニール袋に入れられ，冷蔵庫に保管されていた．ジエチルエーテルが気化し，周囲の空気と可燃性予混合気を形成し，冷蔵庫の発する電気火花により着火したものと推察される．

● 事故原因

【原因物質】：ジエチルエーテル

冷蔵庫にジエチルエーテルなどの低引火点の可燃性液体を保管する場合，冷蔵庫内で気化し，可燃性予混合気が形成することがある．

ジエチルエーテルの引火点は −45℃であり，非常に引火しやすいため，防爆の冷蔵庫でなければ可燃性予混合気が着火される可能性がある．

● 教 訓

低引火点の可燃性液体の不適切な取扱いによって起きた事故である．今回の事故は中学校の理科の実験室で起きた事例であり，ジエチルエーテルなど，引火の危険性が高いが使われる可能性がある化学物質について広く周知する必要がある．

可燃性液体を保管する場合には，防爆冷蔵庫を使用するか，風通しのよい場所に保管する．

## 19. 真空ポンプの破裂

● 事故概要

半導体関連の研究所において，シリコン膜成形のための化学気相成長（CVD：chemical vapor deposition）装置の真空引き用のロータリーポンプが突然破裂した．ポンプ内に堆積したケイ素粉末により，ポンプ出口のオイルミストフィルターが閉塞して，過圧状態になった．製造から15年が経過しメンテナンスも不十分だった．

● 事故原因：メンテナンスの不備

【原因物質】：ケイ素粉末

● 安全対策

実験機器では毒性物質，爆発・火災危険性物質でなくても，堆積により種々の危険性をもたらす可能性があり，定期的な清掃や保守を実施する．

● 類似の事例

真空ポンプに関しては，吸引した可燃性物質が真空ポンプ油に溶解し火災となったり，真空ポンプの保守中に真空ポンプ油に溶解していた有毒物が放散され，中毒した例などもある．

## 20. シリコン製造施設の設備整備作業における発災

● 事故概要

半導体向けシリコンウエハの原料として使用される高純度の多結晶シリコンを製造している工場の水冷熱交換器で発災した．

熱交換器の洗浄作業をするためにカバーを開放した数秒後に爆発火災が発生した．カバーのフランジ面で発生した機械的打撃でクロロシランポリマー類の加水分解生成物が発火・爆発し，周辺設備が破損し，内部に残留していたクロロシランポリマー類が飛散・分解したことにより，可燃性物質が大気中に噴出して燃焼しファイアボールを形成した．

● 事故原因

【原因物質】：クロロシランポリマー類

爆発原因物質は熱交換器内部に存在するクロロシランポリマー類である．クロロシランポリマー類は低温での加水分解により，爆発威力・爆発感度が高い物質が形成される．この加水分解生成物は乾燥状態でさらに爆発感度が

増すため，カバー解放時の機械的打撃で爆発に至った．

● 教　訓

この事例では，クロロシランポリマー類の加水分解生成物の発火・爆発危険性，生成過程などについて正確な公知の化学的情報がなく，適切な安全対策についても十分検討されていなかった．

クロロシランポリマー類以外の物質の取扱いにおいても，副生成物などの危険性やその反応過程が十分に把握されていない場合，リスクを適切に評価することができなくなり，事故が発生する可能性があることは常識ではあるが，今回の事故では十分考慮されていなかった．専門家の判断を仰ぐ，事前の分析などにより危険性を調査したうえでのリスクアセスメント，安全対策の実施が必要である．また，従業者間での作業計画に関する情報共有や作業を行う従業者への十分な教育の実施，可能な場合には関係業界・他社などに幅広く積極的に情報提供を行うことが重要となる．

## 21.　プラント内の分解炉のデコーキング作業中の事故

● 事故概要

エチレンプラントの分解炉8基のうちの1基から火災が発生した．デコーキング作業＊を実施する前に，空気駆動弁の下流側フランジ部に仕切り板を挿入して遮断することでクエンチオイルラインとの縁切りを行った．分解炉のデコーキング作業が終了したさい，空気駆動弁の施錠を怠ったため，フランジ部に挿入していた仕切り板を取り出し中に，クエンチオイルが流出し引火した．当該工事をしていた作業員および階下で断熱工事をしていた作業員が犠牲となった．

● 事故原因

【原因物質】：クエンチオイル

クエンチオイルが流出，引火したことが火災の直接の原因であり，電気工具の電気火花，帯電した不良導体からの静電気火花，高温配管の熱面への接触のいずれかにより発火したものと推測されている．

クエンチオイルの漏えいは，空気駆動弁の施錠がなされていない，駆動用空気元弁が開いていた，操作スイッチがONになるという要因がすべて重なったことで発生した．

● 教　訓

発災したエチレンプラントは原料多様化のために新設されたもので，既設の分解炉とは設計，仕様が異なっていた．異種の設備が混在することで，誤作業による事故発生の可能性が増大する．空気駆動弁の閉止操作は安全措置として行われていたが，基本操作として規準化されておらず，作業確認リストにも記載されていなかった．

また，人的被害が拡大した要因として，仕切り板の入替作業と階下の断熱作業を同時並行で実施していたことが考えられる．フランジ部が開放状態になり，空気駆動弁が開けばクエンチオイルが漏れる認識があれば，階下の被災は防げた可能性がある．

＊　デコーキング作業：製造過程で分解炉の反応管内壁に付着した炭素をスチームおよび空気を用いて燃焼除去する作業．

## 22. プランクトンからの毒素の発生

● **事故概要**

大学の実験用水槽で魚の突然死の研究中，研究者に記憶障害や皮膚炎などの異変が生じた．原因は新種のプランクトンから発生した毒素であった[1]．

● **事故原因**：想定外の毒物の発生

【原因物質】：プランクトンから発生した毒素

● **安全対策**

通常の化学実験以上に厳格に保護具を着用することや，実験室の密閉化，想定されるリスク評価などの情報収集が必要である．

● **教 訓**

生物化学に関する実験では通常の化学物質とは異なる毒物が生物作用により発生することがある．また，一般には毒物とみなされない性ホルモン(男性ホルモン，女性ホルモン)も医薬実験では大きなリスク要因となる．

## 23. X線による負傷

● **事故概要**

X線を使用する実験で，光の経路に夾雑物が存在したため乱反射し，実験者が眼を負傷した．

● **事故原因**：X線の反射

● **安全対策**

X線は，不可視であり，かつ高エネルギーであるため，当該X線の波長に対応する保護めがねの使用や実験者に対する教育が必要である．

● **教 訓**

使用が増大しているレーザー装置であるが，以下の危険が指摘されている．

- 直射光および反射光の眼への入射
- 予期しないレーザー電源ON：落雷，スイッチへの誤接触
- 劣化した高出力レーザーランプの交換時の爆発
- 色素レーザーの溶媒交換時の漏えい着火
- レーザー電源(高電圧)による感電
- レーザー光による有機物分解による有害物の生成

## 24. 水銀温度計の破損による飛散事故*

● **事故概要**

事例-1　薬品を混合して加熱中，水銀温度計が破損した．水銀蒸気を吸入した可能性があったため，実験していた学生および周辺で作業中の学生を病院へ行かせた．

事例-2　目を離している間に温度が300℃を超えて水銀温度計が破裂した．破裂により温度計は途中で折れ，温度計の玉の部分が破損して水銀が漏えいした．

事例-3　金属製チューブラックと水銀温度計を載せた金属トレイを超低温槽(−25℃)から取り出したところ，水銀温度計が破損し，水銀が漏えいした．

\* 6章"化学物質の環境影響"も参照のこと

● 事故原因
【原因物質】：水銀
水銀温度計の破損による水銀の漏えい．
● 教　訓
水銀温度計以外の温度計を使うことを推奨する．温度計は測定可能温度を確認し，それを超えないことが確実な場合以外は使用しない．とくに薬品を混合する場合には急な発熱もあるため注意する．また，温度計でのかくはんはしないなどの器具等への接触による破損がないように使用する．

もし破損した場合には，適切な措置が急務なため，安全管理室などの連絡先の周知を徹底する．

## 25. オートクレーブ耐圧試験時の出火

● 事故概要
チタン製オートクレーブの耐圧試験に酸素ボンベの酸素を使用したところ突然火炎が噴出し，実験中の職員5人がやけどを負った．
● 事故原因：耐圧試験での酸素の使用
【原因物質】：高圧酸素，チタン
● 安全対策：耐圧試験や加圧実験の漏れ試験などで酸素を使用してはならない．また，高圧酸素を使用する系統では可燃物（とくに有機物）の混入には注意する．
● 教　訓
純酸素中では金属を含めて，通常は燃焼しない物質が容易に燃焼する．酸素ボンベのバルブを急激に開放すると，断熱圧縮熱が発生しパッキンなどの燃焼とそれに続く減圧弁や配管の燃焼を引き起こし，火炎が噴出して作業者がやけどを負うことがある．また，少量の酸素の漏えいであったとしても，漏えいが長時間続くと室内の酸素濃度を高めて，着衣が燃えることがあり，ボンベのバルブをしっかり閉めることも重要である．

## 26. 廃酸用タンク内での化学物質の混合による破裂事故

● 事故概要
多量の濃塩酸を廃酸用のタンクに投入したが，濃硫酸が存在していたために両者の化学反応により塩化水素が大量に発生し，その圧力でタンクが破壊された．
● 事故原因：誤混合
【原因物質】：濃塩酸，濃硫酸
● 安全対策
廃棄薬品の容器にはきちんとラベルを貼り，投入の可否を明示する．
● 教　訓
化学物質の混合による事故では，酸化性物質と可燃性物質の混合による爆発・火災危険性がよく知られているが，強酸と塩との混合による毒性ガスの発生［シアン化カリウムと硫酸の混合によるシアン化水素（青酸ガス）の発生

など]も存在する．

## 27. ナトリウム-カリウム合金の発火

● 事故概要

大学の施設で前任者が使用していた実験施設の解体のため，密閉設備を開放したところ突然発火した．この設備の熱媒体として使用していたナトリウム-カリウム合金（通称 NaK）が長年放置状態にあったために酸化し，きわめて発火しやすい過酸化物を生成していた．NaK 自体も酸素中で発火する危険があること，原子力関連施設であることから，施設の解体除去に多くの日数と経費を要した．実験室使用者が引退した後，物質に関する情報の引継ぎを含めて設備全体が無管理状態にあった．

● 事故原因：金属過酸化物の生成，引継ぎの不足

【原因物質】：ナトリウム-カリウム合金

● 安全対策

実験室の改修や解体，移動ではそこに存在する可能性のある物質を含めて事前のリスク評価が必要である．

● 教　訓

大学の実験室では，学生を含めて人の移動や研究目的の変更などで，ボンベや薬品，有害物質や危険物を内蔵する機器が無管理状態で放置されていることがある．引継ぎや変更に伴うリスクの管理が必要である．

## 28. 薬品の落下等による事故

● 事故概要

事例-1　アルカリ金属の入ったびんが床に落下し，内容物のアルカリ金属がこぼれていた水と接触して発火し，落下した溶剤に着火，火災が拡大し，実験室が全焼した．

事例-2　濃硫酸のびんが落下し，布類と接触して発火，木製の実験台に延焼した．

事例-3　電子顕微鏡に高電圧絶縁用の六フッ化硫黄（$SF_6$）を充塡，回収する操作中，地震により電子顕微鏡が破損し，有害な六フッ化硫黄が漏えいした．

● 事故原因：地震による薬品びん，装置の落下，破損

【原因物質】：事例-1：アルカリ金属，事例-2：濃硫酸，事例-3：$SF_6$

● 安全対策

地震を想定した爆発・火災危険性物質，有害物を内蔵するボンベを含む容器，設備などの固定や混合危険性を示す物質の組合せを考慮した物質の分離保管と管理など．実験室の地震対策はかなり進んでいるが，大学などの研究施設では，工場などと異なり取り扱う物質や設備が変化することが多く，一定期間ごとに対策を見直すことが重要である．

## 29. 停電による冷蔵庫内の温度上昇

● 事故概要

豪雨で研究所の主電源設備(地下室)が水没被害を受け，約1週間にわたって，研究所全体が停電となった．その結果，冷蔵庫内の温度が上昇し，貯蔵してあった有機過酸化物などの一部が分解を始めた．

● 事故原因

【原因物質】：有機過酸化物

研究所内の停電時の対応に問題があった．数時間程度の停電では，冷蔵庫内の温度はあまり変化しないが，数日に及ぶとその温度は徐々に上昇する．

● 教訓

停電のさい，終日運転中の反応装置や測定機器にはただちに対応するが，冷蔵庫には気づくのが遅れ対応がおろそかになることもある．庫内温度の上昇に気づくのが遅れた場合，化学物質の分解が始まり暴走反応を起こしたり，蒸気を発生し，電源復帰時のスイッチの火花などによって爆発する可能性もある．

昨今，異常気象による豪雨が問題になっている．そのため主要電源は，建物地下に設置すべきではない．設置済みの場合は，地下室や電源装置内に水が入りにくくするなど，電源の防水対応策を立てておく必要がある．

停電時の対応マニュアルを作成し，そのなかで冷蔵庫中の化学物質への対応を記述しておくべきである．引火性固体，可燃性液体の冷蔵保存には，防爆型の冷蔵庫は必須である．

## 30. 高圧ガスボンベの腐食による破裂

● 事故概要

床に直置きしていた窒素ボンベが突然破裂し，縦方向に破損，容器の破片が研究室の天井に突き刺さった．

● 事故原因

【原因物質】：高圧窒素

ボンベは購入後17年が経過しており，ボンベの存在自体が認識されていなかった．

● 教訓

高圧ガス保安法では，一般の高圧ガスボンベは最終の耐圧試験後，5年経過した時点で再度耐圧試験を受けることが義務づけられている．ボンベには耐圧試験を受けた年月が刻印されている．たとえば，2-11とあれば，2011年2月に耐圧検査を受けたことを示している．通常は複数の刻印があり，もっとも新しい刻印から5年以内であれば再充填が可能である(3章，付録も参照)．

## 31. 塩化水素ボンベからの漏えい

● **事故概要**

ボンベのバルブ部分の腐食により,内容物の塩化水素が漏えいした.

● **事故原因**

購入後20年経過したまま放置されていた.

● **安全対策**

塩化水素は,きわめて毒性が高いガスであり,漏えい時にはただちに避難するとともに換気を行い,換気が終了するまでは立ち入り禁止にする.

● **教　訓**

このような毒性の高いガスはとくに管理を徹底すること,漏えいしてもばく露する可能性の低い場所に設置すること.

**本節で学ぶこと**
■ 事故を起こさないために
■ 地震・暴風雨対策

# 2-3 まとめ

## 1. 事故を起こさないために

　研究者を取り巻く環境は，開発周期の短縮や化学物質の使用の増加などさまざまな理由により厳しくなってきている．しかし，事故を起こさないために，研究者は安全対策に十分配慮しなくてはならない．事故が起きれば，起こした本人だけでなく，周囲の人・モノ・環境へも影響する．そのため，実験，研究開発を安全に行うために気をつけるべき事項を以下に示す．

### ● 事故を起こしやすい人は誰か

　実験では，経験，知識が事故防止に役立つ場合が多い．そのため，若い研究者，たとえば卒研生，修士課程の学生には，指導者が十分気をつけるべきである．外部から派遣された短期研究者，最近では，派遣の研究者も派遣元で教育がなされていない可能性がある．

　また，外国人留学生なども母国で安全教育を受けていない場合もある．日本語が不得意な場合，安全面の注意書きを読まないこともある．

### ● 取り扱う物質の危険性を知る

　物質を扱う場合，どういう危険があるのか，最低でも SDS（安全データシート）は確認する．しかしながら，必ずしも SDS が正しいとは限らない場合がある．

　また事故後の原因調査をしていると，同じような物質や作業，機器で事故が複数回起こっていることがわかる．とくに事故事例によく登場する危険物としてジエチルエーテル，過塩素酸塩類，ナトリウム，二硫化炭素，過酸化物，有機金属類などがあげられる．

### ● 実験中の心構え

　実験中は実験に専念する．電話をしない（電話に出ない，後からかけ直す），携帯電話をもたない．実験は遅れるものであるので，時間的にもゆとりをもつこと．やむをえず休日や夜間に実験を行う場合は，警備担当者への届出や安全対策へのいっそうの配慮が必要である．

　盗難や不審者の侵入もありうるので，部屋の鍵管理は必要である．

### ● 溶媒について

溶媒は，比較的多量に扱うため火災リスクがかなり大きい．
　＜溶媒の特徴＞
　　・可燃性液体であったり，引火点が低いものが多い．
　　・沸点が低いものが多く気化しやすい．
　　・蒸留にさいしては，加熱時に火源が近くにあり，火災になりやすい．

- 不純物が含有されてその濃度が高まった場合，急な暴走反応が起こることもありうる．
- 温度コントロールを誤ると突沸，引火することがある．
- 爆発性物質をつくる場合もある（たとえば，有機過酸化物）．
- ガス爆発を起こし，やけどする可能性がある．デトネーション（爆ごう）のような激しい爆発には至らないことが多い．

**おもな溶媒**

|  | 沸点[℃] | 引火点[℃] | 発火点[℃] | 爆発範囲(vol%) |
|---|---|---|---|---|
| ジエチルエーテル | 34.6 | −45 | 180 | 1.9〜36 |
| メタノール | 64.7 | 11 | 385 | 7〜36 |
| アセトン | 56.5 | −17 | 558 | 2.6〜12.8 |
| トルエン | 111 | 4.4 | 480 | 1.3〜7 |
| テトラヒドロフラン | 66 | −17 | 321 | 2〜11.8 |
| 二硫化炭素 | 46 | −30 | 90 | 1.3〜50 |
| ヘキサン | 69 | −22 | 225 | 1.1〜7.5 |
| DMSO* | 189 | 89 | 300 | 3.5〜42 |

＊ ジメチルスルホキシド

● **資格取得のすすめ**

実験に使用する溶媒の多くは危険物に含まれること，また研究者，学生自身が取り扱う物質についてその危険性を把握するためにも化学系の資格取得は有効である．たとえば国家資格である"危険物取扱者"は，消防法に基づく危険物を取扱い，またその取扱いに立ち会うために必要となるもので，試験(甲，乙，丙)は基礎的な化学に関する知識を問う問題が多く，化学物質の安全の勉強に最適で，(安全)化学，法令の両方の知識を取得できる．甲種以外は受験資格が不要で，どこででも(東京にいても北海道でも受験可)取得可能である(就職にも損ではない)．

● **その他の一般的な注意事項**

＜化学物質取扱いの注意＞
- 化学物質，とくに危険物に相当する物質は大量に保管すべきでない．
- 消防法危険物を貯蔵し取り扱う場合は，その量に応じて消防法に基づく許可(危険物貯蔵所)または届出(少量危険物貯蔵所)が必要になる．
- 化学物質は徐々に物性が変わる可能性もある．たとえば，空気酸化で過酸化物ができる，徐々に気化して危険性の高い物質の濃度が上がるなど．
- 盗難に対する注意も必要である．

＜安全設備に関する注意＞
- 消火器の準備(ABC消火器が望ましい，2本以上，3章参照)
- 安全シャワー，洗眼器の場所，作動の確認を定期的に行う．
- こまめな清掃を行う(粉じん爆発対策，なるべく可燃物は置かない．新聞，雑誌を実験室内に置きがちであるが，早めの処分が重要である)．

＜実験のさいの注意＞
- 実験は一人で行わない，実験室に二人以上いるようにする．
- 適切な保護具を使用する保護めがね，(防毒)マスク，白衣(または作業服)などを着用する．
- 夜間や休日の実験は避ける(夜間は，注意が散漫になりやすく，また事故発生時の緊急対応が困難)．

## 2. 地震・暴風雨対策

　日本では地震による火災は多い．関東大震災での火災の3割が，大学などの実験室からの火災が原因であった．平時なら，通報後，消防隊が短時間に来て大事に至らない火災でも，地震時は到着が遅れる，あるいは来れないこともありうる．その結果，大規模な火災になることがある．昨今，実験室の電子ロックが増えているが，地震時の停電で機能停止となることもあり，停電時の対応についても確認しておく必要がある．また，地震時の薬品の混合などが原因となる実験室からの火災は，1980年以降，混合危険対策の徹底から急速に減少したが，近年，その対策の形骸化のためか，散見されるに至っている．地震に備えた混合危険対策を確実に実施することが重要である．

　地震時，実験室の火災が大規模な火災につながらないよう，薬品棚や器具類，ボンベなどの固定，試薬の試験台などへの放置防止，混触を起こすような薬品を一緒に保管しない(たとえば，有機物と酸化剤を同じ棚に入れない)，消火器を備えておくこと(ABC型が望ましい)，金属火災用の消火機器，または乾燥砂などを備えるといった対策も心掛けなくてはならない．とくに危険なものは，金属製戸棚に入れ，また，有機過酸化物のように温度管理が必要な薬品は，(防爆型)冷蔵庫に入れておく必要がある．長期間使用しないもの，大量に使用するものは，危険物倉庫に貯蔵することが望まれる．

　地震時の対応マニュアルを作成しておく必要もある．しかし，マニュアルを机の中にしまっておいたり，書類綴りの中に入れておくと，とっさのときに取り出せない，見当たらないといったことになる．誰にでもわかりやすい場所に置き，定期的に周知すること，警備室や職場内外の緊急時の連絡先の電話番号などは壁に貼っておくといったことが重要である．

　また，昨今は地震だけでなく，異常気象による豪雨，暴風などにより停電が発生する事例もある．豪雨の場合には，地下室などの建物や電源装置内に水が入りにくくするなど，防水対応策を立てておく必要があり，経年劣化の修理も徹底する必要がある．

試薬びんの固定の例

参考文献
1) 日本化学会 編，"第5版 実験化学講座 30", p.105, 丸善(2006).

# 3　実験室安全の枠組み

本節で学ぶこと
■ 研究開発現場の特徴
■ 潜在危機の把握
■ リスクアセスメント

# 3-1 研究開発の現場の特徴と潜在危機の把握

　研究開発の現場の実験室は，化学物質を扱う製造工場とも学生実験室とも異なるため，刻々と状況が変わる複数のシナリオ（それらは実験室メンバー，試薬，装置，ユーティリティによって連動する）をシミュレートして潜在危機を把握し，総リスクを許容できるレベル以下に抑えなければならない．

## 1. 研究開発の現場の状況変化をつねにシミュレートする

　研究開発の現場が実験室である以上，安全を確保するには，研究開発の現場の特徴をまずは理解しなければならない．研究開発の現場を指揮する主宰者や研究者は，実験室の設計段階から，研究課題に対して何を実験するのかを決めて実験室を特徴づけている．よって，実験室メンバー（研究員から大学院生や学生まで）がその課題や実験室の設計の指針を理解しておくことが求められる．そして，主宰者や研究者は，実験室の安全はメンバーの行動のみによって確保されることを認識して対策を講じることが求められる．というのも，実験室は，化学物質や高圧ガス，実験器具といった"モノ"，電気や水だけでなく高熱源や放射線，レーザー光といった"ユーティリティ"，それらを使って実験する"人"で構成され，人の行動によって実験室は安全なのか危険なのかが決まるからである．

研究開発の現場

　たとえば，メンバーが体調不良でも出勤して実験室で実験しようとすれば，実験結果の成否が左右されるだけでなく，実験室の安全さえもゆらぐことを主宰者や研究者は認識しなければならない．したがって，研究開発の構成員（主宰者，研究者，実験室メンバー）の間で日常的に報告／連絡／相談を円滑にできるようにする体制づくりは，実験室にある化学物質，実験装置，ユーティリティの安全対策よりも最優先される安全確保の対策となることを，研究開発の構成員が認識し行動する必要がある．

## 2. リスクを許容できるレベル以下に抑える

単に化学物質を扱う製造工場や学生実験室と比較して、研究開発の現場となる実験室の特徴とは何か。ここでは以下の3点をあげたい。

(1) 各実験において何が起こるかが事前に精確に想定されていない事象を扱う。
(2) スキルレベルの異なる実験室メンバーが、複数の装置やユーティリティを共有して利用し、ときに同時多発的に同一の空間で実験を行う。
(3) 構成員一人一人が、化学物質の購入、使用、廃棄という一連のプロセスを行っている。

したがって、構成員全員がモノやユーティリティの安全な使い方を理解し実践できる環境になっていることが最低限の安全対策であり、事故の未然防止や被害の最小化を可能とする[(3)は、研究機関によって状況が異なる]。

研究開発の構成員は、上記の(1)～(3)の観点から、実験室のリスクを許容できるレベル以下に抑えるために何をすべきかをはっきりと考えておく必要がある。(1)では、何が起こるかが事前に精確に想定されている事象の実験は、そもそも研究開発の課題とはならない。事前に想定されない事象には、当然、安全ではなく事故を誘導する可能性が高い手順も含まれる。(2)では、同一の実験装置をスキルレベルの異なるメンバーが共有して使うさい、熟練したメンバーであれば暗黙に回避するリスクある実験操作を未習熟のメンバーが行ってしまって、試薬や装置が暴発したり(爆発・火災リスク)、メンバーが健康を損なったり(健康有害性リスク)するという危険性が潜在する。(3)では、実験で使用した化学物質の廃棄方法を間違ってしまったメンバーがいれば、その実験室は環境汚染を誘導したこと(環境有害性リスク)になる。こうしたリスク(爆発・火災リスク、健康有害性リスク、環境有害性リスク)を研究開発の現場である実験室で許容できるレベル以下にするには、複数のシナリオが同時に進行することをつねに想定しなければならない。これは、構成員全員、つまり、主宰者・研究者と実験室メンバーで共通に認識されなければならない。

## 3. 潜在危機と向き合うリスクアセスメント

研究開発の現場の実験室における爆発・火災リスク、健康有害性リスク、環境有害性リスクに向き合うには、潜在する危機とその事象を洗い出して、利用可能なデータと経験、観察、統計学的な分析を総合し、被災する程度やその災害が発生する可能性の度合いを組み合わせてリスクを見積る(リスク分析)。そのリスクの大きさに基づいて、対策の優先度を決めて、リスクを除去したり低減したりする措置を検討する。この一連の手法により、リスクを許容できるレベル以下にする。これをリスクアセスメントとよぶ。

リスクアセスメントの流れ

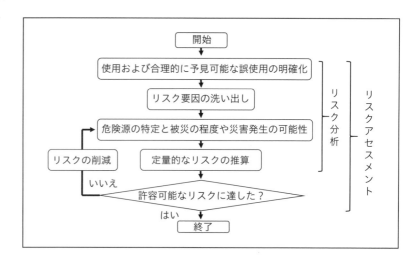

　まず，実験室のモノやユーティリティに対して，使用および合理的に予見可能な誤使用を列挙し，リスク要因を洗い出す．これにより，危険源を特定でき，被災する程度やその災害発生のリスクを定量的に推算できる．推算されたリスクが許容可能であるかどうかを評価する．許容可能なリスクに達していない場合，洗い出したリスク要因から除去もしくは低減できるものを選んでリスク削減の可能性を見出し，それに基づくリスク削減策によりどの程度リスクが低減されるかを再度定量的に推算する．再び推算されたリスクの大きさが許容可能であるかを判断する．これを，リスクが許容されるレベル以下になるまで繰り返す．

　研究開発の現場では，利用可能なデータや経験などがほとんどない実験の連続である．そうしたデータや経験をまとめたノウハウやマニュアルもない状況では，リスクアセスメントそのものが難しい．よって，構成員全員だけでリスクアセスメントを行うのではなく，第三者の視点がリスクアセスメントに加わることが重要であるといえる．

　リスクアセスメントそのものは主宰者・研究者が先行するものであるが，リスク削減の具体的な対策がなぜどのように施されているかについては，実験室メンバー，とくに未習熟のメンバー，には教育の一環として共有されて，リスクアセスメントの理解を増進する管理的対策も実施することが望ましい．

## 3-2 本質的対策：モノへの対策

**本節で学ぶこと**
- 個々のオペレーションの精査
- 危険有害性に関する情報収集
- 化学物質の保管場所と実験環境

　化学物質はそれ自体が危険性を有し，購入前から安全性に関する情報を入手し，転倒防止なども含めた対策を講じて保管したり使用したりすることがきわめて重要である．

### 1. 個々のオペレーションを精査する

　前節で述べたように，研究開発の現場を指揮する主宰者や研究者は，実験室の設計段階から，研究課題に対して何を実験するのかを決めて実験室を特徴づけている．したがって，実験室の設計段階から安全を考慮することが求められる．そのためにリスクアセスメントを行う必要があり，アセスメント時の個々のオペレーションへの安全対策にも，モノやユーティリティへの本質的対策，ハード面での実験室環境や実験器具や安全装置といった工学的対策，実験室メンバーの教育や情報の見える化といったソフト面を重視した管理的対策の三つを講じることを考えなければならない．とくに実験室環境の工学的対策は，建設後にそのための大きな変更を加えることが難しいため，実験室建設前に研究機関の安全管理担当者と連携をとり，場合によっては実験室建設のプロジェクトにその担当者を加えることが望ましい．放射性同位体[*1]を利用したり遺伝子組換え[*2]を行ったりする場合には，実験室の仕様が法令で定められているため，主宰者や研究者と安全管理担当者との連携は必須といえる．

### 2. 購入前に危険有害性情報を収集する

　実験を始めるには化学物質を購入する必要がある．ただし，購入前に，その化学物質の安全性に関する情報を収集しなければならない．日本試薬協会のホームページ(https://www.j-shiyaku.or.jp/)には，安全データシート(SDS：safety data sheet)とよばれる，各試薬販売会社が提供する化合物情報がまとめられており，化合物名検索が可能となっている．SDS には，① 製品および会社情報，② 危険有害性の要約，③ 組成・成分情報，④ 応急処置，⑤ 火災時の措置，⑥ 漏出時の措置，⑦ 取扱いおよび保管上の注意，⑧ ばく露防止および保護措置が記載され，さらに，⑨ 物理的および化学的性質，⑩ 安定性および反応性，⑪ 有害性情報，⑫ 環境影響情報，⑬ 廃棄上の注意，⑭ 輸送上の注意，⑮ 適用法令などが続く．とくに⑩では混合危険物質についても列挙されている．

　SDS では，最後に，化学物質が適用される法令についても記されている．一つの化学物質が複数の法令の対象となりうることに注意されたい．化学物質をとりまく法令には，おもに消防法など爆発・火災の防止のための法令，毒物及び劇物取締法など健康被害の防止のための法令，大気汚染防止法など

---

[*1] 放射性同位体を扱う実験設備に関する法令等の情報は以下のとおりである．
- 原子力規制委員会 RI 規制関連法令集
https://www.nra.go.jp/activity/ri_kisei/kanrenhourei/index.html
- 文部科学省科学技術・学術政策局原子力安全課放射線規制室
- 日本アイソトープ協会
https://www.jrias.or.jp/statute/

[*2] 遺伝子組換えを扱う実験設備に関する法令等の情報は以下のとおりである．
- 遺伝子組換え実験等の使用等の規制による生物の多様性の確保に関する法律（カルタヘナ法）
https://www.meti.go.jp/policy/mono_info_service/mono/bio/cartagena/manual-gaiyou.pdf
- 研究段階におけるゲノム編集技術の利用により得られた生物の使用等に係る留意事項（文部科学省，令和元年 6 月 13 日）
https://www.lifescience.mext.go.jp/files/pdf/n2189.pdf

の環境の保全のための法令，および，外国為替及び外国貿易法などの輸出入管理の法令がある．これらの法令により，保管状態の厳密な管理が求められたり実験室での保有量が制限されたりするため，購入前に留意しておくべきである．

化学物質が適用される法令

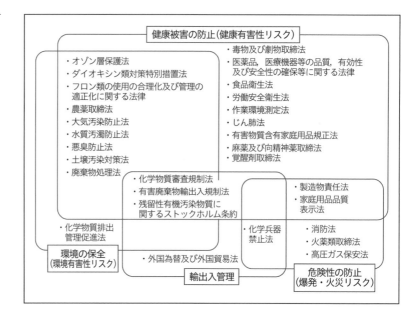

なかでも，毒物及び劇物取締法は，使用量と在庫状況を実験室ごとに把握しなければならないことを定める法令で，とくに重要である．毒物や劇物とは，化学物質の毒性の強さによって毒物，劇物，特定毒物に分類されており，本法令はこうした化学物質の製造，販売，取扱いなどを規制するものである．毒物と劇物はそれぞれ，鍵のかかる試薬庫で保管し盗難を防がなければならない（鍵も適切に管理されていなければならない）．そして，紛失や流出・飛散して第三者に危害がおよぶおそれがある場合は，保健所や警察署，消防署に届け出るとともに，危険防止の応急処置を講じなければならない．

毒物・劇物の分類

|  | 毒物 | 劇物 |
| --- | --- | --- |
| 経口の $LD_{50}$* | 50 mg/kg 以下 | 50 を超え 300 mg/kg 以下 |
| 経皮の $LD_{50}$* | 200 mg/kg 以下 | 200 を超え 1000 mg/kg 以下 |
| 例 | 水銀，フッ化水素…… | クロロホルム，塩化水素…… |

\* $LD_{50}$ (lethal dose 50) は，半数致死量という．化学物質をラットやモルモットなどの実験動物に投与し，投与された動物の半数が実験期間内に死亡する用量．

安全性に関する情報や法令への対応を事前に検討しにくい化学物質として，試薬キットがあげられる（次ページの図）．試薬キットは，いくつかの化学物質が混合された試薬であり，成分が非公開であったり資料請求しても対応されなかったりするケースが多い．それゆえに，法令遵守の穴になる可能性があり，また廃棄方法もわからなくなる．試薬キットを使用するさいには，購入前に安全管理担当や，試薬販売会社や試薬メーカー，廃棄物処理会社などに問い合わせるのが現状での対策といえる．

試薬キットのラベルの例

[https://labchem-wako.fujifilm.com/jp/product/detail/W01W0129-5030.html]

## 3. 化学物質の保管場所と実験環境

　毒劇物に限らず，爆発・火災リスクや健康有害性リスクの観点から，化学物質は流出や漏えいを防ぐ必要がある．試薬棚に入れる試薬びんは，転倒防止策を講じたうえでさらにトレイなどに入れる必要があり，また地震への対応として，試薬棚そのものも床や壁に固定しておかねばならない．また，混触危険物質どうしは，別々の引き出しやトレイに入れて保管する．漏えいした化学物質による出火の例としては，引火性物質による引火，自然発火性物質（黄リンなど）の空気中での自然発火，禁水性物質（金属ナトリウムなど）が水と接触して発火，化学物質どうしの混合による反応熱での発火があげられる．

転倒防止策の例

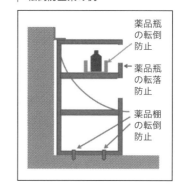

　化学物質のなかには有害蒸気や粉じんを生じたりするものがある．このような化学物質の取扱いには実験室内に局所排気装置が必要である．この局所排気装置をドラフトチャンバー（またはヒュームフード）とよび，労働安全衛生法などの法令で装置仕様が定められている．吸気と排気のバランスをとらないと，実験室が陰圧となって出入口の扉が開きにくくなるので，非常事態に対応するためにも，注意が必要であるが，必要な面風速を確保するために点検，整備を定期的に行わねばならない．また，ドラフトチャンバーの扉を適切に開け閉めして（できるだけ狭くしておくとよい）面風量を調整すれば省エネにもつながる．また，取り扱う化学物質によっては，有害蒸気や粉じんをそのまま環境放出しないように排ガス処理設備（スクラバとよぶ）も設置すべきである．おもに酸やアルカリを扱うのであれば循環水を用いる湿式スクラバ，有機溶剤であれば活性炭を用いる乾式スクラバを選択する．

局所排気装置

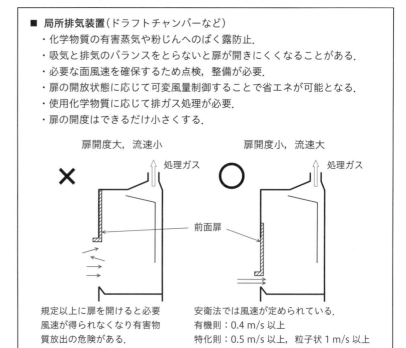

労働安全衛生法で定められている作業環境測定（室内空気の微量成分分析）において，化学物質の実験室内空気中への漏えいが認められる場合，改善措置をすみやかに講じて，基準値以下にすることが義務となっている．労働基準法の「女性労働基準規則」により，対象化学物質が実験室内空気中へ漏えいしていることが明らかになると，その実験室での女性労働者の業務が禁止される．

作業環境測定の流れ

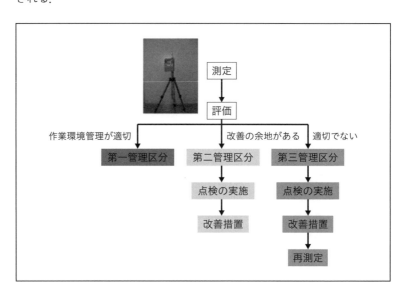

# 3-3 工学的対策：ハード面での対策

> **本節で学ぶこと**
> ■ 安全な実験環境
> ■ 安全装置の考え方とメンテナンス
> ■ 実験器具の適切な選定
> ■ ガラス器具の適切な取扱い

　事故を未然に防ぐ対策は潜在危機を顕在化させないことである．実験室の設計時でも，実験装置を稼働させている間でも，実験器具を購入したり使っている間でも，安全に必要なハード面の対策を講じることが求められる．

## 1. 安全な実験環境とは

　研究開発の現場となる実験室でそもそも安全な実験環境をつくり上げるには，実験室の機能や利用方法を設計段階で明確にする必要がある．そのうえで，室内環境条件（温度や湿度，照度など），必要な実験装置と備品，使用する化学物質と廃棄方法，などを列挙していく．これには，将来の研究開発の変更や実験室撤収時を想定することも考えておきたい．こうした項目についてリスクアセスメントを行うことになるが，実験環境のリスク評価に対しては，レイアウト，材質，床や扉，ユーティリティにまで及ぶ対策を行うことが求められる．

　まずは，安全に必要なスペースの確保があげられる．危険にさらされた実験室メンバーの動線を確保する必要がある．これには，実験操作や実験装置の危険度に応じて実験室内を区分け（ゾーニング）することも含まれる．

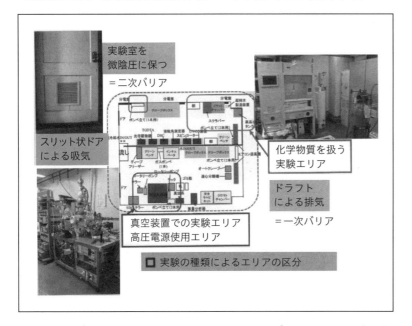

実験室内の区分けの例

　いわずもがな，実験室と居室とは分離しておかねばならない．また危険物の保管場所は実験室の出入口や避難路から離すようにして，危険有害性の高い化学物質を使用する場所も特定の場所に集約しておきたい．実験室は研究開発内容の変遷に応じて用途も変わりやすいため，レイアウトには可変性をもたせて，撤収も容易にするのがよい．

次に，実験室内の備品や什器については，用途に応じて，耐久性，耐薬品性，抗菌性，防滑性，防汚性，吸音・遮音性，非帯電性などが要求される．火災が発生することも想定して，耐火性，難燃性，耐食性を考慮する．床も，使用する化学物質に応じた材質を選ぶ．段差はなくして，物品を床に置くことがないようにする．通路や避難路を床に明示しておくとよい．実験室の扉は，避難経路として実験室には二つ以上あることが望ましい．そして，外開きまたは引き戸とすることで，実験室内に倒れたり傾いたりした装置で扉が開かなくなる事故を防ぎやすい．外開きの場合には，廊下での扉への衝突の危険に配慮する(張り紙などを掲示する)．

最後に，ユーティリティについて説明する．実験室の電気設備は，用いる実験装置によって必要容量を確保できるように分電盤やコンセントを設置する．電源設備には水が触れたりほこりが積もったりしないように，安全カバーなどをつける．一つのコンセントに多数の分岐の電源プラグをつなげるような配線(たこ足)はしない．必要に応じて非常電源も導入しておき，急な停電に備えるとよい．空調や換気については，実験室メンバーの快適な実験環境を確保するために必須であり，また，実験条件の制御という観点でも重要である．給水と排水の設備も，実験装置の冷却水などが必要となれば，そのぶんを確保する．実験排水と生活排水は分離する．実験排水系にはモニター槽や漏水センサーを設けて排水事故を防ぐ．施設内 LAN や Wi-Fi は，実験室メンバーがインターネットを介してアラートシステムや試薬管理システムにアクセスするために実験室にはなくてはならないものである．一方で，セキュリティ設定では担当部署と必ず連携し，情報漏えいなどの事故を防がねばならない．

## 2. 安全装置の考え方とメンテナンス

事故を未然に防止する対策は，潜在危機の顕在化を防ぐものとしてきわめて重要である．適切な装置，適切な材質については前項で説明したが，安全装置や事故が発生したさいの設備も実験室に導入することが求められる．たとえば，実験装置の操作に複数のプロセス(ドアの開閉など)を相互リンクさせ，いずれのプロセスも適正であるときのみ実験装置を稼働できるようにする機構(インターロック)である．また，故障や誤作動をしても大事に至らない仕組みを内蔵するフェールセーフ機構を実験装置に組み込むこともあげられる．警報装置は，漏電，漏水といった異常事態を即時に実験室メンバーが知覚できる安全装置である．そのほかにも，異常な圧力上昇を防止する安全弁，火炎を消炎させて管を通過させないフレームアレスター，逆流を防止する逆止弁，爆風や飛散物から実験室メンバーや装置を守る防護壁，高速回転装置のまき込み防止のための防護カバーなどがある．また，事故が発生した場合の緊急シャワーや洗眼器も，安全にかかわる設備として重要である．

火災に対する安全装置として，消火器はもっとも汎用的といえる．実験室内に消火器は 2 種類以上設置したほうが対応の幅が広がり望ましい．白色印の消火器は，木材や紙，繊維などの普通火災(A 火災)に適することを，黄色印は，ガソリンや灯油や有機溶剤などの油性火災(B 火災)に適することを表

す．青色印は，配電盤や変圧器などの電気火災に適することを表す．金属火災用消火器もあるが，金属火災には消火砂（乾燥砂）も有効である．

 白色は普通火災（A火災）に適することを表す．
　　木材，紙，繊維などの火災に有効

 黄色は油火災（B火災）に適することを表す．
　　ガソリン，灯油，有機溶剤などの火災に有効

 青色は電気火災（C火災）に適することを表す．
　　配電盤，変圧器，電気配線などの火災に有効

その他，金属火災用消火器もある．

消火器の種類

　高圧ガスは，そもそも高圧であることの危険とガス種固有の危険とがあり，高圧ガス保安法という法令で製造，貯蔵，消費などが規制されている．第一に，高圧であるため，ボンベや装置が破壊して破片が飛散するという危険がある．したがって，使用する高圧ボンベは，ボンベラックに立てて2カ所をチェーンで固定し，そのボンベラックそのものも床や壁に固定しておく．第二に，ガスの種類に応じて危険が異なるため，配管や使用方法をよく検討し，警報装置（ガス漏えい検知器や酸素濃度計）を設置する．たとえば，水素やメタンなどの可燃性ガスは爆発や火災の危険があり，酸素は燃焼促進の危険がある（圧力調整器やゲージは酸素専用品を使用しなければならない）．二酸化炭素や窒素は，多量の漏えいで酸素欠乏の危険がある．

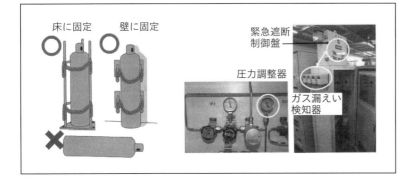

ボンベの設置法

　こうした安全装置は，万が一事故が起きたときに起動しなかったり故障していたりすると，その役割を果たせない．したがって，安全装置のメンテナンスは，通常の実験装置よりも重要性が高いと認識しておく必要がある．安全装置の電池切れ，部材の消耗などがないかといった確認，ならびに，定期的な機能メンテナンスを欠いてはならない．ただし，安全装置をつければ100％安全が保障されるわけではないので，実験室の構成員全員が安全装置の限界について理解しておかねばならない．

## 3. 安全な実験器具と実験器具の安全な扱い方

実験器具や装置を作製したり選定したりする場合，研究開発の目的に合ったものを選ぶだけでなく，リスクから考えられる強度，耐熱性，耐食性などの検討が必要である．

たとえば，ガラス製器具を使用するさい，使用温度は，ガラスの軟化点を超えないようにする[表(a)]．また，ガラス器具の熱膨張率が小さいほど，急冷や急加熱したときのひずみが小さく，割れにくい[表(b)]．プラスチックについても耐熱温度が材質によって異なることから，使用条件に適合したプラスチック製器具を選ぶ必要がある．

**ガラスの温度特性とプラスチックの耐熱性能**

(a) ガラスの温度特性

|  | 軟化点 [℃] | 最適加工温度 [℃] | 線膨張率 [$10^{-9}$ m/K] |
|---|---|---|---|
| ソーダ石灰ガラス | 200 | 450〜500 | 92 |
| ホウケイ酸ガラス | 820 | 750〜1100 | 33 |
| シリカガラス | 1580 | 1750〜1800 | 5.6 |

(b) 各種プラスチックの耐熱温度の上限

| 熱硬化性樹脂 | 耐熱温度[℃] | 熱可塑性樹脂 | 耐熱温度[℃] |
|---|---|---|---|
| フェノール樹脂 | 120〜180 | スチロール樹脂 | 60〜80 |
| エポキシ樹脂 | 120〜170 | ポリ塩化ビニル | 60〜80 |
| メラニン樹脂 | 120〜200 | ポリエチレン | 80〜120 |
| 尿素樹脂 | 130〜140 | ナイロン | 80〜150 |
|  |  | フッ素樹脂 | 180〜290 |

[日本化学会 編，"化学実験の安全指針 第4版"，(a) p.62，(b) p.63，丸善 (1999)]

材質の耐薬品性も，実験器具を選定するうえで重要な情報である．つまり，器具と薬品の組合せによって，耐食性が大きく異なる．これは，化学反応により新たに生成する物質が腐食性をもつ場合も考えられるので，注意が必要である．

**各種材料の耐薬品性**

| 薬品 \ 材料 | ステンレス鋼 SUS 304 100℃* | 硬質ガラス 100℃* | ポリ塩化ビニル(硬質) 65℃* | ポリエチレン 52℃* | フッ素樹脂 100℃* | 天然ゴム(軟質) 70℃* |
|---|---|---|---|---|---|---|
| 塩酸(35%) | C | B | A | A | A | B |
| 硫酸(70%) | C | A | A | B | A | C |
| 硝酸(40%) | B | A | A | B | A | C |
| アンモニア水(28%) | B | C | A | A | A | A |
| 水酸化ナトリウム(25%) | A | C | A | A | A | A |
| アセトン | A | A | C | C | A | A |
| エタノール | A | A | B | B | A | A |
| ベンゼン | A | A | C | C | A | C |
| 四塩化炭素 | A | A | C | C | A | C |
| 酢酸エチル | A | A | C | C | A | C |

1年間侵食度(単位：mm)：A 0.05以下(使用可)，B 0.05〜0.1(条件つき使用可)，C 0.1以上(使用不可)．*は測定温度．
[日本化学会 編，"化学実験の安全指針 第4版"，p.59，丸善(1999)]

ガラス器具を用いる実験では切創事故がしばしば発生する．具体的には，ブラシなどで洗浄中に破損，器具どうしを手元でぶつけて破損，チューブやゴム栓を取り付けるさいに破損，そもそも破損したガラス器具で切創，という状況が知られている．これらの事故を防止するには，ガラス器具が破損すると切創事故につながるという認識をもつこと，破損したガラス器具は処分する，破損ガラスで切れにくい保護手袋を使用する，という対策がある．とくに，ガラス管をゴム栓の穴に入れて力を入れて貫通させるときは，図のようにガラス管をもつ位置をゴム栓から離しすぎないこと，ガラス管を手の内全体で握らないことに注意して，ゴム栓近くでガラス管を3本指でもって差し込むとよい．そのさい，可能であればガラス管に水やグリースなどの潤滑剤を使用するとよい．

**ゴム栓とガラス管の取扱い**

(a) ゴム栓の根元での破損が起こりやすい

(b) 中指，薬指の握力による破損が起こりやすい

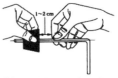
(c) 3本指でのガラス管のもち方（推奨）

> **本節で学ぶこと**
> - 化学物質管理システム
> - 実験環境の情報の透明化
> - 実験操作の見直しと適切な保護具の利用

## 3-4 管理的対策：ソフト面での対策

本章冒頭でも述べたように，実験室は，"モノ"，"ユーティリティ"，それらを使って実験する"人"で構成され，人の行動によって実験室は安全なのか危険なのかが決まる．人が安全に行動しやすくなるためには，化学物質管理システムや情報の透明化，保護具の利用が重要である．

### 1. 化学物質管理システム

実験室で化学物質を管理するさい，研究開発の現場で求められるのは，不要試薬や老朽試薬を減らし，現場での効率化をはかることである．試薬びんごとに購入，消費，廃棄を見える化でき，それらのデータ処理を可能とするコンピュータ支援型のシステムは，法令遵守と円滑な実験の両立をサポートし，また，実験室メンバーの長期的な健康リスクの低減や，労災の防止にもつながる可能性が高い．これは，研究機関の安全管理担当が一括管理できることで，法令による数量規制への対応や緊急時対応などの場面で，化学物質保有状態を把握しやすいというメリットも大きい．

そうした管理システムで考慮すべきポイントは，データの一元化，管理単位，登録事項，化学物質データ，登録インターフェース，管理内容であり，研究開発の現場における主宰者や研究者と，実験室メンバーとが円滑に利用できる通信環境にも注意しなければならない．化学物質の登録や登録抹消，廃棄を追跡するために，化学物質の容器にはバーコードつきのラベルを貼り，1本1本を特定するのが通常である．そこに，登録者，使用者，保管場所，使用量の履歴，廃棄方法などの情報を紐づけることで，各種のデータ処理や一括管理を可能にする．

もっとも重要なのは，そうしたシステムの運用ルールを，構成員全員が理解して実践することである．主宰者や研究者は，実験室メンバーに管理システムのルールを教育し，徹底させることが必要である．とくに，メンバーの新旧入れ替え時などでは，実験室内の化学物質の棚卸によってシステムと実際の化学物質の管理状況を照合しておくのがよい．

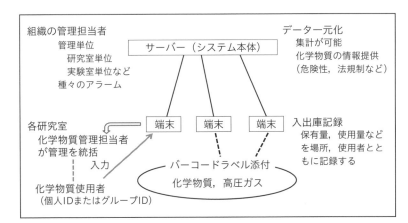

化学物質管理システムの構成例

コンピュータ支援による化学物質管理システムは効果的

- 化学物質の使用，保管管理を支援．
- 法令対応も確実に行うことができる．
- 組織の管理担当者による一括管理も行いやすい．
  ・管理状況のモニタリング，数量規制への対応（集計が可能）．
  ・緊急時対応などで各場所の化学物質保有状況の把握．
- 管理担当者の負担を軽減．

管理システムで考慮しておくべきポイント

① データ一元化
② 管理単位
③ 登録事項
④ 化学物質データシステム
⑤ 登録インターフェース
⑥ 管理内容
⑦ その他の機能

## 2. 実験環境の情報の透明化

　実験環境の安全に取り組むべく，研究開発の構成員の間で日常的に報告／連絡／相談を円滑にできるようにするチームづくりの工夫の一つに，情報の透明化がある．たとえば，注意書きは実験室内で見やすい位置に貼りだす，キャビネットや備品には内容や作業中の実験者がわかるラベルを貼る，安全装置にはメンテナンスを行った最終日を記載したシールを貼る，といった行動が大事である．また，毒物及び劇物取締法や有機溶剤中毒予防規則にかかわる掲示物は，安全管理担当者に問い合わせて入手し，実験室内の適切な位置に掲示しておかねばならない．さらに，ヒヤリハットや事故例の原因を構成員の間で共有し，潜在危機への共通認識を広めることも重要である．

## 3. 実験操作の見直しと適切な保護具の利用

　保護具は，除去・低減できないリスクへの対策の最終手段である．したがって，まずは実験操作一つ一つでも，安全性の高い方法を選択することが求められる．たとえば

加　熱：均一加熱（反応暴走やガラス器具のひび割れを防止）
溶　解：一度に大量に加えない

かくはん：スターラーでのガラス破損に注意する
抽　　出：ガス抜きはドラフトチャンバー内で行う
蒸　　留：沸騰石を用いて突沸を防止
乾　　燥：金属ナトリウムや金属カリウムによる有機溶剤の乾燥は発火に注意

などがあげられる．

　保護具がないまま実験することで頻繁に起きる事故が，やけどである．高温に熱せられた液体や気体，反応容器に人体が触れると，やけど(熱傷)する(とくに，ガラスは高温であることが目視ではわからない)．酸やアルカリに触れる化学やけど(薬傷)や寒剤による低温やけど(凍傷)にも注意する．

　防護手袋は，取り扱う化学物質やユーティリティによって選択する*．やけどや感電を防ぐために専用の防護手袋を用いる．たとえば，液体窒素使用時には，専用の液体窒素保護手袋を使用し，軍手などの非専用の手袋を使わないようにする．液体窒素は軍手に容易にしみ込み，低温やけどを促進するからである．受傷した場合には，すぐに水洗し，服の一部がついていてもはがさずに，そのまま医療機関を受診する．ニトリルゴム系，ラテックス系，ポリエチレン系などの衛生手袋は，材質によって物質の透過性が異なり，手や指への侵食が起こることがあるので適切なものを使用する．

　安全めがねやゴーグルも，取り扱う化学物質やユーティリティによって選択する．横の縁から飛沫が入らないように側面にカバーが付いている安全めがねやゴーグルを利用する．眼鏡着用者は，眼鏡の上から重ねられる安全めがねやゴーグルを用いる．とくに，有害蒸気を生じる化学物質のときにはゴーグルや防毒マスクを用いる．レーザー使用時は，レーザー用ゴーグルを使用する．

　実験室内の服装は，動きやすいものを着衣し，白衣，作業衣など，実験専用の衣服を着用する．髪が長ければ束ねておく．実験に不要な装飾品は外す．動きやすい靴も必要である．ヒールの高い靴，サンダル，下駄は，避難時に危険であるので，実験室内で履かない．重量物を扱うようなときには安全靴を履くようにする．白衣も，材質によって，耐熱性や耐薬品性が異なるため，実験内容から検討してふさわしい白衣を選んで着用する．

＊　下記の Web サイトに関連情報や書籍が紹介されている．
https://chemicalglove.net/

## 3-5 まとめ

　研究開発の現場で成果に結びつく安全文化を形成できれば，実験室安全へのコストに対して高いパフォーマンスが得られる．ここでポイントとなるのは，人はいくつもの選択肢を同時に処理するのは難しいという前提である．この前提をもとに，リスクを許容できるレベルまで抑制し，さらに実験室の安全にかかわるルールを構成員全員でつくり上げて保持する必要がある．このとき，実験室メンバーも，主宰者や研究者も，構成員それぞれの責任の範囲を明確にして隙間がないようにしておくことが，実験室の安全を守るために肝要である．

参考図書：村上陽一郎，"安全と安心の科学"，集英社(2005).

# 4 化学物質の爆発・火災危険性

> **本節で学ぶこと**
> ■ 化学物質の潜在危険性
> ■ 危険物の分類・指定数量
> ■ 火災・爆発の発生
> ■ 静電気

# 4-1 化学物質と潜在危険

　化学物質にはわれわれの生活を豊かにする物質が存在する一方で，害となる性質をもつ物質も存在する．その性質には，われわれの健康に害を与える健康有害性（health hazard），環境中に放出されることにより土壌生物や水生生物など生態系への悪影響を発現したり，汚染物質として植物の生育を阻害する環境有害性（environmental hazard），そして爆発・火災危険性（fire and explosion hazard）がある．これらは物質の固有の性質として潜在していると捉えることができ（潜在危険性），おかれた状況によってその好ましくない性質が顕在化して，健康障害，環境汚染，爆発・火災を引き起こすと考えることができる．

　本章では，このような潜在的危険性のなかでも，おもに爆発・火災危険性をもつ化学物質を安全に取り扱うための考え方について説明するとともに，代表的な化学物質の爆発・火災危険性や，その評価方法についても述べる．

　なお，ここでは放射性物質以外の物質の総称として，化学物質という用語を使用している．

## 1. 化学物質の潜在危険性

　爆発・火災危険性を有する化学物質には，自己反応性（爆発性を含む）のようにその物質単独でエネルギーを発生して損害を与える物質のほか，単独に存在する限りは危険性を現さないものの，共存する物質との反応により爆発・火災危険性を示す物質が存在する．共存する物質には，空気や水も含まれる．

　物質がもつエネルギーによって生じる危険性には，発火・爆発による輻射熱や衝撃波，高圧をはじめとするエネルギーや，重量物あるいは高速飛翔体の衝突，鋭利な物体による切裂など，運動エネルギーをもつ物質による損傷など，物理的な作用で影響を与える危険性（physical hazard）がある．このなかでも，爆発・火災危険性は，化学物質に特有の性質であるため，化学物質を取り扱う前に，それぞれの物質の爆発・火災危険性を十分に把握し，危険性が顕在化しないような措置を踏まえて取り扱う必要がある．

## 2. 危険物の分類・指定数量

　物質の爆発・火災危険性には，爆発性，可燃性，引火性，自然発火性，禁水性，混合危険性などがあり，その危険性に応じて分類されている．とはいえ，危険物の分類方法は，その思想によりさまざまである．ここでは，国際的にもっともよく知られている国連の危険物分類と，日本国内でよく知られている法令に基づく危険物について簡単に説明する．

● 国連危険物

国連危険物輸送専門家委員会(United Nations Economic and Social Council's Committee of Experts on the Transport of Dangerous Goods)では，国際間の危険物輸送の安全化の観点から，国際的に整合性のある危険物の分類と輸送基準を，危険物輸送に関する勧告(Recommendations on the Transport of Dangerous Goods)にまとめている．第1版が1956年に発表されて以降，化学の発展や用途の変化に対応して定期的に改訂されている．1996年には第10版の危険物輸送に関する勧告の付録として，国内規則や国際ルールに統合できるようにモデル規則が公開された．1999年には国連危険物輸送専門家委員会が"危険物の輸送および化学品の分類と表示の世界的調和システムに関する専門家委員会"と改称され，輸送だけでなく，労働安全衛生，消費者保護，環境汚染対策などにも適用可能となるよう，化学物質の分類と表示に関するさまざまな制度の調和を担うこととなった．出版されている冊子は表紙がオレンジ色なので"オレンジブック"ともよばれている．

危険物輸送に関する勧告では危険物を性質に応じて9クラスに分類している．いくつかはさらにサブカテゴリ(division)として分類がある．国連勧告は，その名前のとおり勧告であって，法的根拠に基づく拘束力を有していないが，事実上のグローバルスタンダードとなっている．危険物の各分類には，該当する代表的な物質名が示されているが，分類が決まっていない物質については試験による危険物の分類も可能である．そのための試験方法，判定基準などは国連勧告試験マニュアル(UN Manual of Tests and Criteria)にまとめられている．マニュアルは五つのパートに分かれており，こちらも定期的に改訂されている．

● 消防法危険物

一方，わが国においては，爆発・火災危険性を有する物品として，消防法にて危険物を定めている．危険物は物品の危険性に応じて6分類あり，消防法別表第一に代表的な品名や性質・性状がまとめられている．別表に記載のある危険物の試験および性状は，危険物の規制に関する政令に定められている．

なお，消防法危険物の対象は，爆発・火災危険性を有する凝縮相(液体・固体)の物品に限られており，気体(爆発・火災危険性の程度にかかわらず)，および健康有害性・環境有害性に対する危険性のみを有する物品は，対象外であることに注意が必要である．

さらに危険物には危険性の大きさに応じて指定数量が定められている．指定数量を超えた量の危険物の貯蔵取扱いは，法律(消防法)の規制対象になるほか，指定数量以下であっても，市町村の火災予防条例の規制対象になる場合がある．指定数量は危険物の規制に関する政令別表第三にまとめられている．

このほか，消防法危険物と指定されていないものの，火災が発生した場合に存在すると火災を拡大させてしまうもの，消火を困難にさせてしまうものは「指定可燃物」として，危険物の規制に関する政令別表第四に指定数量と

ともにまとめられている．これには木くずや紙くずなども該当する．

● 労働安全衛生法危険物

労働安全衛生法においては，「労働者に負傷又は疾病を生じさせる潜在的な根源」を「危険性又は有害性」と呼称している．そのため，物質のみならず建設物や設備，作業行動やその他業務に起因する危険性や有害性についても規定している．

物質については「特定化学物質」（労働安全衛生法施行令別表第三），「有機溶剤」（同別表第六の二），「名称等を表示し，又は通知すべき危険物及び有害物」（同別表第九），「危険物」（同別表第一）にまとめられている．なかでも危険物は，その危険性と性状によって五つの区分に整理されている．

## 3. 火災・爆発の発生

### ● 火災の発生機構

燃焼に必要な要素として"支燃物""可燃物""着火源"という**燃焼の3要素**が知られている．（"燃焼の継続に必要な化学反応（連鎖反応）"を加えて**燃焼の4要素**とよばれることもある）．燃焼は激しい酸化反応であることから，"支燃物"は化学的には酸化剤としてはたらき，燃焼を助ける物質である．フッ素ガスや塩素ガスをはじめとする酸化力が高い物質は支燃物としてはたらく（支燃性を示す）が，もっとも一般的な支燃物は酸素である．酸素を含んでいることから空気を支燃物とすることもある．

"可燃物"には固体・液体・気体があるが，一般的な固体あるいは液体の可燃性物質は，温められることによる蒸発や熱分解によって気体を発生し，燃焼を助ける支燃物と混合する．可燃物と支燃物が**"適当な割合"**で混合したガスは"可燃性混合気"とよばれ，着火源により**"十分なエネルギー"**を与えられることによって，着火・燃焼に至る．その過程では，温められることによって分子間の衝突や分子内の結合の再構成が起きる．新しくできた結合が以前の結合よりもエネルギーの観点から安定であれば，そのエネルギー差が熱や光として放出される．その熱が未反応の可燃物や支燃物に与えられれば，同様にそれらの分子間の衝突や分子内の原子間結合が解離・別の原子との結合に再構成されることに使われる．この現象が高速で進行する過程が燃焼現象である．

ここで，**"適当な割合"**とは，爆発範囲内の組成であることを指す．可燃物が多すぎても，支燃物が多すぎても燃焼は起きないが，可燃物と支燃物の割合（組成）が爆発範囲とよばれる範囲内にあるときに燃焼する．爆発範囲の両端で，可燃物が多い側を"爆発上限界"，可燃物が少ない側を"爆発下限界"とよぶ．爆発範囲外の組成であれば燃焼しないので，安全のために，燃焼させないよう可燃物をあえて多くするなどの対策をとることもできる．なお，一般に参照される爆発範囲は，空気中での可燃物の割合であることが多い．

爆発範囲は燃焼する可燃性混合気の組成であるが，可燃物が常温で液体である場合には燃焼の前に蒸発する過程が存在する．液体が，燃焼可能な濃度の気体を発生することができる温度は"引火点"とよばれる．引火点の測定

では，試料液体を入れた容器を加熱し，火炎を近づけてその液体の蒸気が燃焼する最低温度（引火点）を探索する．つまり，引火点以上の環境温度で液体を取り扱う場合には，火災のおそれが高くなる．その温度においては，裸火やスパークなどの火花，あるいは高温固体表面のような着火源があると，燃焼や爆発を起こす可能性が高いといえる．たとえば，アセトンの引火点は－20 ℃，エタノールの場合は 13 ℃であり，アセトンを室内で取り扱う場合には年間を通して，また，エタノールの場合にも，冬でも暖房の効いた室内で取り扱う場合には，着火源の存在により火災の可能性があることに注意が必要である．

また，"**十分なエネルギー**"には，"**最小着火エネルギー**"とよばれる指標がある．可燃性ガスが着火するために必要なエネルギー範囲において，もっとも低いエネルギーである．測定は通常，エネルギー量を制御するためにコンデンサーに蓄えた電気エネルギーを火花として放出して着火するかどうかを判断することによって行われる．着火に必要なエネルギーは可燃性ガスの種類によって変わるほか，組成によっても変化する．最小着火エネルギーはそのなかでももっとも低いエネルギーを指すため，最小着火エネルギーよりも大きいエネルギーであるからといっても必ず着火するとはいえないことに注意が必要である．

● **着火源**

代表的な着火源には，火炎，放電エネルギーによる火花があげられるが，そのほか着火源として考えられるものに次のようなものがある．

**(1) 断熱圧縮による温度変化**

外部との熱のやり取りがない状況（断熱状態）で気体が圧縮される過程を断熱圧縮という．熱力学の第一法則では，出入りする熱量 $dQ$ と，気体の内部エネルギー $dU$，気体が行う仕事 $dW$ の間で以下のような式が成り立つ．

$$dQ = dU + dW$$

断熱状態では出入りする熱量がないので $dQ = 0$ である．また，気体が圧縮される場合，圧縮という仕事が気体に与えられると気体の内部エネルギー $U$ が上昇する．理想気体については内部エネルギー $U$ の変化は温度変化 $dT$ となって現れる（$C_{m,V}$ は定容モル熱容量）．

$$dU = nC_{m,V}dT$$

可逆的な断熱変化においては，$\gamma$ は比熱容量の比を用いてポアソンの公式が成り立つことから，

$$PV^\gamma = \text{const.}$$

これにより，仕事によって理想気体が体積 $V_1$，圧力 $P_1$，温度 $T_1$ から体積 $V_2$，圧力 $P_2$，温度 $T_2$ に変化した場合，次のように表される．

$$\frac{T_2}{T_1} = \left(\frac{V_2}{V_1}\right)^{\gamma-1} = \left(\frac{P_2}{P_1}\right)^{\frac{\gamma-1}{\gamma}}$$

外部との熱のやりとりがない断熱状態は理想的な状態である．熱のやりとりが行われる速度に比べて急激に圧縮されるとき，近似的に断熱状態となる．断熱圧縮が発生する場に可燃性混合気がある場合や，酸素あるいは空気といった支燃性ガスが断熱圧縮される場に可燃物があれば，断熱圧縮によって

生じた高温によって燃焼が起きる可能性がある．

#### (2) 自然発火性物質・禁水性物質

空気に触れるとただちに自然に発火する物質を自然発火性物質とよぶ．凝縮系の物質のみならず自然発火性の気体も存在する．取扱いにさいしては，直接空気と接触しないようにすることが重要であり，凝縮系の物質であれば，グローブボックスなどを用いて，また，自然発火性気体であれば，閉じた空間(配管)内などで空気と接触しないように取り扱う．また，着火源になる可能性があるので，付近に溶剤などの可燃物を置かないようにする配慮が必要である．

自然発火性を有する物質には禁水性を同時に有する物質が多く，これらの物質については，後述の禁水性物質に対する注意も守る必要がある．

水との接触により可燃性気体を発生することにより，爆発・火災危険性を発現する物質を禁水性物質とよぶ．取扱いにさいしては，水との接触を避けることが第一であるが，目に見えない水分である湿気(空気中の水分)や皮膚との接触も避けなければならない．また，火災のさいに注水消火ができないことを頭に入れておく必要がある．消火にさいしては，基本的には大量の乾燥砂による窒息消火が推奨されている．ただし，禁水性物質の種類によっては専用の消火器(消火薬剤)が存在する場合もあるため，使用前に確認しておく．さらに，禁水性を有する物質には自然発火性を同時に有する物質が多いので，これらの物質については，前述の自然発火性物質に対する注意も守る必要がある．

#### (3) 混合危険

2種類以上の化学物質が混合することにより，もとの状態に比べてより危険な状態になることを混合危険とよぶ．たとえば，2種類以上の化学物質の混合により，爆発・火災危険性，健康有害性(発がん性など)，または環境有害性(環境汚染性物質の発生など)がもとのそれぞれの物質に比べて増加するような場合が混合危険(性)である．このなかでも，混合直後に発火・爆発が生じる場合には混触危険(性)という用語を用いることがある．

このうち，爆発・火災危険性が増加するケースについては，意図しない混合として，地震のさいに試薬棚から落下した薬品が床面で混合して発生する発火が，関東大震災の頃から知られている．また，実験中での事故例も数多く報告されている．適切な分類に従わずに容器に廃棄された実験系廃棄物は，容器内で反応が進行して発火や圧力上昇による容器の破裂などの事故に至る場合がある．混合による爆発・火災危険性を示す組合せは，消防法危険物の分類ごとに共通する技術基準が，危険物の規則に関する政令第二十五条に定められている(p.71の表)．

混合危険を示す組合せのなかでも，酸化性物質と可燃性物質による危険性の程度は物質により異なり，穏やかな発熱を示す程度から混合直後に発火するものまでさまざまである．ここでは，混合危険性を示す物質の組合せのうち，酸化性物質と可燃性物質との組合せおよびその他各種化学物質の組合せをp.72の表に示す．表より，どのような化学物質どうしの混合が発熱や発火を起こす可能性があるかがわかる．

## 消防法危険物の類ごとの共通技術基準

| 第一類<br>酸化性固体 | 可燃物との接触もしくは混合，分解を促す物品との接近または過熱，衝撃もしくは摩擦を避けるとともに，アルカリ金属の過酸化物およびこれを含有するものにあっては，水との接触を避けること． |
|---|---|
| 第二類<br>可燃性固体 | 酸化剤との接触もしくは混合，炎，火花もしくは高温体との接近または過熱を避けるとともに，鉄粉，金属粉およびマグネシウムならびにこれらのいずれかを含有するものにあっては水または酸との接触を避け，引火性固体にあってはみだりに蒸気を発生させないこと． |
| 第三類<br>自然発火性物質および<br>禁水性物質 | 自然発火性物品(第三類の危険物のうち第一条の五第二項の自然発火性試験において同条第三項に定める性状を示すものならびにアルキルアルミニウム，アルキルリチウムおよび黄リンをいう．)にあっては炎，火花もしくは高温体との接近，過熱または空気との接触を避け，禁水性物品にあっては水との接触を避けること． |
| 第四類<br>引火性液体 | 炎，火花もしくは高温体との接近または過熱を避けるとともに，みだりに蒸気を発生させないこと． |
| 第五類<br>自己反応性物質 | 炎，火花もしくは高温体との接近，過熱，衝撃または摩擦を避けること． |
| 第六類<br>酸化性液体 | 可燃物との接触もしくは混合，分解を促す物品との接近または過熱を避けること． |

### (4) 混合により生じる健康有害性

混合によりわれわれの健康に害を与える有害性をもつ物質が生成する例として，次亜塩素酸塩を含む漂白剤と塩酸を含むトイレ用洗剤の混合による塩素ガス発生や，硫黄を含む入浴剤と塩酸を含むトイレ用洗剤の混合による硫化水素発生による事故などが知られている．有害ガスのほか，ヒューム*状物質の発生も知られている．

\* 固体または液体の蒸気が凝固して微細な粒子となって空気中に浮遊しているもの．気体粉じん．粒径 $1\,\mu m$ 以下をさす．

## 混合反応によって発生する有害化学物質の例

| ハロゲンガス | 塩素（$Cl_2$），臭素（$Br_2$），フッ素（$F_2$）など |
|---|---|
| ハロゲン化水素ガス | 塩化水素（HCl），臭化水素（HBr），フッ化水素（HF）など |
| 酸化ハロゲンガス | 二塩化カルボニル(ホスゲン；$COCl_2$)，二酸化塩素（$ClO_2$）など |
| 酸化窒素ガス | $NO_x$（ノックス） |
| 酸化硫黄ガス | $SO_x$（ソックス） |
| シアン化水素ガス | HCN |
| 硫化水素ガス | $H_2S$ |
| 一酸化炭素ガス | CO |
| アルシンガス | $AsH_3$ |
| ホスフィンガス | $PH_3$ |
| 酸化金属ヒューム | 酸化カドミウム(CdO)，酸化亜鉛(ZnO)，酸化マグネシウム(MgO)，酸化鉄($FeO, Fe_2O_3$)，酸化アルミニウム($Al_2O_3$)，酸化クロム($Cr_2O_3$)など |

ハロゲン，ハロゲン化物，酸化ハロゲン，酸化窒素，酸化硫黄などのガス状物質は強い刺激性を有しており，これらのガスにばく露すると，目や粘膜の痛み，咳，さらには喉頭のけいれんや肺の障害などをきたす危険がある．

### ハロゲンガス，ハロゲン化水素ガス

ハロゲン化合物が反応して発生するガスには，塩素($Cl_2$)，フッ素($F_2$)，臭素($Br_2$)，塩化水素(HCl)，フッ化水素(HF)，臭化水素(HBr)，およびこれらの化合物がある．

$$次亜塩素酸化合物(X-ClO) + 酸 \longrightarrow Cl_2$$

$$フロン(CCl_3F\,など) + 加熱金属 \longrightarrow Cl_2,\ HCl,\ HF\ \,など$$

$$三フッ化リン(PF_3) + 酸化剤 \longrightarrow F_2$$

## 混合による爆発・火災危険性

| 1. 酸化性物質と可燃性物質 | | |
|---|---|---|
| 酸化性物質 | オキソハロゲン酸塩 | 過塩素酸塩，塩素酸塩，臭素酸塩，ヨウ素酸塩，亜塩素酸塩，次亜塩素酸塩など |
| | 金属過酸化物，過酸化水素 | 金属過酸化物：過酸化カリウム，過酸化カルシウムなど |
| | 過マンガン酸塩 | 過マンガン酸カリウムなど |
| | 二クロム酸塩 | 二クロム酸カリウムなど |
| | 硝酸塩類 | 硝酸カリウム，硝酸ナトリウム，硝酸アンモニウムなど |
| | 硝酸，発煙硝酸 | |
| | 硫酸，発煙硫酸，三酸化硫黄，クロロ硫酸 | |
| | 酸化クロム(Ⅲ) | |
| | 過塩素酸 | |
| | ペルオキソ二硫酸 | |
| | 塩素酸化物 | 二酸化塩素，一酸化塩素 |
| | 二酸化窒素(四酸化二窒素) | |
| | ハロゲン | フッ素，塩素，臭素，ヨウ素，三フッ化塩素，三フッ化臭素，三フッ化ヨウ素，五フッ化塩素，五フッ化臭素，五フッ化ヨウ素 |
| | ハロゲン化窒素 | 三フッ化窒素，三塩化窒素，三臭化窒素，三ヨウ化窒素 |
| 可燃性物質 | 非金属単体 | リン，硫黄，活性炭など |
| | 金属 | マグネシウム，亜鉛，アルミニウムなど |
| | 硫化物 | 硫化リン，硫化アンチモン，硫化水素，二酸化炭素など |
| | 水素化合物 | シラン，ホスフィン，ジボラン，アルシンなど |
| | 炭化物 | 炭化カルシウムなど |
| | 有機物 | 炭化水素，アルコール，ケトン，有機酸，アミンなど |
| | その他 | 金属アミド，シアン化物，ヒドロキシルアミンなど |
| 2. 過酸化水素と金属酸化物 | | 金属酸化物：二酸化マンガン，酸化水銀など |
| 3. 過硫酸と二酸化マンガン | | |
| 4. ハロゲンとアジド | | ハロゲン：フッ素，塩素，臭素，ヨウ素など<br>アジド：アジ化ナトリウム，アジ化銀など |
| 5. ハロゲンとアミン | | ハロゲン：フッ素，塩素，臭素，ヨウ素，三フッ化塩素，三フッ化臭素，三フッ化ヨウ素，五フッ化塩素，五フッ化臭素，五フッ化ヨウ素など<br>アミン：アンモニア，ヒドラジン，ヒドロキシルアミンなど |
| 6. アンモニアと金属 | | 金属：水銀，金，銀化合物など |
| 7. アジ化ナトリウムと金属 | | 金属：銅，亜鉛，鉛，銀など |
| 8. 有機ハロゲン化物と金属 | | 金属：アルカリ金属，マグネシウム，バリウム，アルミニウムなど |
| 9. アセチレンと金属 | | 金属：水銀，銀，銅，コバルトなど |
| 10. 強酸との混触により発火・爆発する物質 | オキソハロゲン酸塩 | 過塩素酸塩，塩素酸塩，臭素酸塩，ヨウ素酸塩，亜塩素酸塩，次亜塩素酸塩など |
| | 過マンガン酸塩 | 過マンガン酸カリウムなど |
| | 有機過酸化物 | 過酸化ジベンゾイルなど |
| | ニトロソアミン | ジニトロソペンタメチレンテトラミン(DPT)など |

本表は，NFPA(全米防火協会)が化学物質の混合に関する事故事例および危険反応事例をまとめた"Manual of Hazardous Chemical Reaction 491 M"(1975)をもとに，混合危険性を示す物質の組合せについて，化学構造別にまとめた．

四塩化化合物［四塩化ケイ素($SiCl_4$)など］＋ $H_2O$，湿気 ⟶ HCl
五塩化リン($PCl_5$) ＋ 酸 ⟶ HCl
クロロホルム($CHCl_3$) ＋ $H_2O$ ＋ 熱 ⟶ HCl
三臭化ホウ素($BBr_3$) ＋ アルコール ⟶ HBr
六フッ化タングステン($WF_6$) ＋ $H_2O$ ⟶ HF
フッ素($F_2$) ＋ 加熱金属 ⟶ HF

### 酸化ハロゲンガス

ホスゲン($COCl_2$)，二酸化塩素($ClO_2$)は，ハロゲンガス，ハロゲン化水素ガス以上に皮膚や粘膜に強い刺激性を有する．また，ばく露後短時間で気道粘膜の出血や肺水腫などによる呼吸不全をきたす作用がある．ホスゲンはかつて毒ガス兵器として使用されていたことが知られている．

塩素酸塩［塩素酸カリウム($KClO_3$)など］＋ 強酸 ⟶ $ClO_2$
塩化ベンジル($C_6H_5CH_2Cl$) ＋ 加熱鉄 ⟶ $COCl_2$
クロロホルム($CHCl_3$) ＋ 加熱金属 ⟶ $COCl_2$
フロン($CCl_3F$ など) ＋ 加熱金属 ⟶ $COCl_2$ など

### 酸化窒素ガス・酸化硫黄ガス

酸化窒素($NO_x$)ガスや酸化硫黄($SO_x$)ガスは，急性毒性として刺激作用を有する．また慢性的な$NO_x$へのばく露により，慢性気管支炎，歯牙酸蝕，不眠などの症状をきたすことがある．

硝酸($HNO_3$) ＋ 金属(Fe など) ⟶ 二酸化窒素($NO_2$)
亜硝酸($HNO_2$) ＋ 酸 ⟶ $NO_x$
エチルアミン($CH_3CH_2NH_2$) ＋ 酸化物 ⟶ $NO_x$
硫酸($H_2SO_4$) ＋ 金属(Fe など) ⟶ 二酸化硫黄($SO_2$)
亜硫酸($H_2SO_3$) ＋ 酸 ⟶ $SO_x$ など

---

| ハロゲンガス | $Cl_2$, $Br_2$, $F_2$ など |
| --- | --- |
| ハロゲン化水素ガス | HCl, HBr, HF など |
| 酸化ハロゲンガス | ホスゲン($COCl_2$)，二酸化塩素($ClO_2$)など |
| 酸化窒素ガス | $NO_x$ |
| 酸化硫黄ガス | $SO_x$ |

眼や気道粘膜を刺激
気道刺激による咳嗽（がいそう）
↓
喉頭を刺激しけいれんにより窒息を起こす
肺胞粘膜を刺激し肺水腫を起こす
気道粘膜を障害し気道出血を起こす

---

### シアン化水素ガス・硫化水素ガス

シアン化水素ガス(HCN)および硫化水素ガス($H_2S$)は，細胞のミトコンドリアのシトクロム酸化酵素を阻害し，細胞の酸素利用を障害するため意識消失や心停止をきたし，急死することもあるきわめて毒性の高い化学物質である．

シアン化水素ガス：シアン化水素ガスはシアン化合物と酸との反応により発生する．

シアン化塩(KCN, NaCN など) + 酸 ⟶ HCN

シアン化塩(KCN, NaCN など) + アルカリ性炭酸塩，二酸化炭素
⟶ HCN

シアナミド($NCNH_2$) + 酸 ⟶ HCN　など

硫化水素ガス：硫化水素ガスは硫黄化合物と酸との反応により発生し，腐卵臭を伴う．

硫化鉄(FeS) + 酸 ⟶ $H_2S$

硫化ナトリウム($Na_2S \cdot 9H_2O$) + 酸 ⟶ $H_2S$

硫黄含有入浴剤 + 酸 ⟶ $H_2S$

三硫化四リン($P_4S_3$), 五硫化リン($P_2S_5$) + $H_2O$ ⟶ $H_2S$　など

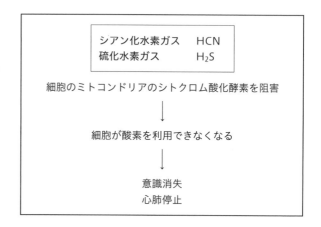

### 酸化金属ヒューム

酸化された金属がヒューム化し，これを吸入することにより，激しい発熱・悪感・筋肉痛などインフルエンザ様の症状が発症し，肺炎・肺水腫，腎障害などをきたし，死亡することもある．溶接作業や鉄鋼業などで発生しやすい．

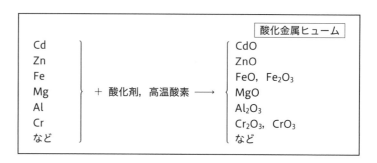

### その他の混合により発生する有害ガスの例

一酸化炭素(CO)：赤血球のヘモグロビンに強い親和性をもって結合し，結果として赤血球による酸素の運搬が阻害され，組織が酸素欠乏状態(低酸素)になり，意識消失や心停止をきたす．

アルシン($AsH_3$)：赤血球を破壊することにより，やはり赤血球による酸素運搬を阻害し，組織の酸素欠乏状態を生じる．

ホスフィン($PH_3$)：腐魚臭を伴うガスであり，人体がばく露するとめまい，全身疲労感，振戦，胸骨の灼熱痛を生じ，さらには蛍光緑色の痰を伴った咳嗽(がいそう)，呼吸困難，肺水腫，全身のけいれんをきたして死亡することもある．

テトラクロロエチレン($CCl_2=CCl_2$) + $O_2$(高温) $\longrightarrow$ CO

ヒ素化合物 + 金属 + 酸 $\longrightarrow$ $AsH_3$

リン化石灰($Ca_3P_2$)，リン化アルミニウム(AlP)など + $H_2O$ $\longrightarrow$ $PH_3$

黄リン($P_4$) + 水酸化物質(NaOHなど) $\longrightarrow$ $PH_3$

## 4. 静 電 気

二つの物体が接触すると境界面で電荷の移動が起こり，その後に，物体を離すと片方の物体が正に，他方の物体が負に帯電する．この状態は，本来電気的に中性な状態よりも正電荷あるいは負電荷が過剰であり，その過剰電荷を静電気という．静電気は摩擦をはじめとする物体の接触・分離によって発生し，静電気による電位差が約 30 kV/cm（空気の絶縁破壊電界）に達すると静電気放電が発生するおそれがある．静電気放電が起きる空間に可燃性混合気が存在すれば，放電エネルギーが着火源となり，火災・爆発に至る可能性がある．

静電気は容易に発生するので静電気の蓄積を抑制するのは困難であるが，導体はアースをとって（接地して）帯電を防止できる．人体は導体とみなされるので同様にアースをとれば帯電を防止できるが，動きがあるため困難であることがある．導電性の床では帯電防止靴・帯電防止作業服を利用して帯電防止をはかる．

不導体は加湿によって，また，物質との接触・分離の頻度低減のために取り扱う物質の流速を減少させたり，静置して電荷を緩和する時間をとることで帯電を避けることができる．

**本節で学ぶこと**
- リスクアセスメントのための情報収集
- 爆発性原子団
- 熱化学計算
- 酸素バランス
- スクリーニング評価

## 4-2 爆発・火災のリスクアセスメント

化学物質による爆発・火災のリスクを評価するためには，その化学物質の発火・爆発のしやすさと発火・爆発が起きたさいの効果を知る必要がある．発火・爆発のしやすさが感度，そして発火・爆発による効果が威力（発生するエネルギーの大きさ）に相当する．化学物質の発火・爆発に対する感度と威力は物質が発火・爆発を始めるときに与えられる刺激（要因）の種類によって異なるため，刺激（要因）に対応した評価方法が数多く存在する．化学物質の爆発・火災危険性に関して，種々の危険要因に対する感度と威力を実験的に評価する方法の一例を表に示す．

**化学物質の爆発・火災危険性評価試験**

| 危険性 | 要因 | 試験法 感度 | 試験法 威力 |
|---|---|---|---|
| 爆発性 | 熱 | SC-DSC(消防法)<br>ARC*<br>BAM 蓄熱貯蔵試験 | SC-DSC(消防法)<br>ARC*<br>圧力容器試験 |
| | 火災 | 着火性試験(消防法)<br>時間-圧力試験 | 時間-圧力試験<br>燃焼試験(消防法) |
| | 機械的衝撃 | 落槌感度試験<br>落球感度試験(消防法)<br>MK III 弾動臼砲試験 | MK III 弾動臼砲試験<br>鉄管試験(消防法) |
| 発火性 | 自然発火性 | 自然発火性試験(消防法) | |
| | 水反応性 | 水反応性試験(消防法) | |
| 酸化性 | 可燃剤との混触反応性<br>可燃剤混合物の爆発性 | 改良鉄皿試験 | |
| | 熱 | SC-DSC(消防法)<br>ARC<br>BAM 蓄熱貯蔵試験 | SC-DSC(消防法)<br>ARC<br>圧力容器試験 |
| | 火災 | 着火性試験(消防法)<br>時間-圧力試験 | 時間-圧力試験<br>燃焼試験(消防法) |
| | 機械的衝撃 | 落槌感度試験 | |
| | 衝撃起爆 | 落球感度試験(消防法)<br>MK III 弾動臼砲試験 | MK III 弾動臼砲試験<br>鉄管試験(消防法) |
| 引火性 | | 引火点試験(消防法) | |
| 可燃性 | 可燃性固体 | 着火性試験(消防法) | |
| | 可燃性粉じん | ハルトマン粉じん爆発試験 | |
| | 可燃性ガス | 拡散ガス燃焼試験 | ガス爆発性試験 |

\* ARC は accelerating reaction calorimetry(加速反応熱量測定，加速速度熱量測定)として知られているが，熱量を測定していない．

ある刺激に対して感度が高い物質でも，異なる刺激に対しては感度が低い場合もある．また，ある刺激を得て始まる反応が，別の刺激でも起こるとは限らない．個々の評価方法には，それぞれ特徴と限界があるので，危険性評価を行うにあたっては，取扱い環境で与えてしまうおそれのある刺激を想定して，それに合った方法を用いて適切に評価することが必要である．

化学物質の爆発・火災危険性評価を効率的に行うためには，段階的に評価するのが適当と考えられている．一般的には，
① 情報収集
② 熱化学計算による潜在エネルギー予測
③ スクリーニング試験
④ 標準試験
⑤ 実規模あるいは大規模試験

の順番で評価を行うのがよいとされている．

まず，①情報収集では，おもに文献情報を用いて関連する物質の爆発・火災危険性や事故情報を調べ，おおよその潜在エネルギーを推定する．必要に応じて②熱化学計算により潜在エネルギーの予測を試みる．文献情報および熱化学計算で予測されたエネルギーを，実験的な手法で確認したい場合，③スクリーニング試験により，爆発・火災危険性の一次評価を行う．④標準試験による評価は，スクリーニング試験による結果をより精密に確認するために最後に行う．⑤実規模あるいは大規模試験は必要性がある場合のみに，現実に近い規模で確認するという方法である．

この段階的評価は，使用する物質の量が少なく経済性が高い段階から，物質の量が多く経済性が低い段階への順番となっており，同時に後段のほうが，より正確な評価を与える構造となっている．とくに新規物質(未知物質)の文献調査結果は類推にすぎず，安全と判断するには情報が十分ではないこと，熱化学計算では，化学反応を仮定して評価を行っているが，その仮定が間違っている可能性がありうること，物質の爆発現象に関しては，小規模実験では大量爆発が評価できない場合がある，すなわち，試料量が少ない，あるいは起爆エネルギーが小さいと爆発させることができない，といった点のため，過小評価しないように注意が必要である．同時に，小規模実験で爆発が確認された場合，大規模で爆発するものとして取り扱う．段階的評価では，より前段の評価で危険と判断した場合には，その時点で使用を断念する，などの判断を行う．

## 1. 情報収集

特別な設備を用いることなく適切な文献などを調べることにより，比較的簡単に化学物質の潜在エネルギーに関する貴重な知見を得ることができるため，最初に行うべき評価である．物質の基本的な性質である，融点，沸点，蒸気圧のほか，発火点，引火点，熱分解開始温度などは，各種便覧などで確認可能なほか，近年では，国連GHSで定められたSDS(安全データシート)などの充実により，各物質の情報が容易に得られるようになっている．各種危険性物質のリスト，事故事例情報なども整備されてきており，これらを活

用することにより，多くの潜在エネルギーに関する情報を得ることができる．また，新規に合成した物質については，当然のことながら，そのものに関する直接的な情報は得られないが，化学的な知識の活用により，類似物質の調査からある程度の潜在エネルギーに関する情報を得ることが可能である．爆発・火災危険性についての情報が十分でない場合には，爆発・火災危険性が低いと判断すべきではなく，より高度な後段の評価を行うべきである．

## 2. 特徴的な原子団

化学物質の構造のみから当該物質が爆発性を有するか，有しないかを理論的に判定することは難しいが，特定の化学構造(爆発性原子団とよばれる特徴的な原子団)を有する物質が，爆発性を有する可能性が高いことは，経験的に知られている．これらの原子団を有する化合物については，条件によっては爆発を起こす可能性があることを考え，その爆発性について改めて確認する必要がある．爆発性を有しているものと考えて慎重に取り扱う必要がある典型的な爆発性原子団としては，① N－O 結合をもつもの，② N－N 結合をもつもの，③ O－O 結合をもつもの，④ O－X 結合(X はハロゲン)をもつもの，⑤ その他(アセチレンおよびその重金属塩とハロゲン誘導体，シュウ酸の重金属塩など)がある．

各原子団を有する具体的な化学グループを以下に示す．

① N－O 結合をもつもの：硝酸エステル($R-ONO_2$)，ニトロ化合物($R-NO_2$)，ニトラミン($R-NNO_2$)，アミン硝酸塩($R-N \cdot HNO_3$)，亜硝酸エステル($R-ONO$)，ニトロソ化合物($R-NO$)，ニトロソアミン($R-NNO$)，アミン亜硝酸塩($R-N \cdot HNO_2$)，重金属雷酸塩($M=CNO$)

② N－N 結合をもつもの：ジアゾ化合物($-N=N-$)，アジ化水素酸($HN_3$)，アジ化水素酸塩($MN_3$)

③ O－O 結合をもつもの：有機過酸化物($-O-O-$)，オゾニド

④ O－X 結合をもつもの：オキソハロゲン酸およびその塩類，過塩素酸($HClO_4$)，過塩素酸塩($MClO_4$)，塩素酸塩($MClO_3$)，亜塩素酸塩($MClO_2$)，次亜塩素酸塩($MClO$)

⑤ その他：アセチレン化合物，金属アセチレン化物，ハロアセチレン誘導体，ジアジリン，重金属シュウ酸塩

## 3. 熱化学計算・酸素バランス

熱化学計算により算出した反応熱から，威力との相関が高い発生エネルギーを予測することが可能である．熱化学計算によるエネルギー危険性予測手法としては，東京大学吉田忠雄名誉教授らにより開発された REITP，および米国材料試験協会(ASTM)で開発された CHETAH が知られている．

基本的な考え方は，対象とする物質(反応物・反応系)が発火・爆発などの反応の結果，生成する物質(生成物・生成系)を予測し，反応系の生成熱の総和と生成系の生成熱の総和との差から得られる反応熱の大きさによって，潜在エネルギー危険性を予測しようとするものである．リスクアセスメント上もっとも反応熱が大きくなるようにするために，生成可能な生成物のうち，単位重量あたりの生成熱が小さい物質がより優先的に生成すべきであるとい

う考え方で予測している．これは，爆発や反応が完全に進行する場合の実測結果とよく整合している．CHETAH では，基本的には，以下のような順序で物質の危険性予測を行う．

(1) 化学物質の燃焼熱 $-\Delta H_c$，最大分解熱 $-\Delta H_{max}$，酸素バランスを算出する．燃焼熱は，十分な酸素の供給があるなかで物質が完全燃焼した場合の物質重量あたりの発熱量で定義される．完全燃焼は，通常の有機化合物（CHNO 化合物）であれば，生成物として $CO_2$，$H_2O$，$N_2$ のみができると考える．

(2) 燃焼熱と最大分解熱の差の絶対値を計算する（$|\Delta H_c - \Delta H_{max}|$）．最大分解熱は，外部からの酸素供給なしに，物質重量あたり最大反応熱を与える分解反応を仮定して算出する．具体的には，通常の有機化合物（CHNO 化合物）であれば，単位重量あたりの発熱量の大きい $H_2O$ が $CO_2$ に先んじて生成されることを仮定して算出する．酸素不足で残った C は炭素として生成する．

(3) 最大分解熱，上記(2)で求めた値で危険性を評価する．横軸に最大分解熱 $\Delta H_{max}$，縦軸に燃焼熱と最大分解熱の差の絶対値（$|\Delta H_c - \Delta H_{max}|$）をとって，プロットする．CHETAH では，0.3 kcal/g と 0.7 kcal/g の最大分解熱，燃焼熱と最大分解熱の差の絶対値については，3 kcal/g と 5 kcal/g に境界を設けており，危険性大，中，小が決められている．

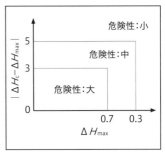

CHETAH による危険性評価

上記で説明した手法では，評価したい物質の標準生成エンタルピーがデータとして必要となる．しかしながら，新規物質など爆発・火災危険性評価を行いたい物質については，その標準生成エンタルピーはまだ知られていない場合が多い．標準生成エンタルピーは，実験的に求めることは可能であるが，評価ができていない物質について実験的な測定を行うのは，その実験自体が危険性を伴うことから，必ずしも望ましくない．計算による標準生成エンタルピーの推算法は古くから知られており，ベンソン（S. W. Benson）による加成性則を用いた推算法，および分子軌道法による推算法などがあるが，一般に，エネルギー物質に対しては必ずしも十分な精度が期待できないとされているため，爆発・火災危険性評価においては誤差を考慮するとよい．

標準生成エンタルピーを必要としない危険性予測手法としては，酸素バランス（O. B.）を用いる方法がある．酸素バランスは，物質 100 g が完全燃焼するのに（外部からの供給が）必要な酸素の重量（g 単位）に負の符号をつけた値であり，CHNO 化合物（$C_xH_yN_wO_z$）であれば，分子量 $M$ を用いて以下の式により算出が可能である．

$$O.B. = -\frac{1600}{M}\left(2x + \frac{y}{2} - z\right)$$

```
   小   中   危険性大   中   小
  ─┼────┼────┼────┼────┼─
  -240 -120   0   120  240
```

なお，酸素バランスによる評価は，実は燃焼熱と最大分解熱の差の絶対値による評価とほぼ一致する．

また，Chemical Equilibrium with Applications（CEA）は状態量を指定して化学平衡計算を行うことができるプログラムである．温度，圧力，エン

トロピー，エンタルピー，内部エネルギー，体積から二つを指定して（一定とする）計算することにより，化学平衡状態を推算できる．内部エネルギーと体積を指定して計算することで，定容断熱状態での平衡状態を計算できる．そうして推算された到達温度や圧力を危険性評価に利用できる．

なお，これらの予測手法は，その原理から発火・爆発や反応時のエネルギー発生量を推定することはできるが，そのエネルギー発生速度やその起こりやすさ（感度）を予測することは困難である．

## 4. スクリーニング評価

### ● 発熱量・発熱開始温度

発熱量・発熱開始温度は SC–DSC (sealed cell–differential scanning calorimetry) で測定することができる．密封セルを用いた定量的熱分析手法であり，とくに爆発伝播性，爆発威力のスクリーニングに有効である．

SC–DSC では，物質を加熱していき，観測される発熱挙動の発熱開始温度 $T_{DSC}$ と発熱量 $Q_{DSC}$ の二つのパラメーターを評価に用いる．$T_{DSC}$ は熱に対する感度に対応し，$Q_{DSC}$ は威力に対応することから，この二つの情報からだけでも，この物質の発火・爆発特性をある程度予測可能である．さらに，標準物質との比較を行うことで，爆発伝播性の評価が可能になる．$T_{DSC}$ と $Q_{DSC}$ を測定し，横軸に発熱開始温度から 25 を差し引き，さらに常用対数をとった値 $[\log(T_{DSC}-25)]$，縦軸に発熱量の常用対数をとった値をプロットする．ただし，標準物質である過酸化ベンゾイル（BPO）については発熱量を 0.8 倍した値 $(0.8\,Q_{DSC})$，同じく標準物質である 2,4-ジニトロトルエン（2,4-DNT）については発熱量を 0.7 倍した値を用いて常用対数をとる．標準物質のプロットを結んだ直線に対し，その上側に位置する物質は爆発伝播性があると判定される．

SC–DSC は，試料セルを密封することにより，蒸発や爆発による試料の散逸を防ぐことで，定量性を高めている．この手法は，SC–DTA，高圧 DSC，高圧 DTA でも代替可能である．

### ● 着火感度

着火感度は，火花，小ガス炎，赤熱鉄棒などの着火源を少量試料に適用することにより，着火が起こるか否かを確認する評価手法である．ここに示す方法は，ドイツの材料試験所（BAM）による着火感度試験方法で，火花着火試験，小ガス炎着火試験，赤熱鉄棒試験の 3 項目で構成される．

火花着火試験は，試料から 5 mm 離れたところから火花を吹きつけて着火の有無を確認する試験方法であり，着火した導火線から吹き出す火花を用いる導火線試験と，セリウム–鉄合金（発火石）と鉄の摩擦により発生する火花を用いるセリウム–鉄火花着火試験がある．

小ガス炎着火試験は，ガスバーナーなどの炎（長さ 20 mm，幅 5 mm）を最大 10 秒間試料にあてて着火の有無を確認する試験方法である．

また，赤熱鉄棒試験は，直径 5 mm の鉄棒を約 800 ℃に赤熱し，試料に最大 10 秒間接触させて，着火・爆発の有無を確認する試験方法である．

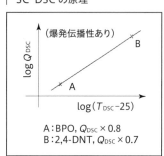

SC–DSC の原理

A：BPO, $Q_{DSC}\times 0.8$
B：2,4-DNT, $Q_{DSC}\times 0.7$

BAM の着火感度の分類

**易着火性**：火花着火試験でただちに着火し，小ガス炎試験で 1 秒以内に着火する．

**着火性**：小ガス炎着火試験で 1 秒以上 10 秒以内で着火，または赤熱鉄棒試験で着火する．

**難着火性**：着火感度試験では，着火しない．

BAMの着火感度試験では，着火感度は，易着火性，着火性，難着火性の3段階に分類される．

● 打撃感度

打撃感度は，5 kgの鉄槌を試料上に落下させたさいの，打撃による爆発（反応）の有無を確認する試験方法である．わが国では，評価値は6回の試行中1回が爆発する落高[cm]（1/6爆点）で表される．なお，鉄槌の保護や鉄槌が試料に与える摩擦の寄与を除いて考えるために，試料を鋼製コロの間にはさんだ上から鉄槌で打撃を与える，という間接的な手法が用いられる．

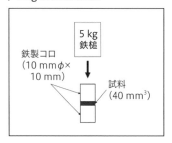

5 kg 落槌感度試験

● 摩擦感度

磁製板に所定の力で押しつけた磁製杵との間に試料を置き，磁製板を直線的に往復運動させて摩擦を加えたさいに，発火・爆発・反応が起きるか否かを確認する試験方法である．わが国では，落槌感度と同様，評価値は1/6爆点（6回の試行中1回爆発する押しつけ力[N]）で表される．

<感度試験に関する注意>

一般に，爆発は確率現象であり，入射エネルギーに対する爆発確率は，図の実線のようなS字カーブとなる．つまり，ある入射エネルギー値を境に，明確に爆・不爆が分かれるわけではない．図に示した二つの物質（実線と破線）では，比較的低い入射エネルギーでは，破線の物質のほうが爆発確率が高い，すなわち高感度であるのに対し，入射エネルギーが大きくなると，感度の逆転現象が起こり，実線の物質のほうが高感度となっている．

このように，感度曲線の形は，物質や試験環境（湿度など）によって異なる．このため，二つの物質の感度を比較する際には，入射エネルギーの大きさによって，相対的な感度の高低が変化する場合があることに注意が必要である．

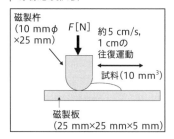

摩擦感度試験

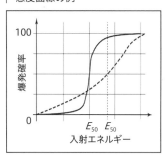

感度曲線の例

● 反応熱量

二つ以上の物質が混合され反応するさいに発生する熱量を反応熱量とよぶ．反応容器を入れる空間の周囲に素子を配置し，反応容器から発生する熱を検出する．反応容器には物質Aを入れておき，検出される熱が安定してから物質Bを入れる．時間とともに発熱挙動[W]を追跡し，時間で積分することで発熱量を得る．混合様式は，外部から注射器などで反応容器に添加するもの（SuperCRCなど）や，あらかじめ複数の物質を膜で空間を分けた容器中にそれぞれ格納しておき，測定中に膜を破るもの（C80）が知られている．密閉せずに測定する場合，発熱に伴った温度上昇による試料の蒸発により発熱量を過小評価しないように試験に供する試料量を調整する．

# 5　化学物質の健康有害性と予防・応急処置

> **本節で学ぶこと**
> - 有害性による化学物質の分類
> - 化学物質による健康被害・労働災害
> - 急性中毒と慢性中毒

# 5-1 化学物質の健康有害性

## 1. 有害性による化学物質の分類

本節では，おもに化学物質の人体への有害性について概説する．

現在，世界には約 6 万〜7 万種類の化学物質が存在し，さらに，毎年，新規化学物質として約 1000 件の届出があるといわれている．そのうち，約 4 万物質は，「化学品の分類および表示に関する世界調和システム」(GHS) の基準により危険性・有害性ありとされているが，国内でリスク評価された化学物質はそのうちわずか 900 物質程度である (2024 年 3 月時点)．

● **有機溶剤**

有機溶剤とは，ほかの物質の溶媒となる有機化学物質の総称である．労働安全衛生法の有機溶剤中毒予防規則の規制対象となっている有機溶剤は，下表に示した 54 種類である．人体への有害性の程度により，第 1 種，第 2 種，第 3 種に分類されており，第 1 種がもっとも有害性が高い．

**有機溶剤の種類**

| |
|---|
| **第 1 種有機溶剤** |
| 1,2-ジクロロエチレン(別名：二塩化アセチレン)，二硫化炭素 |
| **第 2 種有機溶剤** |
| アセトン，イソブチルアルコール，イソプロピルアルコール，イソペンチルアルコール(別名：イソアミルアルコール)，エチルエーテル，エチレングリコールモノエチルエーテル(別名：セロソルブ)，エチレングリコールモノエチルエーテルアセテート(別名：セロソルブアセテート)，エチレングリコールモノ-$n$-ブチルエーテル(別名：ブチルセロソルブ)，エチレングリコールモノメチルエーテル(別名：メチルセロソルブ)，$o$-ジクロロベンゼン，キシレン，クレゾール，クロロベンゼン，酢酸イソブチル，酢酸イソプロピル，酢酸イソペンチル(別名：酢酸イソアミル)，酢酸エチル，酢酸 $n$-ブチル，酢酸 $n$-プロピル，酢酸 $n$-ペンチル(別名：酢酸 $n$-アミル)，酢酸メチル，シクロヘキサノール，シクロヘキサノン，$N,N$-ジメチルホルムアミド，テトラヒドロフラン，1,1,1-トリクロロエタン，トルエン，$n$-ヘキサン，1-ブタノール，2-ブタノール，メタノール，メチルエチルケトン，メチルシクロヘキサノール，メチルシクロヘキサノン，メチル-$n$-ブチルケトン |
| **第 3 種有機溶剤** |
| ガソリン，コールタールナフサ(ソルベントナフサを含む)，石油エーテル，石油ナフサ，石油ベンジン，テレビン油，ミネラルスピリット(ミネラルシンナー，ペトロリウムスピリット，ホワイトスピリットおよびミネラルターペンを含む) |

有機溶剤は，① 脂溶性に富む(健康な皮膚を通して体内に吸収されやすい) ② 揮発性に富む(有機溶剤蒸気を含んだ空気を呼吸するのに伴って肺から体内に侵入する)などの特徴をもち全身的な症状をもたらすことが知られている．ほぼすべての有機溶剤に共通して頭痛，めまい，意識障害などの中枢神経系麻酔作用や皮膚粘膜刺激作用がある．また，高度経済成長期(1955〜1973年)にベンゼン含有接着剤を使用していたサンダル製造業従事者に，再生不良性貧血が多発し，ベンゼンによる造血器障害が明らかになった．その代替として 1950 年代にベンゼンから切り替えて使用された $n$-ヘキサンの慢性的なばく露によって 1960 年代に末梢神経障害(多発性神経炎)が発生した．労働災害等で明らかになった特定の臓器に障害を起こしやすい特性は，安全データシート(SDS)に標的臓器毒性として記載されている．

## 有機溶剤の特徴的な人体への影響

| 毒　性 | 疾患・症状 | 有機溶剤 |
|---|---|---|
| 精神障害 | 意識障害，精神異常 | 二硫化炭素 |
| 視神経障害 | 視力低下，網膜炎 | メタノール，酢酸メチル |
| 末梢神経障害 | 多発性神経炎 | $n$-ヘキサン，トルエン，トリクロロエチレン，二硫化炭素 |
| 造血器障害 | 再生不良性貧血，溶血 | ベンゼン，グリコール類 |
| 肝障害 | 肝直接障害 | 四塩化炭素，塩化炭化水素，二硫化炭素，ジメチルホルムアミド |
| 腎障害 | 尿蛋白，腎硬化症 | 塩化炭化水素，二硫化炭素 |
| 血管障害 | 網膜細動脈瘤 | 二硫化炭素 |
| 悪性腫瘍 | 白血病 | ベンゼン |

[中央労働災害防止協会 編, "新/衛生管理(上)第1種用 第6版", p.108, 中央労働災害防止協会 (2008)を一部改変]

## $n$-ヘキサン慢性ばく露による末梢神経障害(多発性神経炎)患者

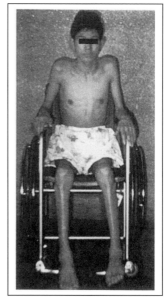

[山田信也, 産業医学, 9(8), 657(1967)]

### ● 特定化学物質・特別管理物質

特定化学物質(特化物)は，この化学物質を取り扱うことによって労働者(取扱者)に職業がん，皮膚炎，眼などの粘膜刺激，神経障害など健康被害を発生させる(可能性が高い)化学物質と定められている．特定化学物質は，微量のばく露でがん等の慢性・遅発性障害を引き起こす物質(第1類物質，第2類物質)と，大量漏えいにより急性障害を引き起こす物質(第3類物質，第2類物質のうち特定第2類物質)に大別され，とくに，ヒトに対する発がん性が認められるか，発がんのおそれがあるか，発がんの可能性がある物質については，特定化学物質障害予防規則(特化則)の「特別管理物質」に指定されている．

## 特別管理物質(特定化学物質第1類および第2類のうち，発がんのおそれがあるもの．健康診断結果の記録：30年保存)

| | | |
|---|---|---|
| ジクロルベンジジンおよびその塩 | $o$-トルイジン | リフラクトリーセラミックファイバー |
| $\alpha$-ナフチルアミンおよびその塩 | クロム酸およびその塩 | 重クロム酸およびその塩 |
| $o$-トリジンおよびその塩 | クロロメチルメチルエーテル | ナフタレン |
| ジアニシジンおよびその塩 | コバルトおよびその無機化合物 | ニッケル化合物(粉状の物) |
| ベリリウムおよびその化合物 | コールタール | ニッケルカルボニル |
| ベンゾトリクロリド | 酸化プロピレン | $p$-ジメチルアミノアゾベンゼン |
| インジウム化合物 | 三酸化二アンチモン | ヒ素およびその化合物 |
| エチレンイミン | 3,3'-ジクロロ-4,4'-ジアミノジフェニルメタン | $\beta$-プロピオラクトン |
| エチレンオキシド | ジメチル-2,2-ジクロロビニルホスフェイト (DDVP) | ベンゼン |
| 塩化ビニル | | ホルムアルデヒド |
| オーラミン | 1,1-ジメチルヒドラジン | マゼンダ |

また，2014年の特化則等の一部改正では，クロロホルム，四塩化炭素，1,2-ジクロロエタン，ジクロロメタンなど，有機溶剤中毒予防規則(有機則)の管理対象であった10物質が発がんのおそれがあるとされ，特化則の管理対象物質に移行しエチルベンゼンと1,2-ジクロロプロパンを加えた計12物質が「特別有機溶剤等」に分類された(右表)．

## 特別有機溶剤等

クロロホルム
四塩化炭素
1,4-ジオキサン
1,2-ジクロロエタン
ジクロロメタン
スチレン
1,1,2,2-テトラクロロエタン
テトラクロロエチレン
トリクロロエチレン
メチルイソブチルケトン
エチルベンゼン
1,2-ジクロロプロパン

● 製造禁止物質

　黄リンマッチ，ベンジジンおよびその塩，4-アミノビフェニルおよびその塩，石綿，4-ニトロジフェニルおよびその塩，ビス(クロロメチル)エーテル，β-ナフチルアミンおよびその塩，ベンゼンを含有するゴムのりは，取り扱う労働者に重度の健康障害(黄リンマッチは顎骨壊死，その他は発がん性)を生じる化学物質であることから，労働安全衛生法第55条によって，製造，輸入，譲渡，提供，使用のすべてが禁止されている．しかし，試験研究に限っては，政令で定める要件に該当することを条件にその規制が一部緩和される場合がある．

● 感作性物質

　アレルギー性呼吸器疾患(鼻炎，喘息，過敏性肺炎，好酸球性肺炎など)，アレルギー性皮膚反応を誘発する物質を，それぞれ，気道感作性物質，皮膚感作性物質とし，

　　第1群(人間に対して明らかに感作性がある物質)
　　第2群(人間に対しておそらく感作性があると考えられる物質)
　　第3群(動物試験などにより人間に対して感作性が懸念される物質)

に分類している．

## 気道感作性物質

**第1群**
$o$-フタルアルデヒド，白金*，グルタルアルデヒド，ヘキサン-1,6-ジイソシアネート，コバルト*，ベリリウム*，コロホニウム(ロジン)*，無水トリメリット酸，ジフェニルメタン-4,4′-ジイソシアネート(MDI)，無水フタル酸，トルエンジイソシアネート(TDI)類，メチルテトラヒドロ無水フタル酸

**第2群**
エチレンジアミン，ピペラジン，クロム*，ホルムアルデヒド，クロロタニル，無水マレイン酸，ニッケル*，メタクリル酸メチル

\* 当該物質自体ないしその化合物を示すが，感作性にかかわるすべての物質が同定されているわけではない．

## 皮膚感作性物質

**第1群**
アニリン，エチル水銀チオサリチル酸ナトリウム(チメロサール)，エピクロロヒドリン，$o$-フタルアルデヒド，過酸化ジベンゾイル，$m$-キシリレンジアミン，グルタルアルデヒド，クロム*，クロロタロニル，コバルト*，コロホニウム(ロジン)*，2,4-ジニトロクロロベンゼン(DNCB)，水銀*，チウラム，テレビン油*，トリクロロエチレン，$N,N′,N′$-トリス(β-ヒドロキシエチル)-ヘキサヒドロ-1,3,5-トリアジン，トリプロピレングリコールジアクリレート，ニッケル*，白金*，ヒドラジン*，$p$-フェニレンジアミン，ホルムアルデヒド，4,4′-メチレンジアニリン，レゾルシノール

**第2群**
アクリルアミド，アクリル酸エチル，アクリル酸2-ヒドロキシエチル†，アクリル酸ブチル，アクリル酸メチル，ウスニック酸，エチレンオキシド，エチレンジアミン，2-$n$-オクチル-4-イソチアゾリン-3-オン†，ジエタノールアミン，ジクロロプロパン，ジシクロヘキシルカルボジイミド，銅*，ジメタクリル酸エチレングリコール，トルエンジアミン，トルエンジイソシアネート(TDI)類*，$n$-ブチル-2,3-エポキシプロピルエーテル，ピクリン酸，ヒドロキノン，フェニトロチオン†，フタル酸ジブチル，1,6-ヘキサンジオールジアクリレート，ベノミル，ベリリウム*，ベンジルアルコール，ポリ塩化ビニル可塑剤*，無水マレイン酸，メタクリル酸メチル，メタクリル酸2,3-エポキシプロピル(メタクリル酸グリシジル)，メタクリル酸2-ヒドロキシエチル(2-ヒドロキシエチルメタクリレート)，ヨウ素*，ロジウム*

**第3群**
イソホロンジイソシアネート，$m$-クロロアニリン，ジメチルアミン，$m$-フェニレンジアミン，$o$-フェニレンジアミン

\* 当該物質自体ないしその化合物を示すが，感作性にかかわるすべての物質が同定されているわけではない．
† 暫定物質

## 2. 化学物質による健康被害・労働災害

2023年4月に新たな化学物質規制の制度が導入されるまで,国内の事業所・研究機関などにおける化学物質管理は,特別則(有機則,特化則,鉛則,四アルキル鉛則)による個別の具体的規制に基づいて管理されていた(これからの化学物質管理の進め方については後述).しかし,この間,化学物質を原因とする労働災害は,年間450件程度で推移しており,原因化学物質の約8割が法規制対象外物質であった.その中には,がん等の重篤な遅発性疾病や世界初となる健康被害例も複数発生している.

▌近年国内で発生した法令管理外化学物質による重篤な健康被害例

1. 2,2-ジクロロ-1,1,1-トリクロロエタン(HCFC-123)による肝障害(世界初)
2. インジウムによる間質性肺炎・肺気腫(世界初)
3. 1-ブロモプロパンによる神経障害
4. トリクロロエチレンによる全身性皮膚炎・肝障害
5. 1,2-ジクロロプロパン(1,2-DCP)による胆管がん(世界初)
6. 架橋型アクリル酸系水溶性高分子化合物による間質性肺炎(世界初)
7. $o$-トルイジンによる膀胱・尿路系がん
8. 3,3′-ジクロロ-4,4′ジアミノジフェニルメタン(MOCA)による膀胱・尿路系がん
9. 高純度結晶質シリカ微細粒子による急性珪肺(世界初)
10. 鉛丹+PCB含有防錆塗料剥離時の急性中毒
    (1) 乾式剥離による鉛中毒　(2) 湿式剥離によるベンジルアルコール中毒

[大前和幸, 日本産業衛生学会産業医部会報, 76(17), 18(2022)を一部改変]

### ● インジウム粉じんばく露による重篤な肺障害

1990年代後半から,国内の薄型ディスプレイ(液晶テレビ,プラズマテレビ)生産が急増するなかで,ITO(indium tin oxide:インジウムスズ酸化物)ターゲット板(酸化インジウム粉90%と酸化スズ粉10%を混合形成し,高温高圧で焼結した高密度セラミックス板)を湿式研削していた複数の作業者が,数年から十数年という従来のじん肺より短期間のばく露にもかかわらず重症の間質性肺炎を発症し,さらに,一部の症例では気腫性変化を伴い,ときに難治性気胸を発症し,2001年には死亡例が発生するなど,重篤な肺障害をきたしていることが判明した.当時,金属インジウムは,安全な金属と認識されていたため,厳格な,あるいは特殊な作業環境管理や作業管理は実施されていなかったが,その後の調査・研究により,ITO,インジウムリン,酸化インジウムなどの難溶性インジウム化合物粉じん(HS-In:hardly soluble indium dust)ばく露による肺障害が明らかとなり,2013年「インジウム化合物等に係る労働者の健康障害防止措置の拡充等」として,特化則の改正がなされ,現在,インジウム化合物は,特別管理物質となり厳格な労働安全衛生の3管理(作業環境管理,作業管理,健康管理.1章参照)を実施したうえでの取扱いが義務づけられている.

### ● 1,2-ジクロロプロパン(DCP)ばく露による胆管がん

2012年(平成24年),大阪のオフセット校正印刷会社の複数の従業員が胆管がんを発症していたことが明らかとなり,調査の結果,1996年から2008年の12年間にわたり,印刷機のブランケット部のインキをふき取るために

インジウムによる肺障害(インジウム肺)の特徴

[田口 治, 長南達也, 日本呼吸器学会雑誌, 44(7), 533(2006)]

- 間質性変化(線維化)および続発する気腫性変化
- 血清インジウム, KL-6 が上昇
- 胸部 X 線, CT にて間質性変化
- 病理組織額的にコレステリン結晶を貪食したマクロファージの肺胞内集積および間質線維性変化
- ばく露回避後も ITO の影響は持続する可能性あり

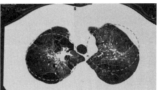
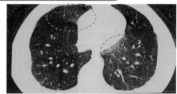

- 30歳男性, 非喫煙者　・両側気胸の既往
- ITO の平面研削に 8 年従事(1992～2000 年)

使用していた 1,2-ジクロロプロパン(DCP)を含む洗浄剤が原因物質である蓋然性が高いという結論に至り, 2013 年労働災害に認定された. 本件が判明するまで, DCP は, 有機則や特化則に該当する化学物質ではなく未規制の化学物質であったことから, 事業所では毒性が低いと考えて, それ以前に洗浄に使用していたジクロロメタン(DCM)や 1,1,1-トリクロロエタン(TCE)の代替として使用していた. 未規制物質が決して安全性を保証されたものではないことを実証した教訓となる事例であった. 本事例の発生を契機として, 2013 年, DCP は特定化学物質第二類物質「エチルベンゼン等」のなかに位置づけられるとともに, 特別有機溶剤に指定されるなど, 特殊健康診断(下表)の設定も含めた法整備が進められた.

また, 国際がん研究機関(IARC)では DCP についてはグループ 3(ヒトに対する発がん性については分類できない)としていたが, 本事例の報告を受けて, ヒトでの発がんの証拠は十分にあるとして, 2014 年グループ 1(ヒトに対する発がん性がある)に分類した. さらに, 国内では 2014 年には, 事業者に対して, 一定のリスクがある化学物質を取り扱うさいには, リスクアセス

■ 1,2-ジクロロプロパン(DCP)の特殊健康診断項目(1,2-ジクロロプロパン 1 %超に適用)

| 【一次健診項目】 | ① 業務の経歴の調査<br>② 作業条件の簡易な調査<br>③ 1,2-ジクロロプロパンによる眼の痛み, 発赤, せき, 咽頭痛, 鼻腔刺激症状, 皮膚炎, 悪心, 嘔吐, 黄疸, 体重減少, 上腹部痛等の他覚症状, または自覚症状の既往歴の有無の検査<br>④ 眼の痛み, 発赤, せき, 咽頭痛, 鼻腔刺激症状, 皮膚炎, 悪心, 嘔吐, 黄疸, 体重減少, 上腹部痛等の他覚症状, または自覚症状の有無の検査(急性の疾患に関する症状はその業務に常時従事する労働者に対し行う健康診断におけるものに限る)<br>⑤ 血清総ビリルビン, 血清 GOT, 血清 GPT, γ-GTP, ALP |
|---|---|
| 【二次健診項目】 | ① 作業条件の調査<br>② 医師が必要と認める場合は,<br>　・腹部の超音波による検査等の画像検査<br>　・CA-19-9 などの血液中の腫瘍マーカーの検査<br>　・赤血球数などの赤血球系の血液検査(網状赤血球数の検査を含む)または血清間接ビリルビンの検査(赤血球系の血液検査は, 当該業務に常時従事する労働者に対し行う健康診断におけるものに限る) |

[厚生労働省, 特定化学物質障害予防規則等改正について, 平成 25 年 10 月 1 日施行]

メントを実施することが義務化された．

● o-トルイジンばく露による膀胱がん

2015年（平成27年）12月，o-トルイジン（δ-トルイジン）などの芳香族アミンの原料から染料・顔料の中間体を製造する工場において，労働者の膀胱がん集団発生事例が報告された．その後，実施された同工場での作業環境測定や個人ばく露測定の結果では，o-トルイジンやほかの芳香族アミンは許容濃度と比べて非常に低い濃度であった．一方で，多くの労働者の尿からo-トルイジンが検出された．その後の追加調査にて，ほとんどの労働者が，天然ゴム製の防護手袋を，o-トルイジン含有の有機溶剤で洗浄し，何回も再利用していたこと，夏季は半袖の服で作業していたこと，作業衣がo-トルイジン含有の有機溶剤で濡れても，接触部の皮膚洗浄など行っていなかったこと，さらに，ゴム手袋に付着していたo-トルイジンの量と労働者の尿中o-トルイジン増加量に関連があり，ゴム手袋の下に薄手の手袋を着用していた労働者の尿からo-トルイジンは検出されなかったことなどから，o-トルイジンに汚染された天然ゴム手袋や，皮膚への付着などを通じて，長期間，o-トルイジンに経皮ばく露されたことが原因で発生した膀胱がんであると推察された．

この結果，o-トルイジンを特定化学物質の第2類物質（特別管理物質）に追加する労働安全衛生法施行令の改正のほか，化学物質汚染時の洗身および経皮吸収のおそれのある物質を取り扱うさいの耐透過性の化学防護手袋・化学防護服等の使用などを義務づける労働安全衛生規則，特定化学物質障害予防規則の改正が行われた．

## 3. 急性中毒と慢性中毒

労働安全衛生法が施行され，50年以上が経過した近年では，労働衛生の3管理（作業環境管理，作業管理，健康管理）の浸透により，高濃度化学物質ばく露による急性中毒の発生は，規制外物質の使用時や事故など不測の事態での発生に限られている．一方，低濃度化学物質の長期間ばく露による慢性中毒は，自他覚症状の出現までの期間が長いこと，非典型的な症状が多いこと，などから診断が困難であり注意を要する．症状出現時（健康診断での有所見時）にはすでに重篤な健康影響を及ぼしている場合もありうることから，作業環境管理や作業管理によるばく露低減対策が非常に重要である．

● 急性中毒

急性中毒の特徴を以下に示す．
- 高濃度ばく露を受けた後すぐ症状が現れる．
- 有機溶剤では麻酔作用を中心とした症状が現れる．
- 眼・鼻・咽頭などの粘膜に対して刺激作用がある．
- 有機溶剤では，液体の接触により皮脂が除かれ皮膚の炎症・角化・亀裂をみる．
- 特定化学物質では化学火傷など組織傷害性が強い．

- 大量の吸入で急性呼吸不全が生じるなど致死的なケースが多い．

● **慢性中毒**

慢性中毒の特徴を以下に示す．

- 長期間（多くは低濃度）反復ばく露を受けた結果，次第に毒性が出現．
- 頭重，頭痛，疲労感，倦怠感，めまい，イライラ感，吐き気，食欲不振などの自覚症状とともに末梢神経炎，肝機能障害，白血球減少などの他覚症状が出現．
- 早期発見が困難．
- 回復困難な被害につながる可能性が大きい．

以下に亜急性の経過で発症した，トリクロロエチレン（TCE）ばく露による薬剤過敏症症候群の事例を紹介する．

**トリクロロエチレンばく露による薬剤過敏症症候群**

[福地 達ほか，日本内科学会誌，106 (3)，599(2017)]

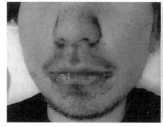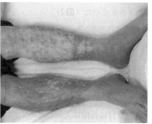

- 22歳男性，受診の18日前から発熱，鼻汁，咽頭痛，16日前より，四肢に皮疹，一時軽快後，10日前から全身に皮疹出現．
- 受診先検査で，AST（GOT）950 IU/L，ALT（GPT）1160 IU/L等の異常所見を認め入院（AST，ALTの正常値はいずれも＜30～40 IU/L）．
- 症状出現の5週間前より，トリクロロエチレン（TCE）を使用した機器部品の洗浄を行う工場で働き始めた．
- 洗浄作業を直接行っていなかったが，洗浄前後の部品運搬を担当し，有機溶媒臭は気になっていた．
- 入院10日前には休職し，TCEばく露はなくなったが，皮疹は増悪傾向だった．
- 入院後の検査で尿中トリクロロ酢酸検出．

# 5-2 人体の器官・組織構造とばく露経路

**本節で学ぶこと**
- 化学物質のばく露経路
- 人体の器官・組織構造

## 1. 化学物質のばく露経路と器官・組織構造

　化学物質の主たるばく露経路は，呼吸器を介する経気道ばく露と皮膚を介する経皮ばく露である．とくに呼吸器を介して体内に吸収される場合が多い．有機溶剤は，揮発性に富むことから，作業環境中の空気と混合し，呼吸によって容易に肺から侵入する．また，脂溶性にも富むことから，有機溶剤や有機溶剤を含む作業環境中の空気と直接接触した皮膚から吸収される．その結果，全身的な症状を呈するのである．脂溶性に富む性質は，肝臓や神経のように脂肪を多く含む臓器に集中して蓄積することにも影響している．一般に，経口的に消化器から吸収された有害物質は，故意に飲み込んだ場合を除き，皮膚や呼吸器からの吸収に比べて影響が少ないといわれている．

### ● 呼吸器の構造と吸入ばく露

　化学物質を含む気体や粉じんは，上部気道(鼻腔，咽頭，喉頭)から下部気道(気管，気管支，細気管支)を介して肺胞に到達する．肺胞は，70 m$^2$の表面積をもち，肺胞の内表面と周囲を取り囲む肺動脈・肺静脈をつなぐ毛細血管との間で二酸化炭素($CO_2$)と酸素($O_2$)の交換を行っており，毎分 4～7 L の空気が出入する．肺胞の内表面から毛細血管の距離が短い(0.5～1 μm)ため，肺胞内に到達した化学物質は容易に吸収されやすく，また，激しい労働のさいに呼吸量(分時換気量 ＝1 回換気量×呼吸回数)が増加することで空気とともに肺に吸入する化学物質の量も増加する．

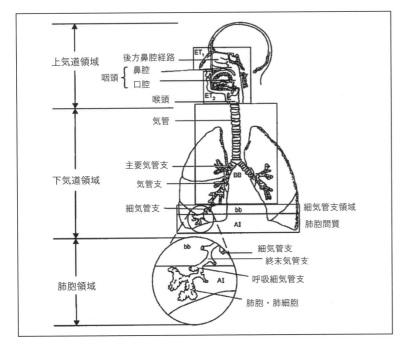

ヒトにおける呼吸器系の構造

[U. S. EPA, "Air Quality Criteria for Particulate Matter", p. 6-4, U. S. Environmental Protection Agency (2004)]

### ● 皮膚の構造と経皮ばく露

身体の表面を覆っている皮膚は，表皮(厚さ 0.1〜0.3 mm)と真皮(厚さ 0.3〜2.4 mm)からなる組織である(p.106 の図参照)．表皮のうち，外 2 層の皮脂膜[皮脂(油分) + 汗(水分)]と角質層が化学物質に対する保護膜となるが，脂溶性化学物質に対する抵抗性は低い．水や油に溶解しやすいものほど，皮膚から吸収されやすい．皮膚から吸収された化学物質は毛細血管から血中に入り，全身にまわる．皮膚に傷や炎症がある場合や夏季に汗をかき毛囊開口部が開いている場合などは，化学物質は容易に侵入し吸収されやすくなる．したがって，化学物質を取り扱うさいには，適切な素材の手袋や保護めがねの着用が重要である．厚生労働省から公表された「皮膚等障害化学物質等に該当する化学物質」(令和 5 年 7 月 4 日付け基発 0704 第 1 号)(令和 5 年 11 月 9 日一部改正)296 物質については，厚生労働省の Web サイト*を参照のこと．

\* https://www.mhlw.go.jp/content/11300000/001165500.pdf

### ● 消化器の構造と経口ばく露

経口的に侵入した化学物質は，食道，胃を通過し，小腸の腸絨毛から血中に吸収された後，肝臓で解毒されるが，解毒能力を超える場合，血液中に流れ全身に拡散する．

経口ばく露の原因は，唾液に溶け込んだ化学物質によるもの，誤嚥に伴うばく露や，食事や喫煙時の手の汚染による場合などがある．したがって，飲食を行う場所と実験室(化学物質を取り扱う場所)は明確に区別・分離すること，化学物質取扱い時に適切な素材の手袋やマスクを着用すること，化学物質取扱い後の手洗いを徹底することなどにより，経口的な化学物質の侵入は防ぐことができる．

### ● 眼の構造と粘膜障害

化学物質による代表的な眼の障害は，粘膜刺激症状と化学外傷である．有機溶剤など粘膜刺激作用のある化学物質ばく露により，流涙，充血，眼痛などの自覚症状や，結膜や角膜の炎症が出現する．また，強酸や強アルカリばく露による化学外傷では，結膜や角膜に炎症を生じ軽症であれば回復するが，重症では失明することもある．とくにアルカリの場合，強い組織浸潤作用により眼内部にまで障害を及ぼす．重症の場合，眼球と瞼が癒着する，角膜が白濁するなどの後遺症を生じる．また，のちに緑内障や白内障が発生する場合もある．化学物質のばく露が疑われる場合には，すみやかに流水で十分に洗眼し，必ず医師の診察を受けることが重要である．

眼の構造

[https://www.kango-roo.com/ki/image_122]

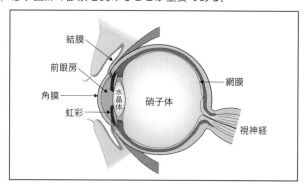

# 5-3 化学物質のリスクの見積りと指標

> **本節で学ぶこと**
> ■ ばく露量と健康影響の指標
> ■ 許容濃度と管理濃度
> ■ リスク評価の情報源

## 1. ばく露量と健康影響の指標

化学物質のハザード(危険性・有害性)のうち,健康有害性とは"生体にとって好ましくない変化を生じさせる能力"のことを意味する.健康有害性のリスクは,一般的に,その化学物質自体が有する健康有害性の程度(health hazard)やばく露量に影響される.したがって,人体への健康影響(疾病,障害,死亡など)の頻度の分布とそれらに影響を与える要因を評価する場合,"量-影響関係"および"量-反応関係"に着目した調査が行われる.

### ● 量-影響関係(dose-effect relationship)

化学物質の生体に作用する場(大気,水,土壌中)の濃度(ばく露量)や,経口摂取量,生体試料中の濃度と,それにより個体(人や動物)に生じる変化の関係を表したもの.生体の変化には,① 健康影響とはみなされない"単なる影響"(effect),② 臨床症状のない"不顕性の健康影響"(subclinical effect),③ 臨床症状を伴う"顕性の影響"(clinical effect)がある.一例として,硫化水素の量-影響関係を右表に示す.

### ● 量-反応関係(dose-response relationship)

反応とは,集団内であるレベル以上の影響を示す個体の割合を意味しており,したがって,量-反応関係とは,ばく露量とある生体影響が観察された個体の割合の関係を示す(例:死亡率).

**硫化水素の量-影響関係**

| 濃度(ppm) | 影 響 |
|---|---|
| 0.03 | "卵の腐った臭い"を感じる |
| 5.0 | 不快臭 |
| 50〜100 | 気道刺激 |
| 100〜200 | 嗅覚麻痺 |
| 200〜300 | 1時間で亜急性麻痺 |
| 600 | 1時間で致命的麻痺 |
| 1000〜2000 | 即死 |

[城内 博ほか,"化学物質管理者テキスト", p.63, 日本規格協会(2023)]

> **量-反応関係**
>
> \* 例 $LD_{50}$(半数致死量):動物実験による死亡率が50%となるばく露量(mg/kg体重)(= 化学物質の毒性の強さを実験的に表す指標).
>
> \* 吸入ばく露による急性毒性評価は,$LC_{50}$(半数致死濃度)を用いる.

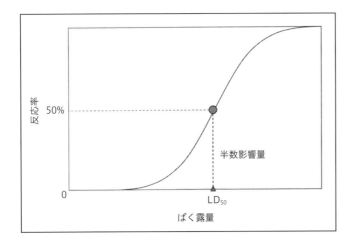

### ● 閾値やその他の指標

閾値は,それ以下では検出可能な有害影響を生じないばく露量,つまり,反応率がゼロになるばく露量のことである.閾値が小さい化学物質ほど,少量でもヒトに影響があり有害性が強い物質といえるため,閾値は化学物質の

有害性の程度を表す指標とされている．しかし，実際には正確な閾値を得ることは困難であるため，化学物質を取り扱う労働者を対象とした疫学調査の結果や動物試験の結果から得た，有害な影響（健康影響）がそれ以下では観察されない量である，無毒性量（NOAEL：no observed adverse effect level）などが実質上の有害性の程度を表す指標として用いられている．そのほか，有害な影響（健康影響）がそれ以上で起こり始める量が最小毒性量（LOAEL：lowest observed adverse effect level），同様にそれ以下では単なる影響も観察されない量が無影響量（NOEL：no observed effect level），それ以上で影響が起こり始める量が最小影響量（LOEL：lowest observed effect level）である．これらの関係を量−反応関係曲線にプロットしたものを下図に示す．

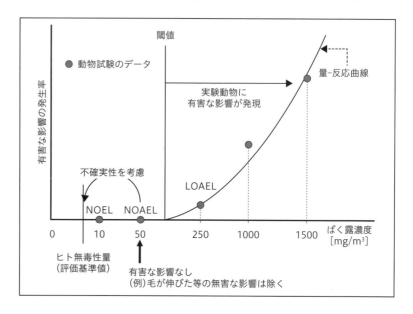

動物試験から得られるデータと量−反応曲線

[経済産業省，"化学物質のリスク評価のためのガイドブック 実践編"(2007), p.26]

● 閾値のない化学物質の指標

発がん性物質は，投与量がたとえ低用量であるとしても，発がんの可能性を否定することができず，最低投与量を特定することができない．このため，生涯にわたって当該化学物質摂取を続けてもがんになる確率が $10^{-5}$ であるばく露量を指標とする．この化学物質ばく露量（摂取量）を実質安全量（VSD：virtual safe dose）という．

● ばく露の管理に関する指標（許容濃度と管理濃度）

職場における化学物質等の有害物質による労働者の健康障害を予防することを目的に，日本産業衛生学会は，有害物の職場ばく露限界値（OEL：occupational exposure limit value）として，許容濃度の勧告を行っている．許容濃度とは，労働者が1日8時間，週40時間程度，肉体的に激しくない労働強度で有害物質にばく露された場合に，当該有害物質の平均ばく露濃度がこの数値以下であれば，ほとんどすべての労働者に健康上の悪い影響がみられないと判断される濃度であり，2023年度で，約250物質の化学物質について，許容濃度が勧告されている*．また，毒性が短時間で発現する，刺激，中枢神経抑制などの生体影響をもつ化学物質については，最大許容濃度（作業

* https://www.sanei.or.jp/files/topics/oels/oel_2023.pdf

中のどの時間をとってもばく露濃度がこの数値以下であれば，ほとんどすべての労働者に健康上の悪い影響がみられないと判断される濃度）として勧告を行っている．

一方，作業場の作業環境の良否を判断するために，作業環境測定結果から管理区分を決定するさいに使用される指標が管理濃度である．管理濃度は，厚生労働省から告示される．

米国においては，米国産業衛生専門家会議(ACGIH：American Conference of Governmental Industrial Hygienist)が許容限界値(TLV：threshold limit value)として，1日8時間，1週間に40時間の労働時間に対する時間荷重平均濃度(TLV-TWA：time-weighted average)や，15分間の短時間ばく露限界(TLV-STEL：short-term exposure limit)，または，作業中のばく露のいかなるときでも超えてはならない濃度である上限値(TLV-C：ceiling)として，約700物質の勧告を行っている．

● 発がん性分類

国際がん研究機関(IARC：International Agency for Research on Cancer)は，ヒトに対する発がん性に関する約1100の物質・要因(作用因子)を評価し，

　　グループ1：ヒトに対して発がん性がある
　　グループ2A：ヒトに対しておそらく発がん性がある
　　グループ2B：ヒトに対して発がん性がある可能性がある
　　グループ3：ヒトに対する発がん性について分類できない(グループ1，
　　　　　　　　2A，2Bのいずれにも分類できない)

の4段階に分類している[*1]．IARCによる発がん性の分類は，ヒトに対する発がんの証拠の確からしさを示すものであり，物質の発がん性の強さや，ばく露量に基づくリスクの大きさを示すものではない．国内では，日本産業衛生学会が，IARCの発がん物質分類を妥当なものと判断し，さらに，さまざまな情報を加えて検討した127物質・要因を，第1群(ヒトに対して発がん性があると判断できる物質・要因)，第2群A(ヒトに対しておそらく発がん性があると判断できる物質・要因，証拠がより十分な物質)，第2群B(証拠が比較的十分でない物質・要因)に分けた発がん性分類を定めている[*2]．

*1 https://monographs.iarc.who.int/list-of-classifications

*2 https://www.sanei.or.jp/files/topics/oels/oel_2023.pdf

## 2. リスク評価の情報源

化学物質による健康被害防止対策として，取り扱う化学物質の危険性・有害性に関する情報を，生産者・提供者から使用者に伝達することが重要である．その情報源(伝達手段)となるのが，安全データシート(SDS：safety data sheet)や化学品の分類および表示に関する世界調和システム(GHS)の文書やラベル，絵表示(ピクトグラム)である．国内では，GHSを日本産業規格(JIS)に導入し，2019年にGHS(改訂6版)に対応し，JIS Z 7252およびJIS Z 7253が改正され，GHS分類に対応したSDSの整備(改訂・更新，作製)が推進されている．

ラベルや絵文字は，直感的にわかりやすいため危険性・有害性を使用者に

伝えるさいに，また，SDS はリスクアセスメントの実施時や事故発生時などに危険性・有害性の詳細な情報を得るさいの手段として活用するとよい．

● 安全データシート（SDS）

JIS Z 7253（2019）より，GHS で定められている SDS に記載すべき危険性・有害性に関する情報は，以下の 16 項目である．

① 製品および会社情報
② 危険有害性の要約（GHS 分類）
③ 組成および成分情報
④ 応急処置
⑤ 火災時の措置
⑥ 漏出時の措置
⑦ 取扱いおよび保管上の注意
⑧ ばく露防止および保護措置
⑨ 物理的および化学的性質
⑩ 安定性および反応性
⑪ 有害性情報
⑫ 環境影響情報
⑬ 廃棄上の注意
⑭ 輸送上の注意
⑮ 適用法令
⑯ その他の情報

とくに②危険有害性の要約は，GHS 分類やラベル要素が簡潔にまとめられている．有害性に関する区分では，区分 1 がもっとも有害性が高いことを意味しており，リスクアセスメント（RA）対象物健康診断（8-5 節参照）項目の選定時などに参照すべき情報源となる．また，⑮適用法令についても必ず確認を行い，法的に必要な管理などについて確認する習慣をもつことが望ましい．

● 世界調和システム（GHS）

GHS で定められるラベルに記載すべき項目は，以下の 7 項目である．

① 注意喚起語
② 危険有害性情報
③ 絵表示（ピクトグラム）
④ 注意書き
⑤ 製品の特定名
⑥ 供給者の特定
⑦ 補足情報

②危険有害性情報は，当該化学物質の危険性・有害性の種類とその程度を短い文言で表記している．また，③絵表示（ピクトグラム）も危険性・有害性とその程度が一目でわかるように表現されている．2024 年 4 月以降，事業場内で小分けした化学物質の容器に，名称のほかに人体に及ぼす影響も明示することが義務化されており，②の一部や③を貼付するなどの対策が求められる（次ページ図）．GHS 分類において，急性毒性の区分 1（$LD_{50}$ 5 mg/kg 以下）と区分 2（$LD_{50}$ 5〜50 mg/kg 以下）は，医薬用外毒物に該当し，区分 3（$LD_{50}$ 50〜300 mg/kg 以下）は，医薬用外劇物に該当する．また，皮膚腐食性の区分 1 と眼の重篤な損傷性/刺激性の区分 1 も医薬用外劇物に該当する．

\* https://pubchem.ncbi.nlm.nih.gov/

● PubChem*

米国国立衛生研究所（NIH：National Institutes of Health）の下部組織である国立医学図書館（NLM：National Library of Medicine）の一部門である国立生物工学情報センターによって維持管理されている，化学物質のデータベース．さまざまな化学物質について，物性，危険性・有害性などが網羅的にまとめられている．SDS や GHS を補完する情報として参考になる．

健康有害性を表す GHS の絵表示（ピクトグラム）

・金属腐食性物質，皮膚腐食性・刺激性（区分 1A-C）
　眼に対する重篤な損傷性，眼刺激性（区分 1）

・呼吸器感作性，生殖細胞変異原性，発がん性，生殖毒性
　特定標的臓器・全身毒性（単回ばく露）（区分 1-2），
　特定標的臓器・全身毒性（反復ばく露），吸引性呼吸器有害性

・急性毒性（区分 1-3）
　飲んだり，触ったり，吸ったりすると急性的な健康障害が生じ
　死に至る場合がある

・急性毒性（区分 4），皮膚腐食性・刺激性（区分 2）
　眼に対する重篤な損傷・眼刺激性（区分 2A），皮膚感作性，
　特定標的臓器・全身毒性（単回ばく露）（区分 3）

本節で学ぶこと
■ 安全衛生の5管理
■ 作業環境改善の考え方

# 5-4 作業者の健康に配慮した作業環境形成

## 1. 健康リスクを低減する作業環境形成の考え方

● 安全衛生の5管理と作業環境改善

　化学物質のように有害物質を取り扱う場合，作業場の環境や作業法が疾病を誘発したり，持病を増悪させたりすることのないように，作業環境や作業法を改善するなどの対策が必要である．対策の基本は，労働衛生の3管理といわれる，作業環境管理，作業管理，健康管理である(労働衛生教育と総括管理を加えて5管理という場合もある，1章参照)．有害物質(あるいはハザードがある・疑われる物質)を取り扱う作業では，とくに作業場の健康有害性リスクを低減させる作業環境管理の徹底が重要である．有害物発生源や有害環境への対策である作業環境管理では，① できるだけ有害性の低い物質への代替，② 有害物へのばく露を低減する使用形態(ガス，ヒューム，粉じん，固体など)への変更，③ 生産工程の変更(密閉化，自動化)，④ 設備(局所排気装置の設置)の変更，⑤ 全体換気の実施，という順番で対策を行い，有害物の発散・拡散の抑制を行うことが重要である．有機溶剤や特定化学物質，鉛，粉じんのように，すでに有害性が明らかな物質については，労働安全衛生規則特別則やじん肺法の規制対象となっており，適切な作業環境管理がなされているか否かの評価として，6カ月の頻度で作業環境測定を実施し，作業環境中の有害物濃度を測定することが義務づけられている．

　さらに5-5節で記述する，有機溶剤や鉛を取り扱う作業者を対象とした特殊健康診断時の尿中代謝物(p.100の表参照)の測定は，作業者の有害物ばく露指標であると同時に，生物学的モニタリングとよばれ，作業環境の間接的な評価法とされている．

　また，発がん性物質のように閾値のない化学物質の取扱いでは，できるだけ有害物と接触する作業時間を短縮してばく露を低減する，適切な保護具(作業衣，保護めがね，マスク，手袋)を着用して生体内への取込みを抑制するなど作業管理が重要である．適切な有害物取扱いや作業管理の確実な実践には，作業者自身の理解(知識)が不可欠であり，先述のSDSなどを活用した安全衛生教育が重要となる．定期健康診断や特殊健康診断を通して，作業環境管理や作業管理で対応できていない健康影響はないか，健康診断結果の集団分析から見えてくる健康影響はないか，など早期発見に努めるとともに，問題が見つかったさいには対策を検討し，すみやかに職場環境や作業態様の改善につなげることが必要である．

　以上のような3管理，安全教育が円滑に進められる組織体制づくり，仕組みづくりを行い，実践するのが総括管理である．

# 5-5 予防・健康管理

**本節で学ぶこと**
- 健康診断
- 作業条件の簡易な調査

## 1. 健康診断

### ● 健康診断の種類と目的

　労働安全衛生法やじん肺法により事業者に実施が義務づけられている健康診断は、雇入時健診や定期健康診断などの一般健康診断と、じん肺健診、鉛健康診断、有機溶剤等健康診断などの特殊健康診断、その他通達による健診などに分けられる。すべての労働者を対象とする雇入時健診や定期健康診断が労働者の健康状態の把握や疾病の早期発見を行い、就業適正の判断や適正配置に反映させていくことを目的としているのに対し、有害業務従事者を対象とする特殊健康診断では、有害物のばく露レベルを予測して職業性疾病の予防に結びつける(生物学的モニタリング)、有害物による既知の健康影響の発生を早期に発見する、集団評価によって(見えにくい)有害要因と健康影響の因果関係を見出す、というさらに明確な二次予防を目的としている。

### 健康診断の種類

| 一般健康診断 | 特殊健康診断 | 通達により指導勧奨されている検診 |
|---|---|---|
| 雇入時<br>定期<br>特殊業務従事者<br>海外派遣労働者<br>休職従業員の検便 | 有機溶剤<br>特定化学物質<br>石綿<br>鉛<br>四アルキル鉛<br>高気圧業務<br>電離放射線<br>除染等電離放射線<br>じん肺<br>歯科(酸取扱い) | 振動、腰痛、騒音、紫外線、赤外線、VDT(visual display terminals)、レーザー機器など |
| その他 | | |
| 人間ドック<br>特定検診<br>がん検診 | | |

### ● 特殊健康診断の概要

#### (1) 有機溶剤等健康診断

　p.84の表に示された第1種から第3種の有機則の管理対象となる有機溶剤を取り扱う業務に常時従事する者は、雇入時、配置換え時、およびその後6カ月以内ごとの定期に以下の項目について健康診断を実施し、その結果を5年間保管することが義務となっている。複数の有機溶剤の混合物では、含有する有機溶剤の合計重量が5%を超える場合は有機溶剤等健康診断の対象となるので注意が必要である。

＜有機溶剤等健康診断項目＞
・有機溶剤の種類に関わらず共通して行わなければならない項目(1～4)
　1. 業務の経歴の調査
　2. 作業条件の簡易な調査
　3. ① 有機溶剤による健康障害の既往歴の調査

② 有機溶剤による自覚症状および他覚症状の既往歴の調査
　③ 有機溶剤による異常検査所見の既往の有無
4. 有機溶剤による自覚症状または他覚症状と通常認められる症状の有無の検査
・有機溶剤の種類に対応し行わなければならない項目(5〜8, 下表)
5. 尿中の有機溶剤の代謝物の量の検査
6. 貧血検査(血色素量, 赤血球数)
7. 肝機能検査(AST, ALT, γ-GTP)
8. 眼底検査

**有機溶剤の種類と対応する検査項目**

| 有機溶剤の種類 | 代謝物 | 肝機能 | 貧血 | 眼底 |
|---|---|---|---|---|
| キシレン, トルエン, 1,1,1-トリクロロエタン, n-ヘキサン | ○ | | | |
| N,N-ジメチルホルムアミド | ○ | ○ | | |
| クロロホルム, 四塩化炭素, 1,4-ジオキサン, 1,2-ジクロロエチレン | | ○ | | |
| 二硫化炭素 | | | | ○ |
| エチレングリコールモノエチルエーテル, エチレングリコールモノエチルエーテルアセテート, エチレングリコールモノブチルエーテル, エチレングリコールモノメチルエーテル | | | ○ | |

**有機溶剤と尿中の代謝物**

| 有機溶剤 | 代謝物 | 採取 | 保存 |
|---|---|---|---|
| トルエン | 馬尿酸 | 月曜日を除く日の終業時 | 冷凍 |
| キシレン | メチル馬尿酸 | | |
| スチレン | マンデル酸 | | |
| n-ヘキサン | 2,5-メチルホルムアミド | | |
| ジメチルホルムアミド | n-メチルホルムアミド | | |
| トリクロロエチレン | トリクロロ酢酸または総三酸化物 | 週の後半の日の終業時 | 冷凍 |
| テトラクロロエチレン | | | |
| 1,1,1-トリクロロエタン | | | |

・医師が必要と認めた場合に行わなければならない項目(9〜14)
9. 作業条件の調査
10. 肝機能検査
11. 腎機能検査(尿検査を含む)
12. 神経学的検査
13. 動脈硬化性変化の検査
14. 眼科的検査

これらのうち, 尿中代謝物の測定は, 受診前日の飲食物の影響や検体採取のタイミング, 検体の保存方法により結果が大きく変動するため十分注意した

うえで実施する必要がある．一例をあげると，トルエンの尿中代謝物である馬尿酸の測定では，炭酸飲料や果実など安息香酸を含有する食物摂取により測定値が上昇することがわかっている．

ベンゼンやクロロホルムのように，有機溶剤でありながら，特別則では特定化学物質に分類され特化則の規制対象となっているものもある．また，現在，研究機関や産業界で使用されているが有機則の管理対象となっていない有機溶剤も多数存在しているが，これらの取扱者の健康管理については8章で述べる．

### (2) 特定化学物質健康診断

特定化学物質を取り扱う業務に常時従事する者に対して，雇入時，配置換え時，およびその後6カ月以内ごとの定期に健康診断が行われる．特定化学物質健康診断では，スクリーニング目的の一次健康診断，精密検査目的の二次健康診断の項目は，特化則で物質ごとに定められている．特定化学物質のうち，ヒトに対する発がん性が認められるか，発がんのおそれ・可能性がある物質（特別管理物質，特別有機溶剤を含む）については，健康診断記録を30年間保存することが義務づけられている．また，特定化学物質に該当する物質では，その成分の重量が1％を超えて含有する製剤を取扱う者は，特化物健診の対象となるので，注意しなければならない．

## 2. 作業条件の簡易な調査

### ● 導入の背景

国内で特殊健康診断を実施している企業の多くが，企業外健診機関へ委託して特殊健康診断を実施している．化学物質の使用状況が，短期・大量使用から，長期・少量使用へと変化している状況において，健診受診者の化学物質使用状況（ばく露状況）など判定結果に影響を及ぼす重要な情報を考慮することなく，健診機関の医師が健康診断所見を判断することは困難であり，ばく露状況を反映していない実情と乖離した判定結果を下す危険性や，健康影響が重篤化するまで見落とす危険性がある．化学物質による既知の健康影響を早期に発見する，ばく露レベルを予測して職業性疾患の予防に結びつける，個人レベルのリスクを評価するという，特殊健康診断本来の目的を果たすために，有機・特化物・鉛などの一次健康診断の必須項目として，"作業条件の簡易な調査"が加えられた．

### ● 作業条件の簡易な調査の内容

医師が特殊健康診断受診者（労働者）から，
① 前回の特殊健康診断以降の作業条件の変化
② 環境中の当該物質の濃度に関する情報
③ 作業時間
④ ばく露の頻度
⑤ 当該物質の蒸気の発散源からの距離
⑥ 保護具の状況
⑦ （経皮吸収されやすい化学物質について）皮膚接触の有無

の 7 項目について聴取することにより（実際は問診票の記載）調査するものである（②については，衛生管理者から作業環境測定結果をあらかじめ聴取する方法も可能とされている）．これらの項目を含む，問診票の例を以下に示す．

**作業条件の簡易な調査における問診票の例**

[参考通達：平成 21 年 3 月 25 日付基安労発第 0325001 号]

最近 6 カ月の間の，あなたの職場や作業での化学物質ばく露に関する以下の質問にお答え下さい．
（注：ばく露とは，化学物質を吸入したり，化学物質に触れたりすること）

1) 該当する化学物質について，通常の作業での平均的な使用頻度をお答え下さい．
　　（　　　　　時間／日）　　（　　　　　日／週）

2) 作業工程や取扱量などに変更がありましたか？
・作業工程の変更　⇒　あり・なし・わからない
・取扱量・使用頻度　⇒　増えた・減った・変わらない・わからない

3) 局所排気装置を作業時に使用していますか？
・つねに使用している　　・時々使用している　　・設置されていない

4) 保護具を使用していますか？
・つねに使用している　⇒　保護具の種類（　　　　　　　　）
・時々使用している　⇒　保護具の種類（　　　　　　　　）
・使用していない

5) 事故や修理などで，当該化学物質に大量にばく露したことがありましたか？
・あった　　・なかった　　・わからない

# 5-6 応急処置

> **本節で学ぶこと**
> ■ ばく露経路に応じた応急処置
> ■ 一次救命処置

## 1. 医師・救急隊が来る前の処置

### ● 吸入時の対応

化学物質吸入では，低酸素血症をきたすことが多いが，窒息（何らかの原因で生体に酸素欠乏症が起こり，それにより一定の障害が発生した状態）などにより，意識消失をきたして倒れている人を発見した場合，無防備で現場に飛び込んではならない．寒剤や二酸化炭素，一酸化炭素などの酸素欠乏症のリスクがある部屋では，室内の酸素濃度が6％以下の場合，部屋に飛び込んで一呼吸した途端，自身も失神，呼吸停止する危険性があるため，酸素濃度計を用いた室内の酸素濃度の確認が必要である．酸素濃度18％未満の際には，給気式呼吸用保護具を着用して救助活動を行う．硫化水素発生のリスクがある部屋では，専用の防毒マスクを装備する．

**酸素濃度と酸素欠乏症状**

| 室内の酸素濃度（％） | 症　状 |
|---|---|
| 18 | 人体で許容される酸素濃度の下限 |
| 17 | 初期の酸欠症状が出現 |
| 16〜12 | 頻脈，頻呼吸，精神集中を要する細かい作業が困難，頭痛など |
| 10〜6 | 意識不明，中枢神経障害，けいれん，昏睡状態，呼吸停止〜心停止（6〜8分後） |
| 6以下 | 1回の呼吸で瞬時に失神，昏睡，呼吸停止，けいれんを発症し約6分で死亡 |
| 0 | 1呼吸で意識消失，そのまま3分経過すると脳死に至る |

[近畿化学協会安全研究会 編，"新人研究者・技術者のための　安全のてびき"，p. 75，化学同人（2010）を一部改変]

吸入した化学物質にかかわらず，ばく露源から避難のうえ移動可能なら通気のよい環境に移して新鮮な空気を吸わせる．室内換気を十分に行い，頭を低くして回復体位で寝かせる．衣服は緩めて楽に呼吸できるようにするなどの処置を行う．呼吸停止の場合は，一時救命処置を開始する．酸素欠乏症では，呼吸停止から救命措置開始までの時間が予後を大きく左右するため（次ページ"ドリンカーの救命曲線"参照），すみやかに一時救命措置を開始すべきである．また，夜間や暗所で救助するさいには，防爆構造の懐中電灯を使用し照明点灯による爆発の危険を避けて（防爆構造でない懐中電灯を使用する場合，現場に入る前にスイッチを入れてビニール袋で覆い，現場内ではスイッチは操作しない）行動することが重要である．

> **回復体位**
>
> 傷病者を横向きに寝かせ，下になる腕は前に伸ばし，上になる腕を曲げて手の甲に顔を乗せるようにさせる．また，上になる膝を約90度曲げて前方に出し，姿勢を安定させる．薬物中毒などの場合には，体内への吸収を遅らせるために，左を下にした回復体位（胃底部を下にし，腸への流出を防ぐ）が適している．
>
>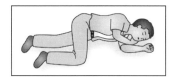
>
> [iroha / PIXTA（ピクスタ）]

**ドリンカーの救命曲線**

[近畿化学協会安全研究会 編,"新人研究者・技術者のための安全のてびき", p.75, 化学同人(2010)を一部改変]

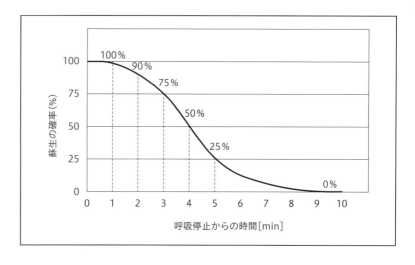

● 誤嚥時の対応

嚥下によるばく露の場合は，多くの場合，催吐や胃洗浄は誤嚥による化学性肺炎の危険性が高いため禁忌であり，活性炭投与を考慮する．意識障害のある場合，嘔吐による窒息を予防し，かつ呼吸が楽になる回復体位をとらせるが，薬物中毒などの場合には，体内への吸収を遅らせるために，左を下にした回復体位(胃底部を下にし，腸への流出を防ぐ)が適している．

● 気道異物の除去

気道に異物が詰まるなどにより窒息すると，死に至ることも少なくない．窒息で緊急を要する場合は，119番に通報する．救急隊到着までの間，患者に反応・応答がある場合，背部叩打法(左図)を試みる．

**背部叩打法**

患者の背部から，手のひらの基部で，左右の肩甲骨の中間あたりを力強く何度も連続して叩く．

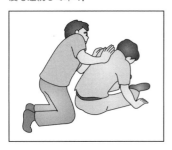

● 一次救命処置

生命の危機に瀕する突発的な心停止もしくはこれに近い状態のさいに，"胸骨圧迫(心臓マッサージ)"および"人工呼吸"を行うことを"心肺蘇生"といい，さらに，AED(automated external defibrillator：自動体外除細動器)による除細動，異物による窒息を起こしたさいの気道異物除去を含めて，"一次救命処置"という．一次救命処置の流れを次ページの図に示す．

1. 傷病者発見時の対応
   ① 反応の有無の確認
   ② 大声で叫んで周囲の注意喚起(支援の要請)
   ③ 119番通報とAED確保(の依頼)
2. 呼吸の有無を確認
   以下は，"呼吸なし"と判断
   ・ 傷病者の胸の動きがない(胸とおなかが上下に動いていない)
   ・ 心停止直後の死戦期呼吸：しゃくりあげるような呼吸
3. 心肺蘇生の開始と胸骨圧迫(次ページ下図)
   ① 胸骨の下半分に片手の手のひら基部をあて，その上にもう片方の手を重ねて組み，自身の体重が垂直に加えられるよう肘を伸ばして肩が圧迫部位(自分の手のひら)の真上になるような姿勢をとる．

② 傷病者の胸が約 5 cm 沈み込むように強く圧迫を繰り返す.
③ 1 分間に 100～120 回のテンポで圧迫,胸骨圧迫を 30 回行った後,2 回の人工呼吸を行う.感染症の疑いがある場合は人工呼吸は実施せずに胸骨圧迫だけを継続する.
・ AED による除細動(AED 到着後すみやかに実施)

詳細は,日本赤十字社の Web サイト*1 や,動画*2 を参照されたい.

*1 https://www.jrc.or.jp/study/safety/process/

*2 https://www.youtube.com/watch?v=NGNaD_UY-A4

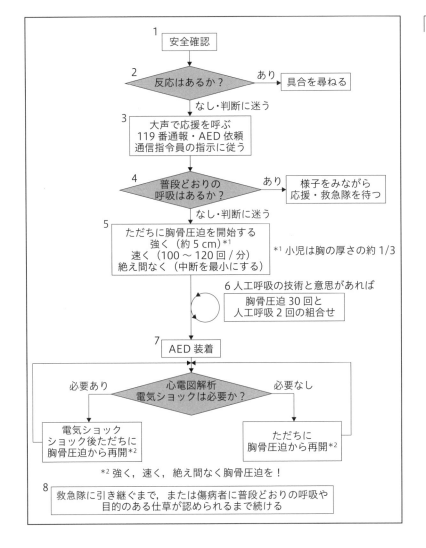

一次救命処置の流れ

[日本蘇生協議会 監修,"JRC 蘇生ガイドライン 2020", p. 20, 医学書院 (2021)]

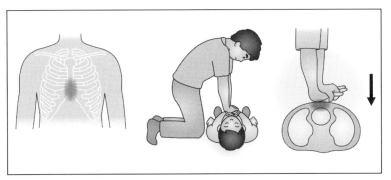

胸骨圧迫を行う位置(左)と胸骨圧迫の方法(右)

[iroha / PIXTA(ピクスタ)]

### ● 皮膚に触れた場合の対応

2024年4月1日から施行された労働安全衛生法施行令の一部改正により，皮膚・眼刺激性，皮膚腐食性または皮膚から吸収され健康障害を引き起こしうる化学物質と当該物質を含有する製剤を製造したり，取り扱う場合は，その物質の有害性に応じた保護具(保護めがね，不浸透性保護衣，保護手袋，履物など)を使用することが取扱者に義務づけられている．実験・研究で少量の化学物質を取り扱う場合であっても，作業衣や白衣，使用物質にあわせて適切な素材の保護手袋，保護めがねなどを着用して実験すること．不測の事態により，化学物質が着衣に付着した場合は，できるだけ早く汚染した着衣を脱ぎ，多量のせっけん，水道水で(皮膚刺激性・障害性が明らかな化学物質では30分以上)洗い流すようにする．皮膚炎を起こすか否かは，化学薬品の種類，受傷者の皮膚の状態(乾燥，アトピーの有無)など個人差があるが，処置後に医師の診察を受けるとよい．

### ● 熱傷・薬傷

熱(熱湯，蒸気，火災，熱した物体など)による体表面の損傷を熱傷といい，原因が化学物質の場合を薬傷(または化学熱傷)という．重症度の判定には，受傷部位の"面積(広さ)"と"深さ"が関係しており，面積の推定にはp.107の図のような簡易な方法が用いられている．

熱傷の深さの分類

[中央労働災害防止協会 編，"特定化学物質・四アルキル鉛等作業主任者テキスト"，p.73，中央労働災害防止協会(2021)]

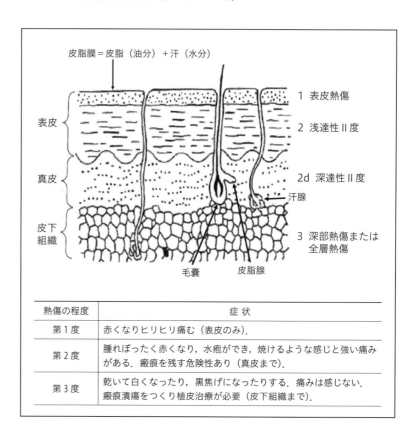

| 熱傷の程度 | 症　状 |
|---|---|
| 第1度 | 赤くなりヒリヒリ痛む(表皮のみ)． |
| 第2度 | 腫れぼったく赤くなり，水疱ができ，焼けるような感じと強い痛みがある．瘢痕を残す危険性あり(真皮まで)． |
| 第3度 | 乾いて白くなったり，黒焦げになったりする．痛みは感じない．瘢痕潰瘍をつくり植皮治療が必要(皮下組織まで)． |

熱傷は，"感染"，"痛み"，"体液減少"の危険性があり，体表面積の10%以上の場合，ショックが起こり，20〜30%以上になると重症で，救急搬送し，

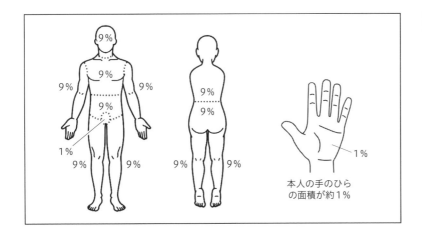

熱傷面積の推定方法

[左：https://www.kango-roo.com/ki/image_2090/　右：NENTA / PIXTA(ピクスタ)]

医療機関で治療することが必要となる．応急手当として，下記の処置を行う．
(1) できるだけすみやかに冷やす(30分以上)．
(2) 水疱が破れない程度の流水(水道水，シャワー)で冷やす．
(3) 消毒液や軟膏を塗らず，細菌感染防止のため滅菌ガーゼで覆い医師の手当てを受ける．
(4) 手・足の受傷であれば患部を高くする．
(5) 激しい熱傷では，脱水状態になるため，意識が明瞭で吐き気がなく，受傷者が欲した場合は，生理飲料水(スポーツドリンクなど)を適当な間隔で投与する．

● 眼に入った場合の対応

眼の中に有害物が入ったさいには，すみやかに，患側を下にして(下を向いた状態で)流水で洗浄する．ただし，水圧が強いと，角膜を損傷する可能性があるため，緩やかな噴水・流水で洗浄する．また，応急処置後は，痛みや充血などの症状がある場合は無論であるが，症状がない場合でも必ず医師の診察を受けること．

● フッ化水素酸が皮膚・粘膜・眼に接触した場合の対応

フッ化水素酸は強力な腐食作用があり，進行性に難治性の深い熱傷潰瘍を形成する．また，細胞内の呼吸・解糖系酵素を阻害し，高カリウム血症，代謝性アシドーシス，低血糖を生じる．また，体内のカルシウムと結合し，フッ化カルシウムを形成し，低カルシウム血症をきたす．皮膚接触部は，発赤，水疱，激しい疼痛，皮膚炎，化学熱傷を起こすことがあり，体表面積5％以上の熱傷で低カルシウム血症が出現する可能性がある．眼に入った場合は，結膜炎，角膜損傷が生じ，失明の危険もある．全身症状として不整脈，ショック，筋力低下，けいれん，意識障害をきたすこともある．接触後の迅速な対応が予後を左右する．皮膚接触部は，① せっけんと流水で接触部を十分洗浄する，② 接触部位に8.5％グルコン酸カルシウム注を0.5 mL/cm$^2$以下の用量で皮下注射する，または水溶性軟膏基剤を用いた2.5％グルコン酸カルシウムゲルを塗布する，などの処置を行う．眼に入った場合は，① 流水または，生理食塩水で15分以上，十分に洗浄する．② 1％グルコン酸カルシ

ウム溶液を 2 時間ごとに 1〜2 滴点眼する，などの処置を行う．いずれの場合でも，受傷後は早急に，医師の診察を受けることが重要である．

---

参考文献

1) 日本化学会 編，"安全な実験室管理のための 化学安全ノート 第 3 版"，丸善出版(2016).
2) 山田信也，n-ヘキサン取扱者に発生した多発性神経炎の原因の追究とその症例について，産業医学，9(8)，651(1967).
3) 中央労働災害防止協会 編，"新/衛生管理(上)第 1 種用 第 6 版"，中央労働災害防止協会(2008).
4) 日本産業衛生学会 許容濃度等に関する委員会，許容濃度の勧告(2023 年度)，産衛誌，65(5)，268(2023).
5) 大前和幸，自律型化学物質管理への移行 その 1，日本産業衛生学会産業医部会報，76，17(2022).
6) 田口 治，長南達也，インジウム肺の 3 例，日本呼吸器学会雑誌，44(7)，532(2006).
7) 厚生労働省，特定化学物質障害予防規則等改正について，基発 1001 第 4 号(平成 25 年 10 月 1 日).
8) 田中 茂，"皮膚からの吸収・ばく露を防ぐ！ ―オルト-トルイジンばく露による膀胱がん発生から学ぶ―"，中央労働災害防止協会(2017).
9) 福地 達ほか，トリクロロエチレン曝露による薬剤過敏症症候群の 1 例，日本内科学会誌，106(3)，598(2017).
10) 東 賢一，微小粒子状物質の健康リスクに関する近年の知見と国際的な動向，*Indoor Environment*，23(2)，129(2020).
11) 日本規格協会 編，"化学物質管理者テキスト"，日本規格協会(2023).
12) 経済産業省，"化学物質のリスク評価のためのガイドブック(実践編)"(2007).
13) 近畿化学協会安全研究会 編著，"新人研究者・技術者のための 安全のてびき"，化学同人(2010).
14) 日本蘇生協議会 監修，"蘇生ガイドライン 2020"，医学書院(2021).
15) 中央労働災害防止協会 編，"有機溶剤作業主任者テキスト"，中央労働災害防止協会(2023).
16) 中央労働災害防止協会 編，"特定化学物質・四アルキル鉛等作業主任者テキスト"，中央労働災害防止協会(2023).
17) 中央労働災害防止協会 編，"酸素欠乏危険作業主任者テキスト"，中央労働災害防止協会(2021).

# 6 化学物質の環境影響

本節で学ぶこと
■ 環境安全の重要性
■ 組織の責務
■ 環境要素

# 6-1 はじめに

## 1. 環境安全の重要性と組織の責務

　安全・安心を願う気持ちは，人間の本能である．研究活動や教育活動における事故や災害の防止と安全性の確保は，大学においてももっとも優先的に取り組むべき課題である．では，安全な状態とは，いったいどのような状態であろうか？

　たとえば人体や環境に対して毒性を有する化学物質を取り扱うことを考えよう．われわれはその毒性に曝されることがないように，適切な保護具をつけて取り扱うであろう．しかし，それだけでは，同じ実験室にいるほかの人が毒性に曝されてしまう．そこで，排気設備の整ったドラフトの中での取扱いをするだろう．この場合，たしかに，同じ実験室にいる人の安全は確保されるが，その有害物質の蒸気はそのまま大気に流されてしまうことになり，建物の外にいる人および環境が毒性に曝されてしまう．したがって，排気設備に有害物質を処理する設備を備えることにより，有害物質を無害化した後に大気に排出する必要がある．

環境安全の重要性

　自分を人一人ととらえれば，同じ実験室にいる人は環境とみなすことができ，自分を建物ととらえれば，建物外にいる人は環境とみなすことができる．すなわち，われわれは，自分自身の安全とともに自分以外の環境の安全も守る必要がある．

　大学や企業などは，組織としての活動，教育研究・研究開発活動，および組織の構成員の生活が営まれており，これらの活動のなかで"自己の安全確保と環境への配慮"はすべての構成員の責務である．環境安全に対する組織としての責務は，① 研究・開発を推進しその成果を社会に還元することで循環型社会を支える科学技術基盤を発展・実現させること，② 教育により環境安全に対する素養を身につけた人材を育成し社会へ輩出すること，③ 組織内

で営まれている活動における安全の確保と活動に起因する環境への負荷低減といった社会的責任を果たすこと，④ 環境報告書の発行などにより環境負荷低減に関する取組みの説明責任を果たし，ステークホルダーとの環境コミュニケーションを促進することである．

自己の安全確保
実験室内の人への配慮

実験室外の環境への配慮
・組織としての活動
・研究・教育活動
・構成員の生活

環境安全に対する組織としての責務
(1) 研究・開発による貢献（成果の社会への還元）
(2) 教育による環境安全に関する素養を身につけた人材の育成
(3) 社会的責任
　・組織内での活動における安全性の確保 → 安全対策
　・環境負荷を低減する努力 → 環境配慮行動
　　"大学が環境汚染源とならない"
(4) 情報公開による環境コミュニケーションの実現・環境報告書の発行

環境安全に対する組織としての責務

## 2. 環 境 要 素

環境要素は，① 環境の自然的構成要素の良好な状態の保持（大気環境，水環境，土壌環境その他の環境），② 生物の多様性の確保および自然環境の体系的保全，③ 人と自然との豊かなふれあい，に加えて，④ 環境への負荷（廃棄物，温室効果ガスなど）に区分されている[1]．われわれが取り扱う化学物質が環境中に排出されると，大気環境，水環境，土壌環境に悪影響を与えたり，その蓄積によって，生態系や人の健康に影響を及ぼすこともある．たとえば，高度経済成長期には水俣病やイタイイタイ病など産業型の公害により健康被害が発生し，安定経済成長期以降には自動車排ガスに含まれる一酸化炭素・炭化水素・窒素酸化物・鉛化合物・粒子状物質による大気汚染など，都市型・生活型の公害が広がった．また，ダイオキシン類や内分泌かく乱化学物質など，ごく微量で影響を及ぼすおそれのある化学物質の問題も発生した．

このように化学物質による環境汚染を起こさないように，化学物質を取り扱う一人一人が知識を身につけ，対策を講じる必要がある．環境保全に関する規制には，① 化学物質の製造や取扱い，販売の段階での規制（化学物質審査規制法，農薬取締法など），② 化学物質の環境への排出規制や環境リスクの低減（大気汚染防止法，水質汚濁防止法，悪臭防止法，土壌汚染対策法，廃棄物処理法など），③ 化学物質の排出量などの届出による環境リスクの管理，削減の促進（化学物質排出把握管理促進法など）があげられる．化学物質を取り扱うときには，これらの法規制の遵守に加え，環境リスクマネジメントなど自主的な取組みを進めることが重要である．

## 本節で学ぶこと
- 生活環境分野における環境リスク
- 気候変動分野における環境リスク

# 6-2 環境リスク評価

## 1. 生活環境分野におけるリスク評価

　化学物質の環境リスクは，環境中へ排出された化学物質の分解性・蓄積性などの性質と環境中での経路・気象・水量などの環境条件によって，環境中（大気・水域・土壌）や生物への蓄積量が決まる．その後，ヒトや生物の行動によってばく露の経路が決まり，ヒトの健康や環境中の生物に影響が及ぶ．環境リスクを把握するためには，対象とする化学物質の有害性とヒトや環境中の生物のばく露量に基づいてリスク評価を実施する．正確には，ばく露量として，消化器，呼吸器，皮膚や眼から体内への摂取量と体内への吸収量まで考慮する必要がある．したがって，ヒトの健康影響は，化学物質の有害性が大きくても，ヒトの体内に入らなければ影響は起こらず，逆に環境中に多く存在していても，有害性がない，あるいは十分に小さければ，影響が問題になることはない．

### 環境リスク

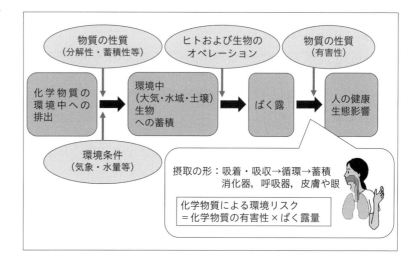

### 有害性評価

疫学研究や動物実験の結果などから得られた"有害な影響が観察されない最大の用量"（NOAEL，無毒性量）を求め，この結果を種差や個体差などの不確実性を考慮して，"人の健康に対して有害な影響を示さない量"（TDI，耐容一日摂取量）が算出される．

　リスクを評価するには，化学物質の有害性に関する情報を収集し，有害な影響がどのくらいのばく露量で生じるかを調べ，有害性評価を行う．次に，事業者は評価基準値の設定を行う．有害性評価で求めた"人の健康に対して有害な影響を示さない量"がわかっている化学物質の場合には，この値を"評価基準値"に設定するとよい．また，大気の環境基準や世界保健機関（WHO）のガイドライン値などが設定されている化学物質の場合は，これらを"評価基準値"とすることができる．しかし，これらの基準値がない場合には自主的に設定する必要がある．この評価基準値と推定されるばく露量（濃度）を比較することにより，環境リスクの有無を判定し，リスクの懸念がある場合には，リスク低減のために排出削減などの対策を実施する．

## 2. 気候変動分野におけるリスク評価

気候変動に関する政府間パネル(IPCC：Intergovernmental Panel on Climate Change)第2作業部会第6次報告書(2022)は，地球温暖化は，短期(2021～2040)のうちに1.5℃上昇に達しつつあり，複数の気候ハザードの不可避な増加を引き起こし，生態系および人間に対して複数のリスクをもたらす確信度が非常に高いと捉えている．

化学物質の取扱いに際しても，温室効果ガス(GHG：greenhouse gas)排出量の削減の必要があるが，その評価手法は，GHGの排出量を算定・報告するために定められた国際的な基準"GHGプロトコル"を用いる．モノがつくられ廃棄されるまでのサプライチェーンにおけるGHG排出量を捉える考え方として，燃料の燃焼や研究開発を通じて組織が直接排出する"scope 1"，他組織から供給された電気・熱・蒸気を使うことで間接的に排出する"scope 2"，研究開発に用いる原材料や製品の調達，輸送，廃棄物の収集運搬・処理などモノのライフサイクル全体の排出のうち，scope 1および2以外の"scope 3"という分類方法がある．

scope 3の15のカテゴリー分類

＊は化学物質を取り扱う研究開発でとくに関連するカテゴリー

1　購入した製品・サービス＊
2　資本材
3　scope 1, 2に含まれない燃料およびエネルギー活動
4　輸送，発送(上流)＊
5　事業から出る廃棄物＊
6　出　張
7　雇用者の通勤
8　リース資産
9　輸送・発送(下流)
10　販売した製品の加工
11　販売した製品の使用
12　販売した製品の廃棄
13　リース資産(下流)
14　フランチャイズ
15　投　資
16　その他

本節で学ぶこと
■ 循環型社会形成推進基本法
■ 3R + Renewable

# 6-3 循環型社会

　人間は自然とともに生きることでさまざまな知識，技術，豊かな感性を培い，時として地震や台風などの脅威をもたらす自然に対し畏敬の念を抱き，人間も自然の一部であるという認識の下に生きてきた．しかし，高度経済成長を経て，経済的・物質的な豊かさを手に入れると同時に，自然環境が荒廃し公害問題が生じた．一方，これまでのようなライフスタイルや社会経済の構造を見直し，地球環境に負荷をかけない持続可能で真に豊かな社会を築いていけるような新たな生き方を選択すべき時を迎えているといわれている．大量生産・大量消費・大量廃棄がこのまま将来にわたって継続すれば，地球上の資源は枯渇し，廃棄物で溢れ，われわれの将来世代の生存を脅かすことにつながる．そこで，われわれには地球の環境負荷を低減する循環型社会へ移行することが，今，強く求められている．

　日本では，2000年に循環型社会形成推進基本法において3Rの考え方が導入され，廃棄物・リサイクル対策は，① 消費の抑制・効率化や廃棄物の発生抑制をはかる(Reduce)，② 発生した循環資源は製品や部品としての再使用をはかる(Reuse)，③ 再使用されない循環資源は原材料としての再生利用をはかる(Recycle)，④ 再使用および再生利用が行われない循環資源については熱回収をはかる，⑤ 循環的な利用が行われない循環資源は適正処分する，の優先順位で行われるべきであると定められた．大学や企業においても，環境負荷低減という社会的責任を果たすためには，一人一人が，3R(Reduce, Reuse, Recycle)の推進を心がけることが重要である．

3R + Renewable の推進

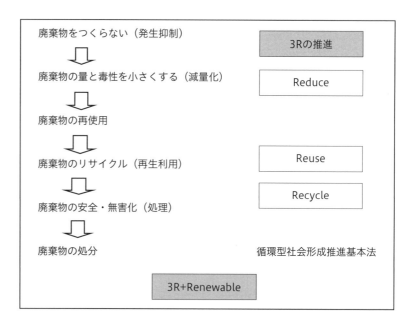

近年では，再生可能な資源の活用や再生可能な資源に替える取組みとして，もう一つの R(Renewable)を加え，3R + Renewable ということが謳われている．石油由来のプラスチックに替わり，バイオマス由来のプラスチックを使用するといった取組みがあげられる．

本節で学ぶこと
■ 廃棄物の種類
■ 廃棄物管理に関する基本原則
■ 生活系廃棄物の取扱い
■ 実験系廃棄物の取扱い

# 6-4 事業者における廃棄物管理

## 1. 廃棄物の種類

　環境対策の主たるものの一つとして，廃棄物対策がある．近年，廃棄物問題が大きくクローズアップされるようになってきたのは，消費型への社会構造変化に伴い，廃棄物の量が膨大となり処分先の確保が困難になってきたこと，その組成が複雑であること，焼却処理による減容化のさいにダイオキシン発生問題等が生じてきていること，また，廃棄物に有害物が混入することによる土壌や地下水の汚染，などに起因している．

　廃棄物は，産業廃棄物と一般廃棄物に大別され，その処理方法や責任の所在が異なっている．一般廃棄物は市町村に統括的処理責任があり，産業廃棄物は事業者自らに処理責任がある．

廃棄物の分類

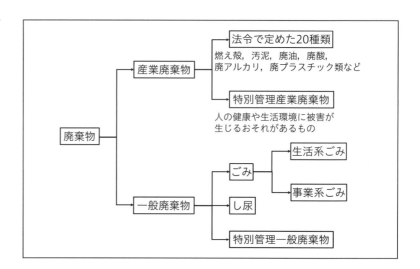

　廃棄物に関しては，さまざまな形で法律の規制がかけられており，それらを遵守することが前提であることはいうまでもない．しかしその一方で，法律を守ることだけで廃棄物問題が解決するわけではないことも事実であり，組織の構成員一人一人から組織全体に至るまで，それぞれのレベルで環境対策への問題意識をしっかりもち，それを確実に実行していくことが重要である．

## 2. 廃棄物管理に関する基本原則

　事業者が環境負荷低減という社会的責任を果たすためには，一人一人が，循環型社会形成推進基本法に定められている，廃棄物・リサイクル対策の優先順位の一般則，3R の推進を心がけることが重要である．
　廃棄物管理の基本原則を以下 4 点あげる．

(1) 一事業主としての責務

> **基本原則 ①　"一事業主としての大学・企業"**
>
> 法的な取扱い
> 　　大学や企業は事業主としての位置づけ
>
> 　一般家庭では許されることでも，大学や企業では許されないことがある
>
> 例）
> ・ごみの分別法や廃棄方法　　　・下水への排出
> ・最終処分までの責任（汚染者負担の原則）　・PRTR制度

廃棄物管理に関する基本原則
（1：一事業主としての大学・企業）

　社会の一組織である以上，法律を遵守することは当然の義務である．たとえば，中身が同じごみを一般家庭から排出した場合と，事業場から排出した場合で，法的にはまったく異なった取扱いを受ける．これは，家庭ごみの処理責任は自治体にあるのに対して，事業場が出すごみは事業系一般廃棄物または産業廃棄物として区分されており，事業者自身に処理責任があるからである．大学や企業では家庭と違うルールに従わなくてはいけないということをよく認識してほしい．

(2) 排出者責任

> **基本原則 ②　"排出者責任"**
>
> ・産業廃棄物が適正に最終処分されたかどうかの確認を，廃棄物の排出者に義務づける（廃棄物処理法）
> ・廃棄物は事業者自らが無害化処理を行うか，産廃処理業の許可を受けている業者に委託
>
> 　　↓
> 　委託先の選定にも責任
> 　　（処理方法，実績，コスト，得意分野……）
> 　　**排出者自らの見極めが重要**

廃棄物管理に関する基本原則
（2：排出者責任）

　廃棄物処理法によれば，廃棄物の排出者には，その廃棄物が適正に最終処分されたかどうかの確認をすることが義務づけられている．事業場を一つの排出原点と考えると，廃棄物を事業者自らが無害化処理を行うか，あるいは，産業廃棄物処理業の許可を受けている業者によって処理されなければならないと規定されている．廃棄物処理業者に処理委託する場合には，排出する事業者はその委託先の選定にも責任があり，処理方法，実績，コストといった観点からの自らの見極めが重要となる．万一，事業者から排出された廃棄物が委託先の業者によって不適切に処理された場合には，当該廃棄物処理業者のみならず，処理を委託した事業者も責任を負わなければならず，社会的信用を大きく失うことにもなりかねない．

### (3) 原点処理

廃棄物管理に関する基本原則
(3：原点処理)

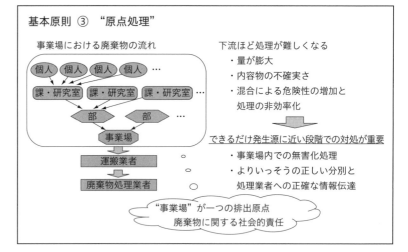

事業場で発生した有害廃棄物は，廃棄物の流れの下流に行くほど，量が膨大になり，内容物の不確実さが増大し，さらには混合による危険性の増加と処理の非効率化が起こり，処理そのものが難しくなるため，できるだけ発生源に近い段階での対処が重要となる．

事業場を一つの排出原点と考える場合，原点処理の基本原則を全うするために，事業場で発生する廃棄物を，事業場内で集中無害化を行う方法がある．廃棄物の事業場外への移動と事業場外での処理に伴うリスクの回避も期待される．しかし，廃棄物の増大による事業場内集中処理の限界と外部産業廃棄物処理業者の技術力の向上により，ほとんどの事業者が外部に処理委託するのが現状である．その場合，委託先の処理業者が確実に安全化を行えることが，委託先を決めるさいの必要不可欠な条件であるため，原点処理の考え方が，"原点での無害化"から"原点におけるより正確な分別と正確な情報伝達"に移行した．

### (4) Public Acceptance

廃棄物管理に関する基本原則
(4：Public Acceptance)

基本原則 ④ "Public Acceptance"

リスクを含む（あるいは含むとみなされる）活動は，たとえ科学の進歩に貢献するものであったとしても，一般市民の合意を得なければ自由に行えない．

安全性に対する配慮の姿勢
↓
"専門家と一般市民とのリスク評価の乖離" の解消

Public Acceptance の例
  例1) 生活系廃棄物と実験系廃棄物の明確な区別
  例2) 擬似感染性廃棄物（手袋，注射針，シャーレなど）

感染性廃棄物と形状が似ているが感染性ではない
　　　　　　　→ 感染性廃棄物と同じ扱い

地球規模での急速な工業化や生活水準の上昇による環境汚染が急速に進行し，一般市民の環境問題に対する関心が高まっている社会状況において，一

般市民の合意(Public Acceptance)を得なければ，リスクを含むような社会活動は，それが科学の進歩に貢献するものであっても，自由には行えなくなってきている．科学的には適当な処置であったとしても，それが一般市民の観点から非常にリスクが大きいとみなされれば，社会的には許されないこともありうるのが現状である．

企業のみならず，大学もこうした社会的な状況と無縁ではない．たとえば，学内のごみの中に注射針があれば，それがまったく無害なものであったとしても，伝染性の有害微生物を含んでいるものと見かけ上区別がつかないため，感染性廃棄物として取扱いをしている．これは，キャンパスの外で処理処分されるさいに，それに携わる人々，あるいは処分地の周辺の住民がどう感じるかという問題を抜きには，廃棄物対策は立てられないからである．このように，単にリスクを科学的に評価するだけではなく，それが一般市民(行政を含む)に受け入れられることを念頭におく必要がある．安全性に対する配慮の姿勢を明確にしたことにより，専門化と一般市民のリスク評価の乖離が徐々に解消していった事例も多くある．

## 3. 廃棄物の取扱い

廃棄物の分類と規制法令

```
┌─ 発生抑制 ──────────── 分別とリサイクル ─┐
│                                            │
│  排  水：水質汚濁防止法，下水道法          │
│  生活系廃棄物：廃棄物の処理及び清掃に関する法律(廃掃法) │
│ ──────── 明確な区別 ────────              │
│  実験系廃棄物：後述                        │
│  排ガス：大気汚染防止法                    │
│    大気へ排出される気体の廃棄物で，発生源で無害化する │
│  放射性廃棄物：廃掃法で定義される"廃棄物"には原則として該当 │
│              しない                         │
│    使用済みの放射性物質および放射性物質で汚染された廃棄物 │
│  医療系廃棄物：廃掃法に基づく感染性廃棄物処理マニュアル │
│    病院などでの医療活動によって生じる廃棄物で，感染性廃棄物が │
│  含まれる                                   │
└────────────────────────────────┘
```

東京大学を一例にとると，廃棄物に対する社会的責任を果たすために，その発生源によって，排水，生活系廃棄物，実験系廃棄物，排ガス，放射性廃棄物，医療系廃棄物の六つに大別し，独自の廃棄物の区分と分類を行って管理している．

Public Acceptanceの観点からも排水，生活系廃棄物と実験系廃棄物，放射性廃棄物，医療系廃棄物といった有害物質を含む廃棄物は明確な区別をして管理する必要がある．

● 排　水

事業場内の各建物から出る排水は，事業場内の排水系統に従って複雑に混

合しながら，最終的には公共下水道に放流される．放流する水質については，下水道法および下水道法関連条例が適用され，排水基準値を遵守する必要がある．人の健康に影響する有害物質(健康項目)と生活環境の保全に関する項目(生活環境項目)で全41項目が法的規制を受けている．たとえば東京大学では，公共下水道への接続桝(各キャンパス計32カ所)で，原則月1回，定期的な自主分析を行っている．水質の測定結果は，各部局に報告される．

下水道に流す排水に関する法的規制(41項目)

\*1 PCB：ポリクロロビフェニル(polychlorobiphenyl)

\*2 BOD：生物化学的酸素要求量 (biochemical oxygen demand)

\*3 SS：浮遊物質量(suspended solid)

1) 健康項目(人の健康に影響する有害物質)
   Cd, Pb, As, Hg, シアン，有機リン，PCB$^{*1}$，四塩化炭素，ベンゼン，ジクロロメタン，トリクロロエチレン，フッ素など

2) 生活環境項目(生活環境の保全)
   水温，pH, BOD$^{*2}$, SS$^{*3}$, $n$-ヘキサン抽出物質，フェノール類，銅，鉄，マンガン・亜鉛・クロムおよびそれらの化合物，ヨウ素消費量，窒素，リン

・月に1回を原則として水質の自主検査(下水道法，水質汚濁防止法)
・排水基準に違反した(予備的注意を受けた)場合
  → 部局などの長へ勧告し，組織内にて調査

  各排水源で，水質基準を確認して流す(排出者責任)

　動植物油の基準超過の指標となる$n$-ヘキサン抽出物質は，おもに，食堂排水からの汚染であるため，事業場では，一般家庭と異なりグリース阻集器を設置するなどの対策を講じている．

食堂排水の処理

そのまま流すと動植物油の規準\*を超過

東京大学食堂のグリース阻集器

\* 動植物油の基準値：$n$-ヘキサン抽出物質として30 mg/L以下
油の密度を0.9 g/mLとすると，水1Lあたり約33 μL(1滴程度)の油が含まれるだけで基準超過してしまう．

● 生活系廃棄物

　組織の全構成員が関与する廃棄物である．排出ルールは事業場ごとに若干異なるが，コンセプトは，再資源化するもの(紙，プラスチック類，飲料缶，ペットボトル，ガラスびん，大型廃棄物)と，処理・処分するもの(可燃ごみ，不燃ごみ)の分別である．

　生活系廃棄物の"再資源化するもの"とは，やむをえず発生してしまった廃棄物の中から，再使用・再生利用できる廃棄物を選別して再資源化をはかるためのもっとも優先される分別の種類である．

生活系廃棄物の分類

　一方，可燃ごみは，生ごみや紙くずなどが該当し，事業系一般廃棄物となり，基本的には焼却処理される．不燃ごみは，飲料缶以外の金属，陶磁器，ゴム，実験系硬質ガラス，ガラスの破片，アルミホイル類などが該当し，基本的には埋立処分される．不燃ごみには食べ物や飲料などの腐敗性の有機物質が付着していてはならないことに注意する必要がある．

　前述のとおり，生活系廃棄物の取扱いの基本は，発生抑制と徹底した分別である．ただし，その分別方法は事業場の所在地（自治体）の方針や契約している処理業者によって異なることが多いので注意する必要がある．

　東京大学を一例にとると，紙は専用カートにより，新聞，コピー用紙類（ホチキスはそのままでも差し支えない），雑紙・雑誌，段ボール類に分類回収されており，その分類は紙の大きさによらない．紙と大型廃棄物以外のごみは，カート方式で6種類に分別している．カートに集められた廃棄物は，計量したうえで回収業者に引き渡されて処分される．計量可能なカートの導入により，各廃棄物の発生量を把握することができ，発生量を低減させるための対策づくりに役立てることができる．

① 減量化
② 分別・リサイクル
③ 実験系廃棄物との明確な区分

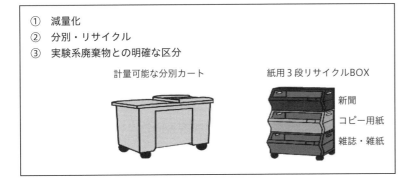

生活系廃棄物のポイント

　東京大学の本郷キャンパスにおける生活系廃棄物の組成調査の結果[2]，文系部局の建物から回収された廃プラスチックは理系部局のそれと比べて異物混入が多い．一方，可燃ごみの中にプラスチックが多く含まれており，循環利用するためには構成員の分別に対する意識啓発が必要である．また，実験

室から排出される廃プラスチックについてはオレフィン系の樹脂の割合が高く，効率的な循環利用のためにはゴム手袋の排出区分の変更や付着物の完全な除去を担保することが今後の課題である．

東京大学本郷キャンパスにおけるプラスチック廃棄物組成分析の結果
[中谷 準，飛野智宏，辻 佳子，環境と安全，12，11(2021)をもとに作図]

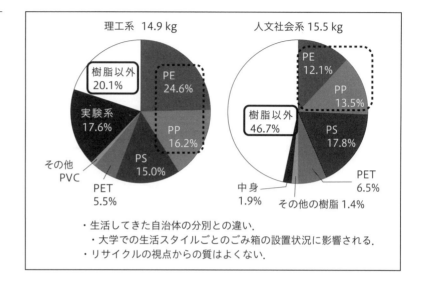

- 生活してきた自治体の分別との違い．
- 大学での生活スタイルごとのごみ箱の設置状況に影響される．
- リサイクルの視点からの質はよくない．

● 実験系廃棄物

実験系廃棄物は，① 化学的有害廃棄物，② 生物系廃棄物，③ 擬似感染性廃棄物，④ 感染性廃棄物に大別される．廃棄物の種類によって適用される法律や処理方法が異なっており，排出者は廃棄物を正しく分別する義務と責任を負うことになる．

実験系廃棄物の分類

- ■ 化学的有害廃棄物
  実験により生じた有害な化学物質を含有する液状または固形の廃棄物
    - 無機系廃液
    - 有機系廃液
    - 固形廃棄物

- ■ 生物系廃棄物
  生物を含む廃棄物．排出者は自己の責任で不活化（滅菌）する．

- ■ 擬似感染性廃棄物
  感染性廃棄物と形状からは区別がつきにくい廃棄物

- ■ 感染性廃棄物
  人が感染し，または感染するおそれのある病原体が含まれ，もしくは付着している廃棄物またはこれらのおそれのある廃棄物

- ■ その他の実験系廃棄物
  有害性がなく生活系廃棄物として排出しても問題のない内容の廃棄物

実験系廃棄物の特徴について，化学物質を例にとって説明しよう．実験で使用する前は「製品コード」「製品名」「組成」「グレード」「ロット番号」「保管条件」「GHS 表示」等が記載された製品ラベルがついた容器に入った試薬だが，使用後に生成される廃棄物は，組成表示のない混合物であり，試薬よりもさらに危険度が増大することがある．廃棄物の素性を知っているのは排

出者だけである．そのため，排出者自身が排出者責任を全うするためには，廃棄物の内容を定量的に明らかにし，確実に情報伝達をする必要がある．廃棄物は流しに捨てたり，生活系廃棄物として廃棄することは絶対にしてはならない．生活系廃棄物との区別の判断基準は直感に頼らず，排水規制値をもとに判断しなければならない．たとえば，水銀を含む産業廃棄物の判定基準は 0.005 mg/L である．廃棄物に水銀が含有していることを申告せずに排出し，その廃棄物処理を行った処理施設全体が水銀汚染され停止する事態となった事故は大学および地方自治体のごみ焼却施設でも起こっている．また，ジクロロメタンの判定基準は 0.2 mg/L である．ジクロロメタンの水への溶解度はその約 10 万倍の 13 000 mg/L であるため，多くの場合，排水基準を超えているか否かは目視によっては判断できない．

---

① 廃棄物の素性を知っているのは排出者だけ
　　・分別は正しく確実に
　　・処理する立場になって分別する
　　・情報伝達を正確に

② 実験廃液を流しに捨てない
　　判断基準は直感ではなく"排水基準値"
　　例）水銀の排水基準　0.005 ppm ＝ 0.000 000 5 %
　　　　ジクロロメタンの排水基準
　　　　　　　　　　　0.2 mg/L（水への溶解度 13 000 mg/L）

③ 適正な処理を行う

④ 内容のわからない廃棄物を絶対につくらない
　　・不要なものは早く廃棄
　　・年度末には棚卸し

⑤ "入""出"の管理をしよう

---

> 実験系廃棄物のポイント

### （1）化学的有害廃棄物

化学的有害廃棄物とは，化学的有害物を含む，液状および固形の廃棄物であり，より具体的には以下の物質を指す．
① 法律によって，処理・処分などになんらかの規制がかけられている物質．
② 法律で規制されていないが，以下の三つの性質のいずれかを有する物質．
　・発火・爆発性
　・生体毒性
　・環境有害性
③ ②の3種の性質は有しないが，濃度，性状の点で投棄が難しい状態にある物質．

以上の物質を含む廃液および，それが触れた容器などの3回目までの洗液は化学的有害廃棄物として扱われ，無害化処理された後，埋立あるいは下水に放流される．"無害化"の判断基準は，埋立処分の判定基準や下水道に流す排水についての規制値である．

化学的有害廃棄物とは

> Q. 机にこぼれた試薬をふき取ったティッシュペーパーは実験系廃棄物か？
> 
> A. 有害固形廃棄物
> 
> Q. ビーカーを洗ったときの洗浄水は流しに捨ててもよいか？
> 
> A. 3回目までの洗浄水は実験廃液
> 
>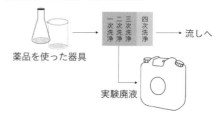
> 
> Q. 内容物がわからない廃液を捨てたいが……？
> 
> A. 組成がわからないと適切な処理ができないので廃棄できない

　企業，大学によらず，まず試薬を購入し，使用，反応等による変換，保管を行い，不要なものを廃棄する．廃棄物対策は環境安全対策のなかでももっとも重要な課題の一つである．廃棄物には，発生抑制という"量の問題"と危険性を回避する"質の問題"がある．前者においては，必要に応じた実験スケールで行うことの重要性，後者においては，分別と情報伝達の重要性があげられる．

　ラボレベルの実験においても，実験系廃棄物の不適切な廃棄等の事故が起きている．たとえば，過塩素酸テトラブチルアンモニウムなどの過塩素酸塩やほかの金属錯体を含むアセトニトリル溶液の廃液を減容のために濃縮し，濃厚な懸濁液となったものを紙でふき取ろうとして爆発事故が起きている．基板洗浄に用いた濃硫酸と過酸化水素水の混合液を誤って有機廃液と混合させ，混合液が吹き出し薬品火傷を負うという事故も起きている．また，重大な人的被害にはつながらなかったものの，廃棄物の保管中や運搬中の漏えいや予期せぬ化学反応による容器の損傷もしばしば起きている．

　内容が不明な廃棄物は，そのままでは適正な処理ができないのみならず，危険性も明らかでない．そのような内容の不明な廃棄物を絶対につくらないために，すみやかな廃棄や定期的な棚卸しが重要である．つねに，化学物質

化学物質の流れ

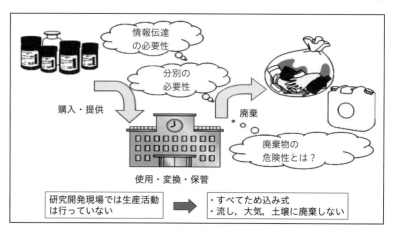

の"入"と"出"の管理をすることは，内容の不明な廃棄物をつくらないうえでも重要である．

内容不明の廃棄物および試薬（実験系不明廃棄物）については，適正な処理ができない．言い換えれば，実験系不明廃棄物は，社会の中で廃棄物という名称で受け入れられないということである．その責任はあくまでも排出者が負わなければならない．保管上の安全確保に配慮したうえで（むやみに開けない），発見状況，関係者への聞き取り，組成分析などにより内容を明らかにする努力が必要である．とくに，大学では学生のみならず近年では教職員の流動性も高いため，十分な引き継ぎがないままにしていると，実験系不明廃棄物の温床となってしまう．各研究室での意識向上が重要である．

化学的有害廃棄物の処理の流れは，分別，貯留保管，回収運搬，検査，外注準備，中間処理，最終処分の七つの作業を通して完結する．このうち，分別と貯留保管は発生源で行われる作業である．事業場ごとに一元管理することにより，排出者の排出責任を全うすることが重要である．事業場内での回収運搬の作業は，以降の検査や外注準備の作業，あるいは外部処理業者で行われる中間処理，最終処分の作業と，発生源で行われる処理とを結びつける位置にある．したがって，排出者は廃棄物の最終処理が完了するまでの排出責任を全うするために，廃棄物に関する情報を実験系廃棄物処理依頼伝票によって伝達しなければならない．

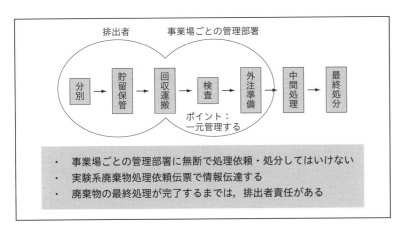

化学的有害廃棄物の処理の流れ

### a．分　別

分別は，発生源で行う処理の第一歩となる作業である．東京大学では化学的有害廃棄物は便宜的に12種に区分されている（次ページの分別早見表を参照）．たとえば，有機物を含む実験廃液は，燃焼熱，塩素濃度，粘度を調節して焼却処理するため，廃液中の含水濃度，有機塩素化合物濃度，機械油などの高粘度物質の分別という視点から，H，I，J，K分類に分けられている．また，分別早見表に示されているように，各区分に優先順位がある（たとえば，早見表の上の位置にあるCと下の位置にあるDが混合した廃液があれば，それは優先順位の高いC分類になる）．

化学的有害廃棄物の分類
(東京大学の例)

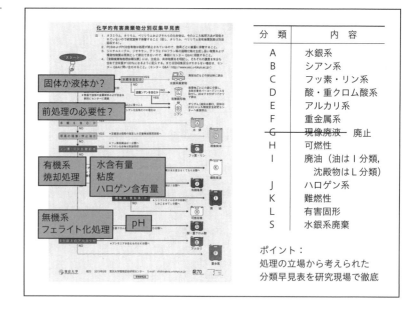

ポイント：
処理の立場から考えられた
分類早見表を研究現場で徹底

| 分類 | 内容 |
|---|---|
| A | 水銀系 |
| B | シアン系 |
| C | フッ素・リン系 |
| D | 酸・重クロム酸系 |
| E | アルカリ系 |
| F | 重金属系 |
| ~~G~~ | ~~現像廃液~~ 廃止 |
| H | 可燃性 |
| I | 廃油 (油はI分類, 沈殿物はL分類) |
| J | ハロゲン系 |
| K | 難燃性 |
| L | 有害固形 |
| S | 水銀系廃棄 |

また，廃液処理の後に排水の基準値を確実に満たすように，早見表の YES または NO の判断は下水道法排水基準値で判断する．たとえば，水銀の排水基準(東京都)は 0.005 mg/L 以下である．1 wt% が 10 000 mg/L に相当することを考えれば，% オーダーでの判断がいかに不適当であるか明白である．日頃から，排水基準値を確認し，廃液中の化学物質の濃度の基準が ppm，ppb オーダーであることを認識しておくことが重要である．

異種の廃液でも，この区分表に従えば同じ区分になることはあるし，内容に応じて混合することも許される．しかし，たとえ同じ区分であっても，同一混合せずに別々の廃液として排出されたほうが，処理が容易になることもある．また，この分別は処理の立場から考えられており，この分別により安全が担保されているわけではない．混合することにより危険性が増大する場合には，たとえ同じ区分であっても混合せずに別々の廃液として排出する．

b. 廃液の排出方法

実験廃液の貯蔵，回収運搬はほとんどの場合，指定ポリタンクを用いて行われる．材質は高密度ポリエチレンで，色と容積の組合せにより計 10 種類で内容を区別している．排出者は，化学的有害廃棄物分別収集早見表に記載されている分類とタンクの種別の対応に従って，実験廃液を貯蔵する．また，はめ込みチップの色で部局を区別し，バーコードラベルにより排出元から最終処分までの管理を行っている．ポリタンクの材質劣化による破損事故などを防ぐため，耐用年数を設定している．また，容量の目安としての目盛と消防法危険物に該当する H および I 分類についてはその 97.5 % 量を示す "危" の目盛を入れ，容量を超えた廃液が入ったポリタンクは回収されないという厳格な管理がされている．

> ■ 指定ポリタンクシステム
> ・有料で排出者に貸与
> ・指定ポリタンク以外では排出できない
> ・色と大きさで内容物を区別
> ・はめ込みチップの色で部局を区別
> ・バーコードラベル
>   （化学物質管理システム）
> ・耐用年数を過ぎた容器は交換
>
> ポリタンク容量ラインに目安の目盛
> 97.5％の容量ラインに"危"の目盛
>
> タンクの製造年月
> 管理用ラベル
> 実験系廃棄物処理依頼伝票添付

指定ポリタンクシステム

c. 有害固形廃棄物の排出方法

　有害物で汚れたスラッジ，布，紙，その他の有害固形廃棄物はL分類として排出される．L分類の廃棄物は，透明ポリエチレン袋に入れて密封する．一袋は容積が10 kgを越えないようにし，袋ごとに内容物の名称と重量を記入したバーコードシールを貼る．排出時は分別したポリエチレン袋から廃棄物の漏えいを防ぐため，さらに大きめのポリエチレン袋に入れた後に，市販のふた付きポリバケツ（容積20 L程度）に入れる．

有害固形廃棄物の排出方法

材質ごとにポリ小袋に入れて密封

材質で分別
< 10 kg
注射針などの異物混入に注意！

伝票をポリ小袋に貼付

大袋にまとめ，ふた付きポリバケツに収容

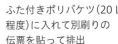

別刷りの伝票を準備

ふた付きポリバケツ（20 L程度）に入れて別刷りの伝票を貼って排出

d. 実験系廃棄物処理依頼伝票

　実験系廃棄物処理依頼伝票は，実験系廃棄物の排出者とそれを処理する者を結ぶ情報伝達媒体である．処理する者は，この伝票に記載されている情報を頼りにして処理するので，できるだけ詳細な発生の経緯や内容物の割合などの記載が必要となる．東京大学では学内専用ネットワークを介してのみ利用できる化学物質管理システム（UTCIMS）により，化学物質の利用の履歴から廃液タンクおよびポリエチレン袋の内容物が記録されている．廃棄物として排出する前に，その記録内容を実際の廃棄物の内容にあわせて編集することにより，実験系廃棄物処理依頼伝票が作成される．伝票中には，内容物に該当する法令が自動的に記載され，さらに排出者によって確認されるべき項

目については,たとえば特別管理産業廃棄物に該当するか否かなどのチェック項目やpHを記入する欄が設けてある.化学的有害廃棄物の回収・処理・処分の管理もUTCIMSにより実施しているため,排出者自身が実験系廃棄物の処理状況を知ることが可能である.このように,実験系廃棄物処理依頼伝票は,UTCIMSにより記録されているため,処理の記録として保管される.

なお,東京大学では,化学的有害廃棄物の排出にライセンス制を採用しており,ライセンスを証する排出者固有に付与している講習修了証番号の記載がない伝票では,廃液処理依頼は受け付けられない.

実験系廃棄物処理依頼伝票

e. 特殊な廃棄物の排出方法

消防法の特殊引火物や爆発性の過酸化物などを生成しやすい物質を含む廃棄物は,東京大学では原則排出できないルールになっている.しかし,ジエチルエーテル,テトラヒドロフラン(THF),二硫化炭素などは日常的に使用されるため,廃棄物総量の10%以下の含有量であれば排出可能としている.

遊離シアンイオン(青酸カリウムやシアン化ナトリウムなど)を含む廃棄物は,酸性環境下ではシアン化水素ガスが発生する可能性が高く,保管,運搬および処理時に多大な潜在危険性を有する.そこで,廃液の場合にはpHを10.5以上に保ち,任意のポリ瓶に入れて,事前連絡のもと,教職員が直接,事業場の廃棄物一元管理部署に運搬して排出することにしている.シアンを含む固体廃棄物の場合にも,十分に密封して,事前連絡のもと,教職員が運搬することとしている.

(2) 生物系廃棄物

生物系廃棄物が化学系の廃棄物と異なる点は,自然界への流出に伴う影響の一般的な予測が,化学系物質の場合よりも困難な点にある.化学系物質にみられるような非生分解性ゆえに有害物質を環境中に蓄積するという問題は少ない.その一方で,とくに微生物の場合は,条件がそろえば増殖する可能性や遺伝因子が伝播する可能性を考慮しなければならず,希釈して濃度を下

げることは一般的な廃棄法とはなり得ない．また流出した場合の影響はその場の生態学的条件に大きく依存するため，一般的な議論は難しい．環境に影響を与えないように廃棄することは化学的有害廃棄物と同等またはそれ以上に困難であるため，実験者（排出者）には発生源において個別にオートクレーブや薬剤処理などによって不活化することが要求される．

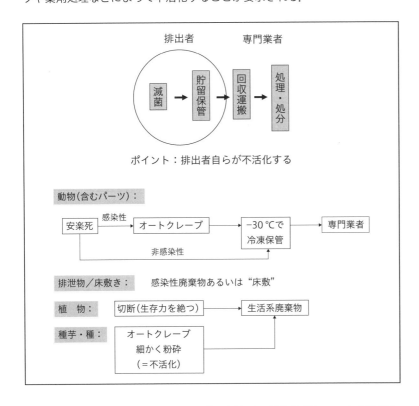

生物系廃棄物の不活化処理および廃棄種別

非感染性血液を含むホルマリンなどの廃液は，層分離がないことを確認し排出するが，Public Acceptance の観点に基づき外部処理業者に"感染性廃棄物"として委託する．

(3) 擬似感染性廃棄物

病院以外の研究施設において，感染性廃棄物ではないが，その形状が医療用器具（注射器，注射針，メスなど鋭利なもの）と同一あるいは酷似しているものが排出されることがある．これらはいったん廃棄物として排出されると，感染性のものに接した履歴の有無を外見から判断することは不可能であり，処理に携わる人はそれが安全であるかを判断できない．処理拒否や混乱のリスク回避のための対策は排出側で自主的に施すべきであるという考えから，東京大学では，この問題について，収集業者や処理業者と協議した結果，Public Acceptance の観点から，このような廃棄物を擬似感染性廃棄物と定義し，キャンパスごとに処理に関するルールを定めた．ただし，注射器と注射針については，すべて感染性廃棄物として取り扱うことを全学ルールとしている．

(4) 感染性廃棄物

廃棄物処理法に基づく感染性廃棄物の定義は，「医療関係機関等から発生し，人が感染し，又は感染するおそれのある病原体が含まれ，若しくは付着

している廃棄物又はこれらのおそれのある廃棄物」とされている．廃棄物処理法に基づく感染性廃棄物処理マニュアルが制定されており，その収集・保管・運搬・滅菌・消毒方法・処理委託の方法などが詳しく規定されている．感染性廃棄物はその形状から，液状または泥状のもの，固形状のもの，鋭利なものの3種類に分類されており，それぞれ色分けされたバイオハザードマークの入った箱に分別して排出することになっている．赤箱は血液や血清を回収するもの，黄色の箱は針など鋭利なもの，橙色の箱はガーゼや脱脂綿などの固形状のものを分別回収し，専門業者に処理を委託する．

**感染性廃棄物の分類**

・血液，血清，血漿および体液（以下"血液等"という）
・病理廃棄物（臓器，組織，皮膚など）
・血液等が付着した鋭利なもの
・病原微生物に関連した，試験，検査などに用いられたもの

収集・保管・運搬・滅菌・消毒方法・処理委託
　　　　　　　↓
バイオハザードマーク
赤：血液，血清
橙：ガーゼ，脱脂綿などの固体状のもの
黄：針などの鋭利なもの

● 排ガス

実験で排出される有害な気体はその場で無害化して排出する必要がある．毒性ガス，腐食性ガス，半導体特殊ガスを用いる場合には，万一の漏えいに備え，モニタリングすると同時に，排ガス処理装置の設置が必要となる．

ヒュームフード（ドラフトチャンバー）は有害物質の拡散防止のための局所排気設備である．有害物質を封じ込める作業空間はファンモーターに接続されて排気されており，排気された有害物質により環境汚染を防止するために排ガス処理装置が接続されている．使用する有害物質に適した排ガス処理設備を設置する必要があり，酸アルカリ用には水溶性の処理装置（湿式スクラバ），有機溶媒用には活性炭吸着の処理装置（乾式スクラバ）が用いられる．

## 排ガス処理装置

**シリンダーキャビネット**
- 毒性ガス
- 腐食性ガス
- 半導体特殊ガス

→排ガスはオンサイトで無害化
（排ガス処理装置：吸着）

**ヒュームフード**
- 試薬など

→排ガスはオンサイトで無害化

- ファンモーター
- ドライスクラバ
- ウエットスクラバ
- 薬品庫
- 前面サッシ
- 廃液タンク置場
- 廃液タンク置場

**本節で学ぶこと**
- PRTR 制度
- 化管法 SDS 制度

# 6-5 化学物質排出把握管理促進法

化学物質による環境リスクを継続的に低減していくためには，規制的な手法に加えて，自主的な化学物質管理が必要である．このような背景から，1999 年に，事業者の自主的な化学物質の管理の改善を促進し，化学物質による環境の保全上の支障が生ずることを未然に防止することを目的として制定された法律が化学物質排出把握管理促進法（特定化学物質の環境への排出量の把握等及び管理の改善の促進に関する法律）である．この法律は，Pollutant Release and Transfer Register 制度（PRTR 制度）と Safety Data Sheet 制度（SDS 制度）を柱として，事業者による化学物質の自主的な管理の改善を促進し，環境保全上の支障を未然に防止することを目的としている．

## 1. PRTR 制度

PRTR 制度への対応

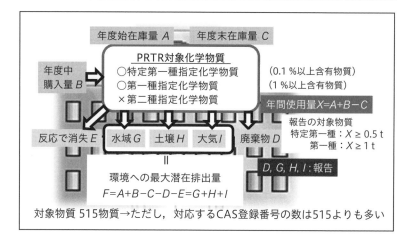

環境の保全上の支障を未然防止するための化学物質の"入""出"についての自主的管理を促進する必要があり，第一種指定化学物質（515 種類，2023 年 4 月 1 日現在）のうち，年間取扱量が各事業場で 1 t 以上（特定第一種指定化学物質は 0.5 t）の場合，事業場外への排出量と移動量（廃棄物移動量と水域，土壌，大気への排出量）を国に報告することが義務づけられている．東京都においては，PRTR 制度と類似の制度である都条例（東京都環境確保条例）により，適正管理化学物質（59 種類*）のうち，年間取扱量が 0.1 t 以上の物質の排出量，移動量などを都に報告することが義務づけられている．

＊ 第一種指定化学物質と合致しない物質は 14 種類

## 2. SDS 制度

事業者が対象化学物質等をほかの事業者に譲渡・提供するさいには，その情報の提供を義務づけるという制度である．対象となる化学物質は，人や生

態系への有害性があり，環境中に広く存在するまたは将来的に広く存在する可能性があると認められる物質として，PRTR制度の対象物質である第一種指定化学物質(515種類)のほか，SDS制度のみ対象となる第二種指定化学物質(134種類)が対象となる．

提供される情報は，① 化学物質等および会社情報，② 物性，成分情報，③ 危険有害性の要約，④ 応急処置，⑤ 火災時の措置，⑥ 漏出時の措置，⑦ 取扱いおよび保管上の注意，⑧ ばく露防止および保護措置，⑨ 物理的および化学的性質，⑩ 安定性および反応性，⑪ 有害性情報，⑫ 環境影響情報，⑬ 廃棄上の注意，⑭ 輸送上の注意，⑮ 適用法令，⑯ その他の情報である．

## 6-6 まとめ

　研究開発現場で，安全を確保しなくてはならないことは大前提である．また，コロナ禍では感染拡大防止対策も大切であった．加えて，大学・企業の研究活動が環境汚染の原因になってはいけないことは当然で，地球温暖化防止を目指しているなかで，さらに環境負荷低減の意識を高くもつことも重要である．つまり研究推進とともに，研究レベルを維持しながら事故の未然防止などの安全性確保，感染対策，環境配慮，すべてがバランスしていることが重要である．

---

参考文献
1) 環境影響評価法に基づく基本的事項(環境庁告示第八十七号)
2) 中谷 準，飛野智宏，辻 佳子，大学キャンパスから排出される廃プラスチックの循環利用の促進に向けた組成分析，環境と安全，12, 11(2021).
3) 東京大学環境安全研究センター発行，"環境安全講習会テキスト"(2023).
4) 東京大学環境安全研究センター発行，"環境安全指針"，第10版 第Ⅰ部および第11版 第Ⅲ部.
5) 日本化学会 編，"安全な実験室管理のための 化学安全ノート第3版"，丸善出版(2016).

# 7　実験研究における安全管理と危機管理

## 7-1 はじめに

　実験研究を遂行するために，研究者はさまざまな化学物質，器具，機械などを駆使し，自身のアイデアと組み合わせることで素晴らしい研究成果を生み出している．しかし，実験や分析などの操作には多くの危険が潜んでいることを忘れてはならない．実験は，新しい物質や新しい技術を求める研究者の探求心に基づく自発的な作業である．これは企業などにおける管理された製造などの現場とは異なり，実験の過程において，絶えず新しいリスクが生じ，そのリスクを知り，適切にコントロールしないと，ときに大きな事故，被害になることはこれまでの章で述べてきたとおりである．

　化学実験で想定される事故・災害は多種多様である．実験者自らが被災する例としては有害な化学物質による中毒・薬傷，実験器具，装置などの不適切な取扱いに起因する負傷の発生などがある．また，実験に伴って，火災・爆発が発生する場合や，有害物の大気や水域への漏えい，漏水などの事故も多数発生している（2章参照）．

　実験者にとって，こういったリスクから自らの身を守るのは当然であるが，実験室内の別の実験者，建物内の構成員，あるいは被害規模によっては組織全体あるいは組織外にも影響が及ぶことがある．

　化学実験に携わる研究者は研究成果を世の中に発信することと並行して，危険なものを取り扱う以上，さまざまな規制が法的にも定められており，それらを遵守することが求められる．

　それに加えて，法令とは"社会規範を保つための最低基準"を示しているにすぎず，世間からは倫理や社会的常識に従った行動が求められ，このためには法令で定められている以上の自発的な努力が必要である．企業や大学，研究施設においては，法令遵守も含め，安全に対しての規範や構成員への要求事項を定めており，研究者はこれらの情報も十分に頭に入れて活動することが重要である．

# 7-2 研究現場における安全活動

**本節で学ぶこと**
■ 現場の安全向上
■ 安全の組織的な運用

研究現場では"事故・災害がない"ことで,安全が保たれているように感じていることが多いが,実際には,"事故・災害がない"状況でもリスクがなくなったわけではない.またとくに実験研究においては,その進展に伴って,リスクも変化していく.そのリスクをコントロールするために実験室単位や組織全体など,さまざまな規模で行う安全管理,安全活動がある.本節では,研究現場で行う安全活動の例を概説する.

参考図書:"安全衛生推進者の実務"中央労働災害防止協会 編集・発行,など.

## 1. 現場の安全向上のために

昨今,事故災害発生の状況として,以下のような問題点が指摘されている.
・無事故の現場でも許容できない事故災害のリスクが依然として存在している.
・実験者の危険に対する感受性が弱くなっており,危険が存在しているのにそれに気づくことができず,危険回避行動がとれない.
・自動機械などが進歩し,導入が増えることで,実験者自身がその操作に従事しなくなり,危険源・操作に触れる機会が減っている.
・ルールや法規則を守ることそのものが目的化し,安全に業務を遂行するという本来の目的が見失われてしまう.

事故が発生していないことで"安全"と勘違いしてしまい,俗に"安全ボケ"と称される状況を生み出す.危険源の洗い出しと対策を怠ることは,予期しない大きな災害が発生することにつながる.

実験に潜むリスクに対応し,安全に実験を行うために必要なものが安全対策,安全活動である.個々の危険源に対しての対策についてはこれまでの章で述べてきたところであるが,本項では,総論として危険物などの適切な管理,リスクアセスメント,そして点検などの重要性について述べる.

### ● 危険物などの適切な管理

化学実験では化学物質などをはじめとしたさまざまな危険性があるもの,機器を使用する.これらは潜在危険性をもっているがゆえに適切な使用が必要である.

化学物質に関しては,爆発・火災危険性,健康有害性,環境有害性をもつことはこれまでの章で述べてきたとおりである.この爆発・火災危険性,健康有害性,環境有害性の程度は物質の種類や使用条件,使用量などによって異なる.

化学物質は,とくに有害なものは労働安全衛生法などによって製造,使用などが禁止されていたり,特定化学物質,有機溶剤,毒物・劇物などの分類分けをもとに使用などについて規制されている.こういった規制は化学物質が爆発・火災危険性,健康有害性,環境有害性をもつからこそ,決められて

いるものであり，規制を逸脱した不適切な使用が大きな被害を生むことを忘れてはならない．

一方で，化学実験で頻繁に使用する化学物質でも法規制の対象"外"の物質も多くある．法規制は危険性等が確認できた物質に対して適用されるものであり，膨大な数のすべての化学物質について法規制は適用されていない．法規制がされていなければ危険性等がない，ということではなく，使用のさいには必ずその危険性等を調べ，対策を立てることが重要である．

化学物質の適切な管理について，以下にまとめる．危険性等の程度や，引火等の特性によって必要な管理は異なるが，原則，化学物質は危険性等を有していることを鑑み，以下の管理を適用することが望ましい．

**化学物質の適切な管理**

- ■ **正しい保管管理**
  - ・どのくらい危険なのかの把握
  - ・施錠管理の徹底(毒物，劇物は分別保管)
  - ・耐震対策：棚固定，落下防止
  - ・混合すると危険な物質は区分して保管
  - ・保持量制限：まずもたない，もつなら最小限に
  - ・在庫の適正管理(化学物質管理システム)
- ■ **正しい使用・取扱い**
  - ・局所排気装置(ヒュームフードなど)の使用徹底
  - ・適正な保護具の使用
  - ・火気，高温，静電気に注意
  - ・使用帳簿の作成
- ■ **正しい廃棄**
  - ・一般ごみではない．適正な手順に従った廃棄
  - ・排水溝に流さない

法令によって，保管や使用について規制されている物質も多く，たとえば毒物・劇物であれば，毒物及び劇物取締法に沿って，施錠保管や使用帳簿の作成などが求められる．定期的な行政への報告などが義務づけられる場合もあるので，これらは本書付録の"化学物質に関する法令"も参考にしていただきたい．

上記では化学物質の適切な管理を例にあげたが，それ以外の高圧ガスや病原体，放射性同位体などの危険性等を有するものの管理方法も同様である．入(含保管)と出(廃棄)の管理を行うこと，そして使用段階での危険有害性を把握したうえで使用すること，である．

● **リスクアセスメント**

リスクアセスメントとは実験室にある危険または有害な要因を探し出し，もたらす可能性のある被害規模と，それが起こりうる可能性を調べ，対策をとっておくことである．

一般に，リスクアセスメントの手順としては
- ・実験における危険性または有害性(ハザード)を特定する．
- ・その危険性または有害性によって生じるおそれのある負傷，疾病の重篤

度(被害の程度)およびその発生の可能性の度合い(発生の確率)などによりリスクを見積もる.
・そのリスクの大きさに基づいて対策の優先度を決め,そのリスクを許容可能な大きさにするための低減措置を検討する.
・そのリスク低減措置を実施する.

というのが一連の流れである.

リスクアセスメントの具体的な手順や考え方などは専門書やWebサイト*などが存在するため,本書では割愛するが,とくに実験環境においては多数の危険性,有害性があることはこれまでの章で述べてきたとおりであり,実験室に潜むリスクをアセスメントすることは実験者にとって必須の対応といえる.

また,実験室は一個人のみが実験するわけではなく,同僚などが実験をしていることも多い.こういったリスクの情報あるいはリスク低減措置の情報などの共有,継承は重要であることを加えておきたい.

昨今,リスクアセスメントという言葉をよく耳にするようになったのは,化学物質に対して実施することが大きく取り上げられたためであるが,これまでに述べてきた化学実験のリスクを考えれば,リスクアセスメントが必要なのは,化学物質を使った実験に限ったものでないことは明らかである.

\* 厚生労働省,"職場のあんぜんサイト",化学物質のリスクアセスメント実施支援ページ
http://anzeninfo.mhlw.go.jp/user/anzen/kag/ankgc07.htm など

● 点検・巡視の重要性

研究現場の安全を確保するためには日常の安全衛生点検や,安全パトロール(巡視)が不可欠である.

安全衛生点検は安全衛生管理において基本となるものである.本来,実験の計画段階で安全を確保する必要があり,機械設備などは設計段階で法令に定める基準に合致していなければならない.危険性の事前評価を実施しても,実験を開始した後には予想もしなかった不具合が発生することが多い.とくに実験においては未知の事象の解明にチャレンジする行為であるため,その予想外の不具合が連続しているともいえる.

こういった事態から生じる事故を防止するためには,時間の経過による劣化や故障,あるいは実験過程を踏まえた手順の変更や機器の改造などに対応した安全衛生点検が不可欠であり,初期段階での安全衛生点検に加えて,実験研究の進展に追随した定期的な点検を行うことが望ましい.点検は実験などの過程からいくつかの段階に分けることができる.

(1) 実験計画段階での点検

使用する化学物質などの危険性・有害性,保管・使用法,使用する機器・装置の設置条件,耐震対策など.法的に事前に届出が必要なものもある(局所排気装置など).

(2) 実験開始前点検

実験を開始する前に機械設備などの点検を行う.原則,実験前には毎回行う必要がある.たとえば,機械の安全保護カバーが設置されているか,あるいは保護具に故障や破損がないか,使用期限があるものはその期限を過ぎていないか,など.

(3) 実験終了時点検

実験が終わり，実験室を離れる前に行う点検になる．実験がすべて終了しているかどうか，次の実験を開始するまでに静止状態にしておいて問題ないか，など．

(4) 日常点検

実験開始前点検，実験終了時点検を補うもので，とくに開始前や終了後が静的な状況を点検するのに対して，日常点検は実際の実験を行っている最中に行うものである．測定機器・センサーなどを用いて異常を感知することのほか，五感によって異常を感じたりすることもこの日常点検に該当する．

(5) 定期点検

周期を決めて行う点検である．法令で定められている定期自主検査（たとえば局所排気装置では，1年以内に1回の定期自主検査が，遠心分離機やオートクレーブなどの圧力容器では，使用の条件などに応じた定期自主検査が義務づけられている）などはこの定期点検に該当し，検査項目は具体的に定められている．法定以外でも定期的な清掃や，消耗品の交換なども必要になるため，日常点検に加えて，年に1～2回程度の設備，機器の部品類も含めた全体的な定期点検を行うことも重要である．

(6) 特別点検

地震が発生した場合や，停電，浸水などの被害を受けた場合の実験再開前に設備の異常の有無を調べる点検である．

こういった点検業務は項目自体もきわめて多く，実験の規模によっては範囲も広くなる．点検漏れ，点検ミスなどを防ぐためには，チェックリストを作成し，それに基づき点検を実施することが重要である．設備や機器によっては製造メーカーや行政などがフォーマットを用意しているものもあるので，確認するといい．実験室における安全点検のための点検フォーマットは，専門書[*]や大学研究機関のWebサイトなどでも公開されているものもあるので，参考になる．

[*] たとえば，鈴木 直ほか 著，"大学人のための安全衛生管理ガイド"，東京化学同人（2005）など．

チェックリストも含め，設備，機器などを使用するさいの日常点検では，点検記録を装置ごとに備えておくことも重要である．設備などによって点検内容も異なるが，異常動作していないか，異音がないか，熱をもっていないか，破損がないか，といった点検に加えて，たとえば局所排気装置などであれば，簡易的な排気風速の確認，高圧ガスの使用であればボンベの残圧の確認，ガスセンサーなどの指示値の確認などの定量的な記録を残しておくことも重要である．日常点検は通常時からの異変をいち早く察知するために行うものであるため，日常の点検記録は事故防止や不具合原因の特定のために重要になる．

安全衛生点検において，発見された不具合は当然改善する必要がある．現場において改善を実施することが最優先であるが，ほかの実験室や組織全体にかかわるような不具合については，改善策を共有することも重要である．安全関係の委員会や会議などで対策を検討することは同種の事故の発生を防ぐためにも効果的な対応であり，そのためには不具合事象の報告等の体制を構築しておくことも重要であろう．

安全衛生点検を行う場合，日常的に当該者が行うことに加えて，"職場巡視"が重要である．職場巡視は"第三者の目"で実験室の安全管理状況を評価してもらうことであり，見落としている可能性のある危険源，あるいは専門家の目線で確認してもらうことで内在している問題を知り，改善への支援と協力を得る機会となる．とくに労働安全衛生法では法定上の産業医，衛生管理者による定期的な職場巡視が義務づけられている．

産業医や衛生管理者などの法定の職場巡視に加えて，別の実験室の担当者が職場巡視するような，相互の職場巡視をしている例などもある．これはほかの職場や実験室を見るよい機会であり，問題点の指摘だけではなく，職場巡視で知った先進事例を自らの職場，実験室にフィードバックすることにもつなげることができる．

---

- ■ **整理整頓**：机上，実験室内の整理整頓および非常用設備（消火器，消火栓）付近の整理整頓
- ■ **防災・地震対策**：転倒防止，落下防止，移動防止，またとくに危険性の高いもの（化学物質など）の転倒・落下防止
- ■ **薬品・高圧ガス管理**：薬品の保管管理，施錠管理，総量管理，局所排気装置の使用，部屋内の薬品使用，臭気，保護具の着用
- ■ **電気関係**：たこ足配線，アース，コンセントの汚れ，水回りでの設置，床への直置き
- ■ **その他**：必要な掲示や標識

---

職場巡視時に指摘されるポイントの例

ここで，実験室における職場巡視時に問題として指摘されるポイントの例をあげておく．

これらは実際に職場巡視時に指摘されるポイントだが，当該者自身が行う日常点検も含め，点検・巡視するポイントは"静的"なものがほとんどである．静的な状態でのチェックももちろん重要であるが，よりレベルの高い点検，巡視を行う場合には，実験の操作自体の問題点の確認や，機器が動作している段階での確認など，"動的"な状態も確認することが望ましい．

## 2. 安全の組織的な運用のために

### ● 安全管理体制の例

これまでに述べた安全に関する活動を円滑に進めるためには，組織的な対応が必要である．この安全に関する組織体制に関しては，労働安全衛生法により安全衛生管理者と安全衛生委員会および産業医による安全衛生管理体制が定められている．この体制は大学のような教育研究機関でも例外ではなく，構成員の人数等によって必要な管理者の設置や委員会などの設置が義務づけられている．これらを機能的に運用させるために，各組織では長（大学であれば学長など）のもと，安全管理担当責任者を定めて，安全衛生管理に関する責任と権限を与えている．加えて，補佐する組織として，たとえば環境安全衛生管理室を設置し，組織内の安全管理の専門家から選任した者をメン

バーとしている例もある．

こういった環境安全担当部門の業務は大学としての方針策定と目標，計画の立案から始まり，教育および教育資料の作成，法定の届出，職場巡視，各種委員会の事務局，産業医活動の支援，化学物質などの管理，廃棄物管理，緊急時対応策の整備と訓練，事故災害発生時の対応と再発防止，社会との連携など多種多様である．これらの業務を遂行するにあたっては，各部局，保健センター，広報部門，施設部門などとの連携が必須である．

昨今，産業界では企業活動も環境・安全だけではなく，社会の一員としての活動を意識するようになり，企業の社会的責任（CSR：corporate social responsibility）が経営戦略に組み込まれるようになった．これに伴い，企業情報開示として，環境報告書やCSR報告書などにより社会への報告を行うことが常となっている．大学などの研究機関でもこの考え方は同様であり，事故災害や有害物の漏えいなどは，社会，一般市民の抱くイメージを壊すことにもなり，大学としての社会的責任が問われる傾向が強まっていることを忘れてはならない．

昨今の労働災害防止のための取組みは，個人の能力や経験への依存から脱却し，システムとして運用することで，安全衛生活動を組織的・継続的に維持・改善していく手法が重要視されてきている．厚生労働省の推奨する"労働安全衛生マネジメントシステム（OSHMS：occupational safety and health management system）"* がそのシステム化の例であり，リスクアセスメントなどの先取り型の管理と，マネジメントの組織全体でのシステムとしての運用への転換がはかられ，昨今ではこの労働安全衛生マネジメントシステムのさまざまな指針などが公開され，多くの企業がこのような取組みを進めている．

また，国際標準化機構（ISO：International Organization for Standardization）においても労働安全衛生マネジメントシステムに関する国際規格であるISO45001が2018年3月に発行され，国際標準の規格としても，労働安全衛生が重要視されている．

今や安全衛生管理，労働災害発生の防止は組織全体で取り組むべき重要な業務であり，運営，経営のための重要な要素として位置づけられている．

＊　参考：厚生労働省，"労働安全衛生マネジメントシステム　〜効果的なシステムの実施に向けて"
https://www.mhlw.go.jp/bunya/roudoukijun/anzeneisei14/dl/ms_system.pdf

# 7-3 事故時の対応と再発防止

> **本節で学ぶこと**
> ■ 緊急時の対応と考え方
> ■ 通報連絡
> ■ けが人発生時の対応
> ■ 火災・爆発発生時の対応
> ■ 漏えい発生時の対応
> ■ 漏水発生時の対応
> ■ 事故情報の共有と有効活用

　火災，爆発，あるいは漏えいなどの事故，災害が起こったときは，ただちに応急処置，消火などの対応をとることが重要であり，この対応を適切に行うことによって，被害の拡大を防止できる．本節では，事故が発生したさいの緊急時の対応，通報連絡，けが人が発生した場合や火災・爆発，漏えいなどの緊急時の対応について，具体的な対応を述べる．

## 1. 緊急時の対応と考え方，通報連絡

　緊急事態はいつ発生するかわからず，また，発生した場合，関係者は慌てて何をしたらいいかわからなくなりやすい．緊急事態がいつ発生しても対応ができるように，想定される各緊急事態について，何をしたらいいのか，誰に連絡をすればいいのか事前に整理しておく必要がある．事故の種類によっても対応は異なるため，個別の対応は後述するが，総じて，緊急時の対応としては，以下の点を把握しておくことが重要である．

- 事故の場合，慌てず，人を呼んで処置を依頼する．
- とくに化学実験にさいしての事故発生時には，被災者の救出に向かった者が被災するなどの二次被害が発生することもあるので，単独で救出に飛び込むなどは控える．
- 応急処置ができるように，実験内容に応じて救急用品を準備しておく．AED (automated external defibrillator：自動体外式除細動器) の場所を確認しておく．
- 事態に応じて，屋内消火栓，消火器，緊急シャワー，洗眼器などを使用する．これらの設置場所を把握し，使える状態にしておく（点検等）．
- 緊急連絡網に従って，実験室の管理責任者（指導教員）に連絡する．事故の内容によっては館内放送などを活用し，即時連絡する．

　とくに重要となるのは"自分がいる場所の「備え」"を確認しておくことである．とくに化学実験を行う場合，危険有害性をもつものを多く使用するため，その使用するものに応じて，必要な備えを考え，整備しておくことが重要である．

　このような緊急時の対応としては，現場の対応と組織としての対応が必要となるため，連絡体制が必須である．現場の対応としては，まず人命の保護が第一であり，負傷者がいれば救助し，その場にとどまることが危険な場合は避難する．同時に緊急事態を通報連絡することが重要となる．通報連絡には，① 救援のための連絡，② 避難のための連絡，③ 組織対応のための連絡，がある．組織は緊急事態の連絡を受けた場合，組織内の関係者のみならず，外部（他部局，大学の周辺関係者，監督官庁の行政など）への連絡対応も組織として考えなければならない．こういった点を踏まえて，緊急連絡すべき事項，連絡先を確認し，緊急連絡網として整備し，緊急時に即確認できるよう

にしておく必要がある．入口の見やすい場所などに掲示しておくことも有効な対策である．

　緊急連絡網は，つねに最新のものである必要がある．一度作成すると更新を忘れ，古い情報のまま掲示されている状況などないだろうか？　年度の変わり目，人の入れ替わりの時期には必ず最新の情報を確認し，現場においても共有しておくことが重要である．

## 2. けが人が発生した場合の対応

　事故，災害時に起きる大きな問題として，けが人(傷病者)，急病人の発生がある．緊急時にはこのけが人，急病人の救出，手当，医療機関への搬送を最優先に行う必要がある．

　けが人や急病人が発生した場合，まずは緊急を要するかどうかの判断が重要となる．一般的に緊急を要する場合は，意識がない，呼吸困難，激痛，出血が止まらないなどの場合であり，この場合，救急車を要請する必要がある．なお，人が倒れた場合などに救急救命処置が必要な場合がある．この処置の方法については，日本救急医療財団心肺蘇生法委員会がまとめた救急蘇生法の指針＊が詳しい(5-6節も参照)．

＊　一般財団法人　日本救急医療財団，"救急蘇生法の指針" https://qqzaidan.jp/publish/

心肺蘇生の手順

- 周囲の安全を確認してから近づく．
- 肩(鎖骨の部分)を叩きながら声をかけて，反応があるかを確認する．
- 反応がなければ，周囲の人に応援を求め，119番通報とAEDを手配する(判断に迷った場合は119番電話口で通信指令員に相談する)．
- 呼吸を観察し，心停止の場合(わからない・迷う場合も)，胸骨圧迫(心臓マッサージ)を行う(可能であれば，人工呼吸を組み合わせる)．
- AEDを使用する．
- 救急隊員が来るまで，心肺蘇生を続ける．

　こういった救急救命処置については，救命救急講習会などで実習形式でも学ぶことができるため，万が一に備え，受講をお勧めする．なお，AEDは心臓に電気ショックを与え，正常なリズムに戻すための医療機器である．医療従事者ではない一般市民でも使用でき，大学などの組織の建物や，街中(空港，駅，スポーツクラブ，学校，公共施設，企業など)でも，人が集まるところを中心に設置されている．

　注意すべきなのは，化学実験を行っている部屋においては，倒れている原因が毒性ガスや酸欠，その他さまざまな危険源による場合がある点である．実験室内で行われている実験の内容や安全に関する情報などは共有しておくことが不可欠であり，緊急時には，実験室の状況やまわりの状況，あるいは設置されているセンサーによる確認などによって原因を即時に判断する必要がある．

　緊急性がないと判断される場合は，救急用品などで応急処置をし，必要に応じて医療機関を受診する．救急用品も，使用している有害物などに応じて，常備しておくべき用品を確認しておくことが重要である．

　化学実験において，頻発するけがとして，高温物による熱傷と，腐食性・

刺激性のある化学物質による薬傷がある．

　熱傷を負った場合の応急処理はすぐに冷却することが重要である．衣服の上から流水で冷却する．熱傷を負った部位などによって異なるが，おおよそ20分程度は冷却する（指先や足であれば1時間程度冷やすことで症状が軽くなる場合もある）ことで熱傷の進行を止め，痛みも抑えることができる．創部を冷却しながら，できるだけ早く皮膚科医の診察を受けることで早期の治療につながる．

　化学実験の場合，酸やアルカリのように腐食性・刺激性の高い化学物質を使うことも多く，これらは皮膚刺激性もきわめて高いため，薬傷を引き起こす．また，有機溶剤のように皮膚刺激性は低いものの，眼刺激が高い化学物質は眼に損傷を与える．眼に化学物質が入った場合には，ただちに15分以上流水で洗眼することが重要である．また，早急に医療機関を受診する．皮膚に薬品がついたときも，十分な水洗いが重要である．必要に応じて，緊急シャワー，洗眼器を使用することも重要である．緊急シャワーや洗眼器の場所を把握しておくこと，また使える状態にしておくための定期点検が重要であることはいうまでもない．

## 3. 火災・爆発発生時の対応

　化学実験にさいしては，火災・爆発事故が発生することも少なくない．火災・爆発は即時対応が必要な緊急事態であり，その対応によって被害を最小限にとどめることができる．

　実際，今，あなたのいる部屋で火災が発生したらどうするだろうか？　何をするだろうか？　あるいは，隣の部屋で火災が発生したと聞いたらどうするだろうか？　その行動を想定できるかどうかで緊急事態時の行動が大きく変わるため，まずは自身のいる環境下で考えてみるといい．とくに，われわれのまわりには，消火器，消火栓，火災感知器，防火扉など，火災の早期発見のための設備や，被害を拡大させないための設備が多数ある．被害の拡大を防止するため，これらの設備の効果，設置場所を確認しておくことが重要である．

### ● 火災発生時の初期対応

　火災が発生，あるいは火災に遭遇した場合，人命を守ることを第一に行動を起こす必要がある．とくに化学実験時には，消防法危険物などの火災を急激に拡大させるものが多数あるため，現場の状況判断がきわめて重要である．一般的な火災発生時の行動を以下に示す．

- **周囲に知らせる**：大きな声や火災報知器を作動させることで，火災が発生したことをまわりの人に知らせる．とくに，人間は非常ベル音や感知器発報放送を聞くよりも，人の"火事だ"と叫ぶ声を聞くほうが，危機事態を認識するスイッチが入りやすいため，まずは大声で"火事だ"と叫び，近隣に知らせることが重要である．緊急事態であるため前述のとおり，単独行動は危険であるので，人を呼ぶことで複数人での対応が可能になることもあわせて，まずは周囲への周知は絶対である．
- **安全に避難する，避難させる（避難誘導）**：けが人や障がい者など自力で

の避難が困難な人を安全に避難させることを最優先する．建物内の避難誘導のためには館内放送設備を使用することも効果的である．

- **119番通報**：すみやかに119番通報と組織内の定められた部署に通報する．けが人がいる場合は火災だけでなく，けが人の情報も通報することを忘れてはならない．

もちろん小火程度であれば，水や消火器などで自力消火することも考える．そのためには普段から消火器などの設置場所，取扱い方法などを訓練などを通じて知っておくことが重要である．また，火災の原因，範囲，燃焼物の性質や量などを理解していないと，爆発，有毒ガスの発生などを招いたり，適切な消火方法を選択できず消火に失敗する．結果的に，かえって危険な状態を招いてしまうことにもなる．

自力で消火にあたるさいの注意点を以下にまとめる．これらをできるだけ正しく，すみやかに判断することが被害を最小限にとどめ，事故の拡大を防ぐことができる．

**自力で消火にあたるさいの注意点**

- ■ **火災の原因**：どんなことで火災が起こったのか
- ■ **火災の状況**：今，何がどれだけ燃えているのか，近傍や室内にある他の可燃物の種類と量は？　有毒ガスの発生や延焼によって被害が拡大する設備などはないか？
- ■ **消火方法の選択**：原因と状況から考えられる適当な消火方法は何か？　それはすぐに実行できる方法か？
- ■ **消火に従事できる人**：救助と避難誘導にあたる人を除き，消火活動に従事できる能力をもった人員は複数人いるか？　単独での消火活動はきわめて危険である．

上記の判断で否定的な結論や疑問点があった場合，自力で消火することは断念して，延焼拡大の防止措置をとって自身も避難するべきである．このさい，防火扉や部屋の扉を閉めるなどして避難することで，火災や煙の拡散を抑制することができる．

避難時には，煙をいかに吸い込まないようにするかが生死を分ける[*]．このためには，新鮮な空気のある場所（屋外など）に避難することがきわめて重要である．煙は燃焼段階によって色が変わることも知っておくといい．初期段階では煙は白く，この場合，一酸化炭素やその他の化学物質は少ないため，避難にさいしては，短い距離であれば息を止めて一気に走り抜ける．タオルやハンカチで鼻，口をおおって避難する．一方，煙が黒い場合は進行段階であり，不完全燃焼による一酸化炭素やその他多数の化学物質を含む有害な煙が発生している．この場合，煙は上部へ上ることから低い姿勢をとり，壁づたいに避難する必要がある．いずれの場合も部屋の扉，防火扉は煙の拡散を防ぐことができるため，避難時には部屋の扉を閉めること，そして，防火扉のある区域へ避難することで安全な場所に避難ができる．近くの防火扉はどこにあるだろうか？　避難時の行動をすみやかにするためにも確認しておくといい．

なお，初期消火が可能な炎の大きさについては，ガスの発生やまわりの燃焼物の量などにも依存するが，一般的には，炎が背丈程度であれば，初期消

[*] 消防庁が毎年度公表する消防白書の統計によると，火災時の死亡原因の約4割が一酸化炭素中毒である．

火可能と考えられる．炎が天井に達している場合には，炎が天井を伝って，消火者の後ろに回り込んでしまう危険性が高いので，初期消火は不能として避難する必要がある．また，炎の大きさに関わらず，身の危険を感じる，あるいは怖い，と感じた場合には人間は思うように体が動かなくなるため，避難を選択することが望ましい．

● 消火方法の選択

　消火にさいしての"消火方法の選択"はきわめて重要である．自身のまわりで火災が発生した場合，どのように消火するだろうか？ またその消火方法は複数選択できるだろうか？ 実験内容，使用する物質，装置などを考慮し，事前に考え，備えておく必要がある．

　"消火"は燃焼の3要素（可燃物，支燃物，着火源）のどれかを取り除くことで燃焼の継続を阻止することであり，これを踏まえ，消火方法にも"可燃物"を遮断・断ち切る"除去消火"，"支燃物"を遮断する"窒息消火"，冷却して"着火源"から熱を奪う"冷却消火"がある．それぞれの詳細な消火原理などは専門書に委ねるが，消火するための方法が複数あり，実験内容や使用する化学物質などに応じて，適切な消火方法が選択できるよう備えておくべきである．

　また，消火方法によっては，水による損害（水損）や，粉末による損害（粉損）などの，活動に伴う二次的な災害発生や周辺の施設などへの被害波及が生じることになり，これらの被害も考慮して，適切な消火剤，消火方法を選択する必要がある．

　化学実験室内での火災でも，たとえば水（消火栓や水道からの供給）や消火器などは消火方法として容易に選択されると思われるが，それだけでなく，防火布（窒息消火）や乾燥砂なども小さな火には効果的であり，汚損が少なく消火できる方法である．ただし，火災が大きい場合，布や砂では窒息範囲が狭いため，鎮火することができない．発生した火災の大きさなどに応じて，二の手，三の手まで考慮できると被害の少ない有効な消火ができる．

　また，消火器による消火は，消火器自体が施設内にも常備されており，有効な消火手段となる．ただし消火器にも多くの種類があり，その消火剤の選択も重要になる．化学実験にさいしておもに使用する消火器の特徴を次ページの囲みにて概説した．

　その他，実験によっては，水や二酸化炭素による消火が不適である場合も多い．たとえば，アルミニウム，亜鉛，鉄などの金属は高温になると水と接触することで水素を発生する．また，消防法危険物第三類に該当する禁水性物質などは水はもちろん，二酸化炭素とも反応するため，上述の消火器での消火が困難である．リチウム，ナトリウム，マグネシウムなどの発火性金属による火災の場合，本体が黄色く塗られた容器に入った塩化ナトリウムなどを消火剤にした金属火災用消火器もあるので，実験に応じて設置を検討しておくことを勧める．

　建物内に設置されている屋内消火栓なども身のまわりの重要な消火設備である．これは大量の水によって放水消火するための設備である．屋内消火栓は消防隊が使用するもの，と勘違いしている人もいるが，この設備は緊急時にわれわれも使用することができる設備である．ただし，大量の水を使用す

消火器の特徴

- **水消火器**：水の冷却作用で消火する．水自体は大きな気化熱をもっているため，強い冷却効果があり，優れた消火剤である．ただし，前述のとおり水損が起こりうる．また，液体の油などの火災に使うと，油層の下に入り込んでしまうため，表面を覆うことができず，消火できない．水のもつこの欠点を補ったものとして，薬液(強化液)，泡などの消火剤がある．とくに薬液と泡の消火剤は現在でも進歩しており，効果的なものが多数世に出てきている．
- **二酸化炭素消火器**：二酸化炭素の窒息作用で消火する．消火後，二酸化炭素は気体になるため，汚損がとにかく少ないが，二酸化炭素はガス密度が小さいために拡散しやすく，効果は持続しない(消火能力は低い)．酸素も少なくなるため，地下街などでは使えない．
- **ABC 粉末消火器**：粉末の消火薬剤による抑制作用で消火する．粉末は第一リン酸アンモニウム，硫酸アンモニウムの混合物であり，消火能力はきわめて高い．ただし，一気に大量の粉末を放出するため，粉末による損害が避けられない．視界が悪くなる．

ることから，適切な操作方法があり，設備によっては二人でないと使用できないタイプもある．自分のまわりの設備を確認し，訓練などで使い方を知っておくことも重要である．

### ● 現場対応の引き継ぎ

消火活動は，前述のとおり，身の危険を負ってまで無理して行ってはならない．消防機関への通報により公設消防が到着した後は，現場対応を公設消防に引き継ぐ．そのとき現場の状況［何が燃えているか，危険物（引火性，爆発性，禁水性，高圧ガス，あるいは放射性物質など）の有無，避難状況］などについて情報伝達を行う必要がある．

### ● 行動分担・訓練

大学や企業などの建物では，一般に消防計画のなかで自衛消防隊が組織されている．自衛消防隊の組織を生かして，これまでに述べたような，通報連絡，初期消火，避難誘導，救護などの役割分担をあらかじめ決めておく．また，これらがうまく機能するためには，定期的に消防訓練を行い，実地訓練しておくことが有効である．避難時に逃げ遅れ者を出さないために，各階ごとに担当者を設置し，全室を確認しながら避難することも有効である．

### ● 爆発への対応

化学実験時には，"爆発"が発生してしまうこともある．爆発は火災と異なり，現象が非常に速いため，発生してから対応や避難しようとしても，爆発現象はすでに終了している．したがって，爆発自体の発生を防止することが非常に重要である．また，被害軽減の対応（被害防止の障壁，防護板や圧力上昇緩和装置の設置など）については事前に準備しておく必要がある．

爆発発生時の対応としては，負傷者の救助や二次災害の回避が主要な内容になる．人命の安全確保が最優先であるので，まずは状況を確認して，現場で負傷者がいないか確認し，発見した場合には現場を確認し，二次災害や被

害拡大が起こらないように注意しながら，救助を行う．可能であれば，爆発した装置が再度発火したり爆発したりしないように安全な状態にする．たとえば可燃性ガスの漏えいをバルブ閉止で止めたり，装置の元電源を遮断して危険な状態を回避する．周囲の状況も確認し，周囲の破壊により倒壊や落下の危険がある状態，あるいは周囲の装置が危険になる状況（危険有害性物質の漏えいや高電圧回路の露出など）があれば，それらに対処して危険な状態を回避する．場合によっては建物全体での電気の遮断などを行う必要もある．緊急時には電気を止めても問題ない状況かどうか（停電により機器の異常が発生しないかなど）は事前に確認しておくといい．

上記の状態確認と同時に，事故の発生を周囲に大声で知らせるなどは火災時の対応と同様である．再度の爆発で広範囲に被害が及ぶ可能性がある場合など，状況に応じてかなり広い範囲で避難が必要な場合もある．

## 4. 環境などへの漏えいが発生したときの対応

化学実験で使用している化学物質，ガスなどの危険・有害なものが実験室中も含めた空気・大気，および水道などの水域，あるいは土壌などに漏えい・流出してしまった場合，緊急事態としてすみやかな対応が必要である．

### ● 漏えい対応の基本原則

漏えいしたもの，あるいは漏えいした場所によっても対応が異なるが，総じて，漏えい発生時の現場では以下のような対応が必要である．人命保護が最優先であるので，これらは無理せず可能な範囲で行うものであり，危険回避ができない場合は避難を優先する．

> 漏えい発生現場での対応

- 対応を行うときは，漏えい物へのばく露を防ぐため，保護マスク，呼吸器や防護手袋，防護服などの保護具を着用する．有害気体や蒸気などへのばく露を防ぐため，漏えい地点へは風上から近づくのが鉄則である．ガス濃度測定器をもって濃度を測りながら活動すればその場の危険状態が把握できる．なお，大量の可燃性気体が漏えいして爆発の危険があるときは保護具を着用しても近づくことはできないので，安全な場所に避難する．

- 漏えいの危険が及ぶ可能性のある場所に近づかないように立ち入り禁止の措置を行う．

- 漏えいの停止を試みる．元バルブ閉止，設備停止，あるいは倒れた容器を立てるなど．

- 気体の場合は，拡散を抑えるのが困難なので，換気などにより漏えい物の濃度の低下をはかる．閉じ込め，あるいは除去が可能であれば，対応する．

- 液体の場合は，可能であれば回収や薬剤などによる除去を行う．回収用のスピルキットや除去用の薬剤は漏えいリスクに応じて事前に用意しておく．

- 現場での対応を行ううえで，漏えい物が何なのか判明しているかどうかで対応に大きな差がある．実験内容，使用化学物質などについての情報共有が不可欠である．漏えい物が不明な場合は複数物質の濃度測定ができるものや，全有機物濃度（TVOC）の測定機器などを活用することも考える．

以下にはおもに化学物質を漏えいさせた場合の，場所(室内空気中，水域，土壌，大気など)ごとの対応について概説する．

● 室内空気中への漏えい

室内空気などへの漏えいが起きた場合，漏えいした物質や状況により危険性が大きく異なるので，状況の確認が重要である．有害性物質の場合は人体・健康への影響が，可燃性物質の場合は火災・爆発発生が，不活性ガスや液化窒素などが大量漏えいした場合は酸素濃度低下による酸素欠乏が問題となる．危険性を判断する目安としては有害性物質の場合は許容濃度，可燃性物質の場合は引火温度や爆発限界濃度，不活性ガスなどの場合は酸素濃度がある．

危険性は漏えい量や漏えいが継続しているかどうか，空間の気密性やその体積，換気状況などにより異なってくる．現場の状況を把握し，以上の点を考慮して危険性を判断する．また，現場確認では，漏えい物にばく露された者がいないか確認して，ばく露された可能性のある者については，医療機関により診断，処置してもらうようにする．

漏えい発生時は影響の及ぶ可能性のある範囲の人間は迅速に避難する必要がある．影響の及ぶ可能性のある範囲は，前述の状況の確認で把握した漏えいした物質や状況の内容を考慮して検討することになるが，安全を優先して広めに考えるべきである．そして，大声で周囲の人に漏えいの発生と状況を伝え，避難を促す．まず周囲の人に伝えることで，通報連絡，避難誘導，初期対応などを一人ではなく，複数人で行う体制をつくることができる．さらに，館内放送などを用いて影響の及ぶ可能性のある範囲に危険を伝え，避難を促し，迅速に避難してもらう．

組織全体への連絡を行う必要があることは緊急事態時の対応として前述したとおりである．漏えいが発生し，拡散を止められない場合は消防署へ連絡する．とくに可燃性物質が漏えいして火災，爆発の危険がある場合や，有害物対応が手に負えない場合は消防隊を要請する．また，医療機関への搬送が必要な場合は救急車を要請する．そのさい，消防隊や救急隊に何が漏えいしたことで発生した被害なのかを伝えることはきわめて重要である．

● 水域への漏えい

水道や排水溝などを通じた水域への漏えいが起きた場合，漏えいさせた化学物質などの種類や量にも依存するが，重大な事故につながる可能性があるため，即時の対処が必要となる．

水域への漏えい事故によって，懸念される事項を以下にあげる．これだけの被害が起こりうることをまずは忘れてはならない．

水域への漏えい事故での懸念事項

- **人の健康被害**：公共用水域への漏えいによる周辺住民や下流域の住民などへの健康被害．
- **水道水質への被害**：水道水として適切な品質を確保することが困難となる．
- **水生生物への被害**：水生生物の大量死や水環境中の生態系に対する悪影響．
- **生活環境への被害**：沿岸地域，水産物，農産物などへの被害．

漏えい事故が発生した場合，緊急時の連絡網に従ってすみやかに関係各所に連絡をする必要がある．水域への漏えいは外部への拡散も速いため，下水などの関連部署として，地方公共団体の環境部局などへの連絡もすみやかに行う必要がある．また，漏えい事故が発生した場合には，法令（水質汚濁防止法）において，ただちに応急措置を講ずるとともに，すみやかに事故の状況および講じた措置の概要を都道府県知事または政令市の市長に届け出なければならない．

現場においてすみやかに実施すべき応急処置について以下にまとめる．

---

- **漏えい物質の拡散防止**：水を使用している場合はまずは止める．止水栓があれば閉めておく．漏えいしている箇所（配管，タンクなど）の漏えいを止める措置を行う．
- **有害物質などの回収**：漏えいした有害物質などを可能な限り回収する．回収時には有害物質であることを忘れずに適切な保護具などを着用したうえで対応する．
- 建物によっては実験排水用の排水桝が設置されており，排水はその桝に一時的に貯留されるため桝において回収が可能な場合がある．その排水桝以降の止水を行い，排水桝に貯留している有害物質の濃度測定や，止水以降の流路に有害物質が排出されていないかの確認を行う必要がある．
- 公共下水などにまで流れてしまった場合は，前述のとおり，地方公共団体の環境部局などへの連絡を行い，同部局の指示に従う．また，必要に応じて，近隣住民を含めた情報公開を行う．

---

> 漏えい事故現場での応急対応

水域関係の法令として，水質汚濁防止法が定められている．同法によって，公共用水域に排出される水の排出や地下に浸透する汚水の規制などが定められている．排水中に含まれる水質汚染物質（有害物質・生活系汚染物質）について排水基準濃度を定め，基準を超過した排水を公共用水域に放流すること，汚染物質を地下に浸透させることを禁止している．同法では個別の化学物質のみでなく，水素イオン濃度（pH），生物化学的酸素要求量（BOD），化学的酸素要求量（COD），浮遊物質量（SS）などの総合的な指標についても規制対象となっている．化学物質などの有害物質の流出はこれらの値に明確に影響するため，厳格に管理する必要がある．

化学物質を使用している実験室は本法での"特定施設"にあたる施設であり，届出，測定・記録，排水基準（国が定める一律排水基準と都道府県が条例で定める上乗せ排水基準）の遵守，事故時の届出などを行う義務がある．

### ● 土壌・大気への漏えい

土壌への漏えいは，化学実験を屋外で実施することは少ないため，頻度は少ないと考えられるが，生じると大きな環境被害を引き起こしかねない．

土壌に漏えいした場合も，原則として上述の水域への漏えいと同様に，漏えい物質の拡散防止，有害物質などの回収を行う必要がある．これに加えて，土壌を経由して地下に浸透した場合，地下水に悪影響を及ぼす可能性があることから，近隣に飲用井戸，水道水源などが存在し，それらの水質への影響

が懸念される場合には，必要に応じ飲用停止などの措置を行い，地下水モニタリングを行い，水質を確認する必要がある．この場合の対応は，前述と同様に関係環境部局などへの連絡のうえで指示に従い実施する必要がある．

大気への漏えいの場合も，原則的な対応は上述の漏えい時と同様である．大気への漏えいの場合，回収は困難であることが多い．大気の場合，とくに悪臭を発生させる物質について，悪臭防止法が定められており，事故が起きた場合の応急措置，市町村長への通報の措置などについて規定されている．

## 5. 漏水が発生したときの対応

前節では有害物の漏えいについて述べたが，"水"が漏えいした場合も緊急事態としてすみやかな対応が必要である．とくに実験現場では大量の水を使用し，実験室には必ず水道が設置されていることからこの漏水のリスクはどの研究室でも大きいことになる．漏水事故は隣室や階下にまで被害が及びやすく，甚大な被害になりやすい．

漏水が発生した場合，まずは早急に漏水源を特定し，止水する．その後，漏水の範囲がどの程度広がっているのかを確認し，隣室，あるいは階下も含め，至急連絡を行う．階下にまで漏水が至っていない場合でも，階下の天井などに溜まっている水が時間の経過とともに落ちてくる場合があるので，水による二次被害を防止するためにも階下にも確認，連絡をすることが重要である．

止水後は水を早急に除去する必要がある．モップ，雑巾などによるふき取りはもちろん，乾湿両用掃除機のように水を吸い込むことができる掃除機もあるため，組織の規模に応じて用意しておくといい．なお，水の除去作業においては，床上浸水することで，電源タップなどの電源が浸水してしまう場合がある．この場合，水を伝って漏電してしまうおそれがあるため，作業時はゴム底の靴を履くなどの対応が必要になる．普段から電源タップなどを床に直置きしないことで，このような感電を防ぐことができる．

目に見える範囲の水を除去できた後，あるいはこの作業と並行して，床下の電気系統や火災感知器などの系統に異常が起きていないかを確認する必要がある．この場合，組織の施設担当などの協力が必要になるため，関連部署への連絡もすみやかに行うようにする．

なお，実験室によっては，排水溝が設置されている場合がある[普段はふた（二つ穴のふたのことが多い）が閉じられている．俗に"掃除用の排水溝"などの名称で呼ばれている場合もある]．この排水溝がある場合，ラジオペンチなどを用いて，ふたを開け，水を流すことができる．ただし，この排水溝があっても下部に排水管が接続されていない場合などもあるので，緊急時に使用できる排水溝かどうかは事前に確認しておく必要がある．

以下に漏水事故が起きやすいポイントと対策をあげておく．

- シンクなどの排水口を塞がない，ごみをためない．
- 水が通るところはすべて漏水の危険がある．配水管が通っている接続部品の割れ，変色などの確認を定期的に行う．
- 配水のホースの接続部は奥まで差し込む，抜け止めをつける．結束バンドでは抜け止めにはならないので注意．
- 配水のホースはひび割れしていないかどうか（とくに端に注意！），硬くなっていない，変色していない，過重がかかっていない（曲がりなど）か確認．
- ホースの径と接続部品の径が合っているか確認する．異径のものの接続は時間の経過とともに緩くなっていくことも多いので，定期的に確認する．
- 無人や終夜運転時は水の使用は極力避ける．使用する場合は，水の勢いを抑え，定常状態になるまで離れない．とくに夜間は日中よりも水圧が高くなるため注意．

漏水事故が起きやすいポイントと対策

## 6. 事故情報の共有と有効活用

ここまで述べてきたように，化学実験には危険が伴う．その関係で残念ながら多数の事故が発生している．これらの事故がなぜ起きたのか，問題点は何だったのかを確認し，再発防止に生かすことはきわめて大事な安全活動である．

事故が発生した場合，緊急事態としてすみやかな応急対応が必要であることは，これまでの項で述べてきたとおりだが，これらの対応の終息後，事故の情報を報告書として記録しておくことは同種の事故の再発防止にきわめて有効な対策となる．とくに軽微な事故の場合，軽視しがちであるが，この軽微な段階で原因を特定し，再発防止を整えることができると，後に発生してしまうかもしれない重大事故を防ぐことにつながる．

組織の運用として，提出された事故情報は内容と原因を精査したうえで，フィールドバックすることが重要である．安全委員会での展開や安全教育の資料としての活用，あるいは職場巡視のさいの情報提供など，活用の幅は広い．

なお，事故災害の報告は，人がけがをした場合のみを対象と考える研究者が多いが，上述のとおり，再発防止を考えるための資料として事故報告は活用するものであるので，設備・機器の破壊，破損，漏えい，漏水なども重要な事故になる．報告を徹底することが望ましい．

なお，とくに被害が甚大であった場合，潜在的に大きな危険があった事故の場合は，事故調査や対策のための委員会を設置して組織的に原因を追究し，再発防止を行うことも重要である．事故調査では直接原因だけでなく，その事故発生の背景的要因を含め，物，人，作業，管理の面から要因を究明することが再発防止策を講じるうえで重要となる．

## 7-4 自然災害発生時の措置

**本節で学ぶこと**
- 地震発生時の対応
- 風水害発生時の対応
- 寒冷被害への対応

地震や風水害などの自然災害は止めることができず，発生すると甚大な被害になりやすい．一方で事前に起きうる被害を想定し，対策を講じておくことで被害を軽減することができる．本節では自然災害発生時の注意点，対策について述べる．

### 1. 地震発生時の対応

国内では，毎年のように地震災害が発生している．その被害は甚大なものであり，いまや"何も対策はしていない"では済まされない状況になっている．とくに実験室においては，危険なものが多種多数あることはこれまでに述べてきたとおりであり，その対策は必須である．

地震発生時の化学実験室の被害としては，建物の倒壊や棚などの什器類の転倒，落下物による被害はもちろんであるが，化学物質，ガスによる火災，漏えいの危険が大きい．地震時の落下，転倒などによって漏えいが起き，混合することによって火災が発生する場合がある．過去の地震でも，大学などの実験施設において，この混合による火災は多発している．火災に至らないまでも棚などから落下した薬品によって漏えいが起これば，前述のような漏えい被害が発生することになる．

その他，実験内容によってはさまざまな危険要因が考えられるため，"この部屋で地震が起きたら……"という想定のもと，事前に考えておくことが必要である．また，地震被害は事前対策を行っておくことで間違いなく被害が軽減するため，耐震，落下などの対策を実施しておくことはきわめて重要である．

地震時に化学実験室で行う対応としては，

- 揺れている間は身を守る．また，可能な範囲で火気の始末や避難経路の確保を行う．
- 揺れがおさまったら状況を確認する．被災者の有無，救助，初期消火，漏えい対応などを行う．
- 避難のため部屋を離れても災害が発生しないように，化学薬品などを片づける．ガス，水道などの配管設備の元栓を閉める．装置を安全な停止状態にする．元電源を切る．火気を停止状態とする．
- 大地震の場合，停電することも多い．実験機器によっては停電によって大きな被害を引き起こす場合もあるので，適切な停止操作を行う必要がある．
- 停電状態から復電したさいに電気が流れることで，被害が生じる場合がある（機械が地震によって壊れている場合も含む）．可能であれば，部屋の電源ブレーカーを切っておくことなども検討する．
- 揺れがおさまり落ち着いてから建物外の安全な避難場所に避難する．

可能ならヘルメットを着用し，履物も瓦礫の上を歩けるような安全なものとする．スリッパなどは不適である．

その後の対応として，組織としての点呼や安否確認などの対応が必要になるが，本項においては割愛する．一点重要な事項として，組織の規模によっては建物を避難施設として活用する場合などがあるが，これまでに述べたように危険なものを保持している建物，あるいはそれらに隣接している建物などは避難施設としては不適な場合があるので，事前に確認しておくことが望ましい．

また，地震による被害は，大きくない地震であっても機器が揺らされることや，化学薬品などの落下がありうることなど，被害が起きる可能性は十分にある．夜間や無人時に地震が起きた場合には，研究室の管理者らは小さな地震であっても，実験室内に問題がないかどうかすみやかに確認に来ることが望ましい．

■ 緊急地震速報について

緊急地震速報は，地震の発生を震源近くで察知し，速報を出すものであり，地震波到着前に地震発生を知ることができる．速報から地震までには短い時間しかないが，速報発報とともに身近で安全な場所に避難して最初の揺れによる被害を防ぐことができる．緊急地震速報が発報した場合，自分が普段いる場所について，どこに待避するかをあらかじめ考えておく必要がある．とくに実験室では什器類や危険なものが置かれており，待避に適していない場所も多くある（机の下に入る場所がない，あるいは危険物が置かれているなど）．各自がそれぞれあらかじめ考えておくことは，大地震時の危険を想定して身のまわりを改善するきっかけにもなる．装置によっては緊急停止する仕組みなどを導入しておくのも有効である．

なお，緊急地震速報の仕組みについては割愛するが，震源から近い場合には速報が間に合わない場合があることも知っておく必要がある．また，組織として緊急地震速報システムを導入していない場合もあるので，確認しておくことが望ましい．最近は個々人がもっている携帯電話からも緊急地震速報が鳴るようになっているが，携帯電話での速報の場合，速報のエリアが広域であることなども知っておくと，万が一に備えた行動が起こしやすくなる．

## 2. 風水害が発生したときの対応

大雨，大雪，台風などの風水害に伴う災害が発生した場合も甚大な被害が予想される．化学実験の場合，同災害が関係するのはおもに大雨などによる浸水，あるいは台風などで窓ガラスなどが割れ，室内に浸水することによる被害が想定される．災害に遭遇した場合は，前節の漏水被害が発生した場合の対応と同様になるが，事前に台風や大雨が想定される場合，床上浸水した場合の対処，あるいは窓ガラスの補強や近辺に装置などを置かないなどの対処を考えておくことで未然に被害を防ぐことができるため，気象予報や警報の予報などを確認しておくことが望ましい．

## 3. 寒冷被害への対応

　その他の自然災害としては，寒冷などの被害があげられる．寒冷による凍結は実験環境においても問題の起きやすい被害であり，流水が停止してしまうことによる被害などが想定される．実際，寒冷地であれば，水系統関係にヒーターなどが設置され，凍結防止などの措置が講じられている場合もあるが，寒冷地ではない場所では，凍結防止の観点がないため，異常気象等が原因の凍結による流水停止等の被害が実際に発生している．前述の風水害の危険と同様に気象予報などで事前に把握することができるものなので，夜間や無人運転を行う場合も含め，確認しておくことが望ましい．

# 7-5　危 機 管 理

> **本節で学ぶこと**
> ■　リスク管理と危機管理
> ■　危機管理の流れ
> ■　保　険
> ■　訓練の重要性

"危機"とは，滅多に発生しない非日常的な出来事で，発生した場合に組織にもたらす影響が大きいものを意味する．人命にかかわる事態や，組織全体の社会的信頼にかかわる事態，あるいは社会に公表すれば高い関心を呼び批判の的となる事態も危機であり，これらの起きてしまった事態をそれ以上悪化させないようにする"被害最小化の取組み"が危機管理である．

## 1.　リスク管理と危機管理

一般的に狭義の定義として，事故や災害による被害を"未然に"防ぐための対策・管理を"リスク管理"，起きてしまった事故による被害を最小限にするための"事後に"行う対策・管理を"危機管理"として定義する．広義にはリスク管理と危機管理の双方をあわせて"危機管理"とする場合もあるが，本節では狭義の取扱いとしてリスク管理と危機管理は分けて説明する．

"リスク管理"は事前に行うものであり，これまでの章で述べてきたような事故や災害による被害を起こさないような"安全管理"はこのリスク管理の一つである．"危機管理"は事故などが起きた場合にその対処，トラブルシューティングなどによって被害を最小限にとどめるための対策となり，本章の 7-3 節で述べた個々の事故災害発生時の対処などは危機管理に該当する．双方の管理どちらも重要であることはいうまでもない．

地震などの大規模な災害が発生した場合，化学実験を行っているかどうかに限らず，対処が必要であり，被害規模などによっては組織全体での危機管理が必要になる．この場合の危機管理の流れは次項で概説するが，化学実験にさいしては危険なものを取り扱う以上，個別のリスク管理，危機管理が不可欠である．まずはその危険源を知り，事前のリスク管理，そして事後の危機管理について把握しておくことが重要である．

## 2.　危機管理の流れ

危機管理は，上述のとおり，事故などが起きた場合にその被害を最小限にとどめるための対策であり，組織などの当事者が世間に対し，情報を公開したり，メディアや地域住民，一般消費者などステークホルダー（利害関係者）から理解と協力を得ようとする活動も総じて危機管理に含まれる．危機管理の失敗は，組織としての信頼損失や，ブランド力低下，構成員の士気低下などにまでつながり，経営の危機にまで直結することを忘れてはならない．

危機管理の具体的な方法については，"危機管理"や"危機管理マニュアルの作成"などの形で専門書や Web サイトで情報が公開されているので，そちらを参照願いたい．本項においては，化学実験を実施する場合にとどまらず，全般的な危機管理の流れについて簡潔に示すこととする．

● 危機管理の流れ

危機管理の流れは総じて以下のようになる．

(1) 危機の認識

まず大前提として，危機管理の大原則は"危機"を認識することである．あたり前のことと捉えられがちだが，危機の認識がなければ対応は始まらない．その事態が危機であり，危機管理が必要な事態なのかを認識することからすべては始まる．しかし，危機は事前に予知できないこと，規模が想像を超えること，そして，これ以上が"危機"である，という基準もないことなどから，この"危機事態の認識"というのは予想以上に難しい．過去には政府や企業などの対応においても，危機を認識できなかったことでその後の問題対処が遅れ，そして世間からも問題視される，という事案は多数起きてしまっている．

危機であることを認識していないとどういう問題が起こるのだろうか？危機はすでに問題，被害が起きている状況である．命の危険，財産が失われる危険などが起こりうる状況であり，その被害をできるだけ最小化するためには何らかの行動が必要であり，認識が遅れれば初動が遅れることになる．初動の遅れは致命的なことにもなりかねない．

(2) 情報の収集，整理，精査

危機を認識した場合，危機管理の流れが始まる．まず最初は"情報を収集・精査すること"である．このための緊急事態時の連絡体制が必須であることはこれまで述べてきたとおりであるが，情報の収集を行い，その情報を整理し，精査する必要がある．とくにこの情報収集のために必要なことは"早さ"である．すでに"起きてしまったこと"に対して，被害の最小化をはかるためには組織にとって悪い知らせを早く知る必要がある．緊急時には，知るべき人がどれだけ早くその事実を知ることができるかが重要である．

"巧緻より拙速"という危機管理の鉄則がある．巧緻な情報は六何の要件などが満たされており，内容がよくわかる優れた情報になるが，この巧緻を求めることは，危機が起きている現場で情報の整理を要求することになり，伝達されてくるのが確実に遅くなる．早く知るためには巧緻を求めないことも重要になる．

また，緊急時の情報収集のさいには，被害のあった場所から情報を集めようとするが，必要な情報が上がってこない場合がある．これはたんに担当者が忘れている，などの場合もあるが，現場の被害あるいは混乱などによって，情報が"上げられない"という事態になっている可能性があることを忘れてはならない．情報収集時には，"情報空白地域"を見逃さないことも必要なことである．こういった場合，情報が入ってくるのを待つのではなく，積極的に取りに行くことも必要である．

(3) 決断(戦略決定・目標設定)

次の危機管理対応は"決断"である．実施すべき行動を決断しなければならない．もちろん決断のためには情報が不可欠であり，情報が不足するなかでの決断はリスクが高い．その得られた情報のなかで"被害を最小化する"ための行動を決断する必要がある．

危機時の決断の遅れによって，被害の最小化がはかれなかった例は多々あ

る．2011年の東日本大震災時の津波襲来にさいして，避難の決断が遅れ，行動しない，という状況に陥ってしまったことで，多くの方が亡くなった事実などはまさに被害を最小化できなかった例といえる．

ここで，消防機関が行う危機対応をあげておきたい．通常，消防機関は"消火"，"救助・救急"を行うが，危機事態時には"消火"を優先すると公言している自治体も多い．これは，消火は消防機関でないと(危険であるため)できないが，救助・救急は近隣との共助でも可能であるという考え方に基づいている．消防機関は，地震などで同時多発火災が起きた場合，延焼率の高いところに投入されることになる．

また，大学等の研究機関は耐火構造の建物も多く，火災には強い建物であることから，消防機関は木造家屋の密集地域などに投入されることになるため，同時多発火災時には大学などには来ないこともあわせて知っておくといい．

### (4) 決断したことの実行

決断したことは"実行"することになる．このさいにもポイントがある．とくに一挙大量投入という考え方は危機管理時の鉄則とされている．火災が発生したさいの消防機関の考え方はまさにこの一挙大量投入である．火災現場には後追い，逐次投入を避けるために一気に大量の消防隊を派遣し，一気に鎮圧するという手段をとる．事態の後追いや，兵力の分散投入では緊急事態の鎮圧に失敗することも多い．

もう一点，現場対応に即して知っておきたい点として，構成員に"複数の任務を与えない"というものがある．緊急時，混乱時には人間は複数の行動を起こすことができない．このため，"一人一任務"という考え方は緊急時には重要な考え方である．

● マスメディア対応

危機管理における重要な活動に"情報の公開"がある．情報の公開は組織外に対する重要な危機管理であり，とくに本項では記者会見などのメディア対応についての考え方を述べる．

情報公開のための最たる方法が"記者会見"である．謝罪会見などのイメージが先立つが，この記者会見はきわめて重要な危機管理である．過去，多くの事故・事件において，この記者会見のいかんが，世間からの非難や会社自体のイメージなどを大きく左右してきた．

マスメディアは組織とステークホルダー(利害関係者)，近隣住民などとの接点であり，その力は甚大である．記者会見とはマスメディアとの情報のやりとりをする場であり，マスメディアの後ろには一般市民がいる．マスメディアの抱く不信感は一般市民の不信感にもなることを忘れてはならない．記者会見は言い訳の場ではなく，真摯な対応で信用を維持・回復し，風あたりを少しでも弱める場である．組織側の危機意識が問われている場でもあることを認識しなければならない．

記者会見はやみくもに行えばいいわけではない．情報公開の場である，ということを認識したうえで，事態の大きさに応じて，実施すべきか否かを見極め，誰がスポークスパーソン(中心に話をする人)を務めるか，内容，言い

方などを慎重に考えるべきである．

また，マスメディアはその特質上，ニュースバリューになるものを取り上げるが，大学・企業などの事故や不祥事は社会の関心も高く，大きく取り上げられることが多い．事故の隠蔽が許されないのは当然であり，事故発生の場合は記者が誤解なく記事にできるように，ポイントを絞って情報公開をするなど，適切な対応が必要である．

情報公開の方法は記者会見だけではない．事態の大きさによって選択すべき情報公開の方法は異なるが，公開の方法としては，組織のホームページにおいて自発的に情報公開し，事故のお詫びと原因究明および再発防止への道筋を明確にすることや，新聞社などの複数のマスメディアに自発的に情報を届けるルート連絡という手段などもあることはあわせて知っておくといい．

近年，SNSの普及により，学生などが興味本位で現場などの関連する写真や情報を勝手に発信することもある．軽率な行動が本人にとっても，事故対応にとってもプラスにならないことを常日頃から教育しておくことも必要である．

## 3. 保険

以上のような安全管理に取り組んでいたとしても，事故・災害を完全に防ぐことはできない．不幸にして事故が発生した場合，治療や復旧のために費用がかかり，あるいは研究室の責任者や組織は種々の面で責任をとるとともに，損害賠償などが必要になる場合もある．事故災害に対する金銭的な対応として保険がある．

保険には，損害保険（火災や地震などに対するもの），傷害保険，生命保険などがあり，状況に応じて適用される範囲が異なる．今，組織や個人で加入している保険はどのような補償がされるものか？　賠償なども適用されるものか？　万が一に備えて確認しておくことも重要である．

なお，組織と労働契約を結んでいる労働者は，おもに労働災害（労災）保険が適用されている（学生などは，一般には大学の労働者ではないため，労災保険は適用されないが，大学との雇用関係にある学生には適用される）．これは労働基準法および労働者災害補償保険法によって法制化されているものであり，労働災害が起きた場合の対処，補償などが明確に定められている．

大学特有の保険としては，学生対象の学研災（学生教育研究災害傷害保険），生協の保険，スポーツ保険などがある．また，国立大学を対象とした国立大学協会保険（国大協保険）がある．加入しているタイプなどによって適用される事故や災害の種類も異なるため，確認しておくといい．

## 4. 訓練の重要性

異常発生時における措置，処置を適切に実施するためには，処置方法などを単に知識として知っておくだけでは不十分であり，実際的な訓練を行い，身につけておくことが重要になる．訓練というと地震時や火災時の避難などの訓練がイメージされるが，これまでに述べてきた緊急事態対応などはすべ

て訓練の対象であり，事故災害などが起きたときに行動が起こせるようにするために実施するものである．

　訓練は，事故などの緊急事態が起こる前に実施するものであるため，リスク管理の一環とも思えるが，事故が起きた場合の対応の流れを確認するためのものでもあるため，危機管理の一環として捉える．訓練は危機が起きたさいの動きを想定し，実施してみるものである．訓練の大事なポイントは疑似体験，イメージトレーニングである．考えることができない訓練はあまり効果がない．そういう点で参加者も当事者意識をもって，自身で考えるようにすることで，その効果は大きく変わる．

　訓練にもさまざまな種類がある．

---

- ■ **消防訓練**：通報訓練，消火訓練，避難訓練などの内容がある．火災時の一連の対応として訓練するのが効果的である．消防訓練は消防法において年1回の実施が義務づけられている．
- ■ **地震訓練**：地震初期対応，避難，本部立ち上げ，本部対応などの訓練がある．これらも一連の対応として訓練するのが効果的である．
- ■ **その他特定の目的の訓練**：意思決定訓練，漏えい対応訓練などがある．

---

訓練の種類

　また，訓練のスタイルとしても，展示訓練として自衛隊や地方自治体のメンバーが活動する様子を見る訓練，あるいは実物の展示を見る訓練や，シナリオ訓練として，企画者が災害発生のシナリオをつくり，そのシナリオのとおりに行動する訓練などがある．それらの効果は訓練の方式で大きく異なるが，企画者の工夫次第でさまざまな効果が得られる．参加者に考えさせる訓練や，より実災害に近い状況での訓練などを企画することで，質の高い災害対応を行うことができるようになる．

　訓練実施後には，訓練時の問題点を洗い出し，改善していくことが重要である．緊急時の対応内容，連絡体制，準備しておくべき設備，装備などについて確認すべきである．逆にいえば，問題点を洗い出せる訓練をしなければ進歩がない訓練となる．

　危機事態時に役立つ訓練は積み重ねが必要であり，時間がかかる．昨今，効果的な訓練の一つとされ，頻繁に実施されている訓練に図上訓練（机上訓練）がある．この訓練は付与された情報を即座に現場で判断し，その行動を展開していくというリアルタイムで進行する訓練であり，対応次第でその後の展開を変えるようなロールプレイング方式などもあり，昨今，さまざまな訓練やワークショップなどに使用されている．

　組織が運営され，実験室において多様な構成員がさまざまな活動を行っている以上，事故や問題が一切起こらず日々が過ぎていくことはありえない．小さな危機であっても対処を間違えば，容易に大きなトラブル・事故・災害に至ることもある．そういった事態を最小限にするために危機管理が必要であり，組織としても，研究室などの単位としても必須の対応といえる．

　こういった対応の流れを明確にしておくために，危機管理マニュアルを作成することも昨今，主流となってきている．上述のような点を参考とし，しっかりとした危機管理マニュアルを作成し，さらにその内容を構成員に共有し

ておくことで，万が一の事態に備えた対応が可能となる．

　2011年の東日本大震災で犠牲になった遺族から多数の訴訟が国県市などを相手に提起されている．これまでは"自然災害は被害者が損害を負担し，他者には責任は発生しない"と法的に考えられていた．昨今は，天災だとしてもなお，関係者が被害を少しでも小さくするよう危機管理に最善を尽くしたかが問われる傾向にある．平時の備えは万全か（平時のリスク管理），いざというときに，できる限り情報を収集し最悪の事態を想定しつつ"人命安全"を最優先に対応したか（有事の危機管理）が重要になっている．

　危機管理をするうえで大切なことは，事態が発生した場合の行動を普段から考えておくことである．考えていないことは危機事態時にできない．事故や災害の情報を見聞きしたとき，あるいはテレビの記者会見を見ながら"自分だったらどう行動するか""自分だったらどのようにコメントするか"と，常日頃からイメージトレーニングする．そのためにはよその事例を対岸の火事と思わずに疑似体験する習慣づけが必要である．疑似体験を積むなかで，次に展開の予測ができるようになる．

　イメージトレーニングというのはあらゆる分野に重要なテクニックである．いかに自分のこととして考えることができるのか，これは安全，危機管理の分野にはもちろん，その他すべての考え方に共通するものである．

# 8 リスク評価と自律的リスク管理

**本節で学ぶこと**
- 化学物質のもつ危険有害性
- リスクの回避

# 8-1 化学物質のリスク

　毒性学の父とよばれているパラケルススの有名な言葉に，"すべての物質は毒であり，毒でないものは存在しない．その摂取量こそが毒と薬を分けている"がある．たとえば，医薬品の投与は，疾病の診断，治療または予防が目的である．そのおもなリスクは投与後の副作用である．過剰摂取は悪影響を与えることがある．そのため，医薬品の投与を受けた人が享受する治癒効果と，被るリスクの適正なバランスを維持する必要がある．

　大学や企業などでは多種多様な化学物質が，さまざまな目的，用途で使用されている．それらのなかには，発火・爆発性，可燃性，引火性などの爆発・火災危険性，腐食性/刺激性，毒性，免疫毒性や発がん性などの健康有害性，大気・水質・土壌汚染，地球環境の破壊などの環境有害性といった，潜在的危険性を有する化学物質が含まれている．どんなに小規模な実験であっても，潜在的危険性を有する物質を扱っている場合には，それによって起こりうる事故や災害の可能性を，つねに意識のなかにおかなければならない．万一の場合に，自分だけではなく周囲にも被害をもたらす可能性がある以上，実験を行う者には環境安全を最優先する義務がある．

化学物質のもつ危険有害性

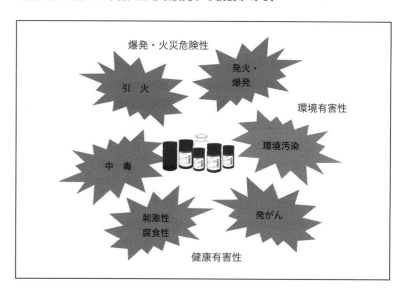

　われわれの実験室を見渡してみよう．化学物質は，危険有害物質であるにもかかわらず，気体は見えない，液体は水と区別がつかない場合が多い，というように見かけでは危険有害物質であるかどうかが簡単に判別できないという性質をもっている．また，時間あるいは混合による変化を伴うという性質や，実験者が使い慣れている物質だから事故が起きるわけがないという思い込みが原因となり事故が起きることが多い．発火・爆発性物質を例にとっても，熱・火災・打撃・摩擦などで発火・爆発する爆発性，着火源があると容易に引火する引火性・可燃性，空気に触れると発火・発熱する自然発火性，

水に触れると発火・発熱する禁水性，混合により発火・爆発性を有する混触危険性，というように化学物質そのものの存在ではリスクはなく，引き金を引いたときに発火・爆発し，事故が起きることになる．すなわち，爆発・火災危険性，健康有害性，環境有害性，のあらゆる観点から，重篤度や頻度を高める"誤って"という要因を起こさないように対策すること，万が一事故が起きたとしてもその重篤度を最小限にとどめるための事前の対策をすることが，われわれが考えるべきことである．そのためにも正しいリスクアセスメントについて理解することが重要である．

## 本節で学ぶこと
- 化学物質管理の考え方
- 自律的な管理への転換
- 化学物質のリスクアセスメントに基づいた自律的管理
- 化学物質管理者
- 保護具着用管理責任者

# 8-2 化学物質のリスクアセスメントの社会的動向

## 1. 化学物質の法令準拠型管理と自律的管理

　労働安全衛生法は，基本的に事業者が労働者の安全と健康を確保するとともに，快適な職場環境の形成を促進することを目的に1972年に制定された法律であり，当該目的にむけて事業者が行うべきことについて規定している．とくに化学物質については，特別規則(特化則[*1]，有機則[*2]など)によって対象物質を規定するとともに，労働衛生管理体制の構築のほか，作業環境測定による作業環境中の有害物濃度の評価，取扱方法，局所排気装置の設置および稼働，個人用保護具の備え・使用・管理，特殊健康診断の実施などの措置について定めている．わが国ではこれまで50年あまり，国が措置義務を具体的に定め，事業者は，これらの規則に準拠することで化学物質による危険や健康障害の防止に取り組むといった"法令準拠型"の化学物質管理を続けてきた．

　一方，欧米でも"法令準拠型"の化学物質管理が行われていたところ，わが国で労働安全衛生法が制定された1972年に，英国で労働安全衛生に関する委員会の報告書(いわゆるローベンスレポート)が当時の英国雇用大臣に提出されたことを契機に，化学物質管理の方向性が"法令準拠型"から大きく変化することとなった．これを受けて英国政府は1974年に「職場における保険安全法」を制定し，"自律的管理"へ転換することとなった．この施策が，のちの危険有害性情報の労働者への伝達を前提としたリスクアセスメントに基づいた労働災害防止施策へと結びついていった．

*1 特定化学物質障害予防規制
*2 有機溶剤中毒予防規制

## 2. "自律的管理"への転換

　"法令準拠型"の化学物質管理が行われてきたわが国において，化学物質に起因する労働災害は毎年数多く報告されているが，休業4日以上の労働災害のうち特別規則による規制物質以外の化学物質に起因する労働災害が約8割を占めている．そんななか，2012年にジクロロメタンまたは1,2-ジクロロプロパンによる胆管がん事例が発生したことなどを受けて，2016年から労働安全衛生法において一定の危険有害性を有する化学物質(2016年当時640物質)を製造あるいは取り扱うすべての事業者においてリスクアセスメントを実施することなどが義務づけられた．

　その後，厚生労働省では，2019年9月から2021年7月にかけて合計15回の"職場における化学物質等の管理のあり方に関する検討会"が開催され，化学物質の"自律的な管理"を柱とする報告書が公表され，行政が50年にわたって続けてきた"法令準拠型"の化学物質管理から"自律的管理"に大きく舵を切ることとなった．

　今般の労働安全衛生法の改正は，特別規則の対象となっていない化学物質

への対策の強化を主眼としている．ばく露基準値などの設定や危険有害性情報伝達の仕組みの整備・拡充を国が行うことを前提に，事業者自身がリスクアセスメントの結果に基づいて，国が定める基準などの範囲内で，ばく露防止のために講ずべき措置を適切に実施する制度を導入するものである．また，"自律的な管理"は，労働者との化学物質の危険有害性情報の共有に基づき，事業者自らが選択する方法に従って化学物質管理を推進するための施策でもある．つまり，これからは，事業者自身がリスクアセスメントの方法を自ら選択し，そのリスクアセスメントの結果に基づきリスクを低減するための対策（リスク低減措置）を考え選択することが可能となる．

## 3. 化学物質のリスクアセスメントに基づいた自律的管理

今般の労働安全衛生法の改正は，リスクアセスメントに係る内容以外に，情報伝達や実施体制，健康診断など多岐にわたっている．ここでは，化学物質のリスクアセスメントに係る内容について触れることとする．なお，労働安全衛生法に基づくリスクアセスメントでは，化学物質による健康障害（健康有害性リスク）だけではなく，引火や爆発など（爆発・火災リスク）についても実施することが求められていることに注意が必要である．

令和 6 年 2 月現在，労働安全衛生法に基づいたリスクアセスメント対象物は 674 物質定められているが，今後は国による GHS 区分が行われたすべての化学物質（環境影響のみによるものは除く）が対象となる予定である．段階的におおよそ 2900 物質にまで拡大することが示されている．労働安全衛生法では，リスクアセスメントは，① 取扱物質の危険有害性情報の調査・把握，② リスクの見積もり，③ リスク低減措置の検討，を指している．リスク低減措置は，リスクアセスメントの結果に基づき，事業者が自らの判断で適切と考えられる方法により実施することとなる．

厚生労働省などでは，これらリスクアセスメントを適切に実施できるようさまざまな支援のための手法やツールの開発を行い公開している（次ページ表）．とくに CREATE-SIMPLE は，利便性の高いツールであることから厚生労働省をはじめ，さまざまな機関，専門家などから利用を推進されているが，すべての作業状況を反映させることができないことから，過小評価あるいは過大評価される場合もある．そのため，"CREATE-SIMPLE ありき"でリスクアセスメントを実施するのではなく，事業者の状況に応じて手法やツールを自ら適切に選択することが重要である．また，当該手法やツールは，あくまで"支援"を目的としており，事業者はこれらの手法等を採用した場合であっても，自らその結果が意味することを理解し，十分に作業状況が反映された結果となっているかを判断することが必要である．

■ おもなリスクアセスメント支援手法・ツール

| 開発元 | 手法・ツール名称 | 対象リスク |
|---|---|---|
| 厚生労働省 | 厚生労働省版コントロールバンディング | 健康有害性 |
| | 爆発火災等のリスクアセスメントのためのスクリーニング支援ツール | 爆発・火災 |
| | 簡易な測定法を活用したリスクアセスメント手法 | 健康有害性 |
| | CREATE-SIMPLE | 健康有害性 爆発・火災 |
| | 作業別モデル対策シート | 健康有害性 爆発・火災 |
| 労働安全衛生総合研究所 | プロセスプラントのプロセス災害防止のためのリスクアセスメント等の進め方 | 爆発・火災 |
| 日本化学工業協会 | BIGDr.Worker | 健康有害性 |
| ECETOC（欧州化学物質生態毒性および毒性センター） | ECETOC TRA | 爆発・火災 |

## 4. 化学物質管理者と保護具着用管理責任者

　今般の改正において，事業場の化学物質管理の技術的事項の管理を担う"化学物質管理者"を，リスクアセスメント対象物を扱うすべての事業場で選任することが求められている（リスクアセスメント対象物が含まれていても，一般消費者の生活の用に供される製品のみを扱う事業場の場合，選任義務はない）．事業場においては，労働者との化学物質の危険有害性に関する情報共有を基盤として，リスクアセスメントを促進するシステムが必要である．自律的な管理のため，このシステムにおいて化学物質管理者がその中心的な役割を担う．

　また，保護具の着用が必要な場合は，化学物質管理者に加えて，"保護具着用管理責任者"の選任が義務化されている．保護具着用管理責任者は，保護具（呼吸用保護具，保護衣，保護手袋など）の適切な選択，管理（保管・交換など）を担う責任者である．

　化学物質の自律的な管理を推進するため，図のような事業場内での化学物質管理体制の構築が求められている．化学物質管理者にすべてを押しつけるのではなく，保護具着用管理責任者や職長などさまざまな立場の人材を活用し，システムが機能するよう努めることが重要である．

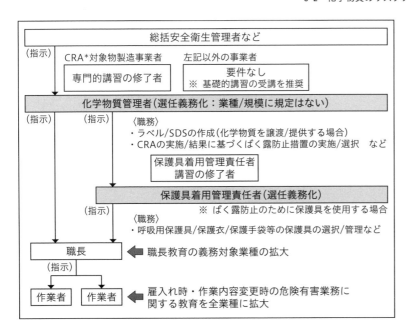

化学物質の自律的な管理にむけた事業場内の体制

＊ CRA：化学物質のリスクアセスメント

本節で学ぶこと
■ 研究現場の特徴
■ 守られる安全から守る安全へ
■ 第三者チェックの必要性

# 8-3 大学等における化学物質のリスクアセスメントの考え方

## 1. 研究，実験の特徴

自然科学研究の特徴として，研究のテーマが多種多様であるのみならず，新規性，専門性が高いため，扱う物質やリスクも複雑多様化している点があげられる．また，研究は時間的制約に強く依存するという面があり，早急な成果を求めて実験スケジュールを組むことも起こりうる．さらに，実験者は必ずしも熟練者ではなく，初心者の学生や研究者の卵であっても実験操作に携わるため，技術の未熟さといった問題が必ずある．このような状況で，研究推進と環境安全の確保を両立させる必要がある．

研究推進と環境安全の両立

- 研究分野の新規性，多様性，学際性 → 扱う物質やリスクも複雑多様化
- 時間的制約 → 成果を早く出したい，研究期間や卒業時期が決まっている
- "実験"の重要性 → 実験しなければ研究にならない
- 実験者は熟練者ばかりではない
  → 初心者の学生や研究者・技術者の卵であっても実験操作に携わる

また，実験室とは，実験器具，機械，化学物質，高圧ガスといった"モノ"が存在し，また，電気，水，高圧空気といった"ユーティリティ"が接続されて装置となり，さらに，それらが"人"によって操作される空間である．実験室は，そこで何もしなければただの箱であり事故は起きない．その中で人がどのようなものをどのように扱っているか，人が何をしているかによって，事故が起きたり，起きなかったりする．つまり，安全を決めるのは，実験室にある"モノ"そのものではなく，"人"が何をどのように取り扱うかによるのである．

さらに，実験室では，一人の人が複数の装置を扱っており，また，一つの装置をスキルの異なる複数の人が共有して多種多様な実験を行っており，さらに，一つのユーティリティが複数の装置に接続されていることを特徴としている．つまり，複数人で"空間"と"モノ"と"ユーティリティ"が共有され，一人一人がそれぞれの研究目的のなかで実験操作を行っている，言い換えれば，複数のシナリオが時間・空間的に共存している状態である[1]．そのため，個々のシナリオで安全な状態を保つ最適化がはかられていたとしても，それが，現場全体では最適解になっていないことがありうる．たとえば，

実験室の特徴

実験室内で作業する 2 名の研究者の有機溶媒のばく露量積算量を測定したところ，自分が使用していない溶媒のばく露量が，自分の使用する溶媒のばく露量と同程度もしくはそれを上回る量で検出される場合があることが，実測例から知られている[1]．

## 2. リスクアセスメントの本質

旧国立大学・研究所も，法人化に伴い，企業と同じように，労働安全衛生法（安衛法）が適用されることになった．学生の場合，大学とのあいだに雇用関係はないので，いわゆる"労働者"には該当しない．しかし，学生は学費を大学に払い，大学は学生に施設を使用させ，教育と研究の機会を提供している．そのため，教員の場合と同様，大学に安全配慮義務があると考えられる．安衛法では，作業者に作業手順を教育せずに作業させた，作業者が指示どおり作業しているかどうか監督指導を怠った，未経験・未熟な者に危険有害な作業をさせた，資格の有無を確認せずに危険な作業をさせた，などの違反があれば，管理監督者の責任が問われる．研究室では，監督者が教員，作業者は学生，という構図になる．研究室に配属されたばかりの学生を含めた大学構成員が，探究心・学術的貢献を目指した非定常的作業を含む実験を行うということは，未経験・未熟な者が作業することにほかならない．大学は，安衛法の想定よりも難しい事情を抱えていることになる．つまり，大学では，作業手順の標準化とその徹底という労働安全衛生管理だけでは"職場における労働者の安全と健康を確保し，快適な職場環境を形成する"ことが難しい．そのため，学生，研究者，教職員ら個々の研究者の規則や規制の遵守にとどまらず，研究者自らが環境安全を自分の問題として捉え，自発的に考える必要がある．

本来，実験研究の安全に関しては，法律遵守とは独立に"ある実験を安全に行うためにはどうすればよいか"という議論が一番先にあるべきである．法律には，守るべき最低限のルールと，問題があったときの責任の所在については書いてあるが，自分の実験研究のどこに危険があり，それをどのよう

に回避すればよいかを教えてくれるものではない．

　では，保護めがねや装置のインターロックシステムといったハードウェアを整備することだけで，実験研究の安全は守られるであろうか？　たしかに，時代とともに実験器具や装置は進化し，予測される人為ミスに対する対策が事前に施されており，実験器具や装置を安全に取り扱う技術やノウハウがなくても誰でも簡単に実験ができるようになった．一方で，ミスをしても事故が未然に防がれるようになったため，危険に対する感性が鈍くなっている．つまり，ハードウェアの整備だけでは，人間の安全に対する感性を鈍化させることにつながる場合がある．

　法律や規則の遵守は当然であるが，法律を守るだけでは安全にはならない．また，道具に頼っていると"安全ボケ"してしまう．では，私たちは何に頼れば安全を守ってもらえるのだろう．実は"何かに守ってもらおう"ということに限界がある．"安全な状態を実現する第一歩は，自らの身を守ることである"という原点に立ち返り，何かに"守られる安全"から自分自身で"守る安全"に発想を転換することが，リスクアセスメントの本質である．そしてそのなかで本人が気づいていない勘違い・思い込み・事故の引き金に対する知識や予見性の不足があった場合に，周囲が指摘する仕組みを構築すること，つまり研究現場に適した第三者チェックを行うことが必要となる．

# 8-4 リスク評価手法

**本節で学ぶこと**
■ 化学物質のリスクアセスメントの流れ

リスク評価手法(リスクアセスメント)は 7-1 節でも述べたように、実験室にある危険または有害な要因を探し出し、もたらす可能性のある被害規模と、それが起こりうる可能性を調べ、対策をとっておくことである.

## 1. 化学物質のリスクアセスメントの流れ

化学物質に関するリスクアセスメントは以下の手順である.
① 使用するすべての化学物質の危険性・有害性を確認する.
② その化学物質の取扱方法を確認する.
③ 使用する化学物質と取扱方法によって生じうるリスクを抽出する.
④ 許容できないリスクが存在する場合、そのリスクを許容できる程度まで低減する対策をとる.

この考えに基づき、簡易的に定量評価することを目的として、多くのリスクアセスメント実施ツールが公開されている.とくに厚生労働省の"職場のあんぜんサイト"には、化学物質のリスクアセスメント実施支援ページがあり、このページにはコントロールバンディング法によるリスクアセスメントや、爆発・火災等のリスクアセスメント入門ガイドブック、CREATE-SIMPLE などの手法が紹介されている*.厚生労働省以外の研究機関等で開発された支援ツールなども紹介されているので、参考にするといい.

以下、実際の化学物質の使用状況に基づき、簡単な事例のリスクアセスメントを実施してみた.アセスメントのツールとして上述の CREATE-SIMPLE を用いることでリスクの推定を行っている.CREATE-SIMPLE は 2024 年 4 月に更新された ver3.02 を用いた.

\* http://anzeninfo.mhlw.go.jp/user/anzen/kag/ankgc07.htm

### ● Topics. 化学物質のリスクアセスメントをやってみよう

**事例-1　アセトンを用いたガラス器具の洗浄作業**
手順:実験室内の洗い場において、洗びんに入れたアセトンでガラス器具を洗浄する作業を行う.作業場に特別の換気装置はなく(全体換気のみ)、一回の洗浄作業でアセトンを 30 mL 使用し、1 回の作業に 1 時間、週に 5 日実施する.

CREATE-SIMPLE にはアセトンの危険性・有害性を示す GHS 分類データやばく露限界値などのデータがあらかじめ内蔵されており、使用条件などを選択肢から選ぶだけで、簡単にリスクを見積もることができる*.詳細な選択肢は割愛するが、この作業条件で見積もられるリスクは

- 吸入リスクレベル(8 時間) → Ⅰ
- 吸入リスクレベル(短時間) → Ⅱ
- 経皮吸収リスクレベル → Ⅰ
- 吸入+経皮リスクレベル → Ⅰ

\* CREATE-SIMPLE はリスクレベルを 4 段階(Ⅰ~Ⅳ)で評価し、
Ⅰ:十分に良好
Ⅱ:良好
Ⅲ:対処すべきリスクがある
Ⅳ:至急対処すべきリスクがあると区分している.また、皮膚刺激性や眼刺激性など局所的な影響がある場合、"皮膚刺激性リスクレベル S" と評価される(段階には分けていない).

- 危険性リスクレベル → Ⅰ
- 皮膚刺激性リスクレベル → S

と見積もることができる．この作業の場合，吸入リスク（健康有害性リスク）レベルはⅠ（十分に良好）であり，もっとも低いリスクレベルとなる．短時間での吸入リスクレベルはⅡ（良好）と評価されるが，より良好な環境を実現するために，洗浄場にも局所排気装置（この場合，シンクフードのようなタイプのものも汎用性が高い）を設けられれば，さらにリスクを下げることができる．また，眼刺激性を有することから，保護具の使用が推奨される．

---

事例-2　メタノールを用いた滅菌作業

手順：クリーンベンチにおいてメタノールをガラス棒につけ，その後，ガスバーナーによって熱し，メタノールに着火させることで滅菌作業を行う．一度に使用するメタノールは10 mL程度，1回の作業に2時間，週に5日実施する．

---

メタノールについても同様にCREATE-SIMPLEにデータが内蔵されており，使用条件などから簡易にリスクを見積もることができる．この作業条件で見積もられるリスクは，

- 吸入リスクレベル(8時間) → Ⅱ-A
- 吸入リスクレベル(短時間) → Ⅱ
- 経皮吸収リスクレベル → Ⅰ
- 吸入＋経皮リスクレベル → Ⅱ
- 危険性リスクレベル → Ⅰ
- 皮膚刺激性リスクレベル → S

\*1　CREATE-SIMPLEでは"吸入リスクレベル(8時間)"のレベルⅡをばく露限界値を基準にAとBに再区分している．Aは良好と判断される．Bの場合，測定等を行い詳細評価することが推奨されている．

と見積もることができる[*1]．良好な状態であるが，メタノールは前述のアセトンと比較して，生殖毒性や特定標的臓器毒性が高いため，吸入リスク(健康有害性リスク)も高めに評価されている．

危険性リスク(爆発・火災危険性リスク)はⅠ(十分に良好)と評価されているが，この作業の場合，メタノールをあえて着火させる工程が存在することを忘れてはならない．単純な爆発・火災危険性のみから判断すれば，危険性リスクはⅠと評価されるが，意図的に引火性液体に着火させるのは当然，リスクを増大させる工程であり，使用量によっては炎が大きくなること，近くに可燃物があることで延焼の危険があること，などの判断をしなければならない．CREATE-SIMPLEは爆発・火災危険性の評価について，化学物質が潜在的に有する危険性に気づくことを主目的にしているため，工程は対象外としている．工程・操作などのプロセスのリスク評価の場合などは，前述の職場のあんぜんサイトに紹介されている"安衛研リスクアセスメント等実施支援ツール"などの使用が推奨されている．

---

\*2　この脱水操作はアルカリ金属＋ベンゾフェノンによる，水分＋酸素除去方法として古くから用いられている．

事例-3　テトラヒドロフラン(THF)の脱水作業[*2]

手順：丸底フラスコの中に100 mLのTHFを加え，その中に0.5 gの金属ナトリウムと1 gのベンゾフェノンを加え，50℃のウォーターバスを用いて，加熱還流を行う．作業は囲い式の局所排気装置(ヒュームフード)内で行い，1回の作業に3時間，週に3日程度実施する．

使用する複数の物質について，同様にCREATE-SIMPLEでリスクアセスメントを行うと，以下のようになる（吸入＋経皮リスクおよび危険性リスクのみ記載する）．

・THF：吸入＋経皮リスクレベル → Ⅰ，危険性リスクレベル → Ⅱ
・金属ナトリウム：吸入＋経皮リスクレベル → Ⅰ，危険性リスクレベル → Ⅳ
・ベンゾフェノン：吸入＋経皮リスクレベル → Ⅱ，危険性リスクレベル → Ⅰ

この作業においては，囲い式の局所排気装置内で使用していることから，吸入＋経皮リスクが大きく軽減されている．局所排気装置を使用しない場合，THF，金属ナトリウムによる吸入＋経皮リスクレベルはⅢ，ベンゾフェノンはⅣになる．

危険性リスク（爆発・火災危険性リスク）については，とくに金属ナトリウムは最大値のⅣとなった．これは金属ナトリウムは，水と反応を起こし，自然発火や引火性ガスなどが発生するおそれがあるためである．

この事例-3の作業において，いくつかの事故が発生したことがある．その例をあげる．

・使用した金属ナトリウムを廃棄するために，不活化（金属ナトリウムの活性が残存しているままであると危険なため，有機溶媒などと反応させ，反応活性をなくす）処理を行っているさいに，水と反応させてしまい，発火から火災となった．
・この作業を加熱還流の形ではなく，密閉したフラスコ内で行い，フラスコの内圧が上昇したことで破裂した．

リスクアセスメントは前述のとおり，化学物質の危険性・有害性を確認，その化学物質の取扱いや作業によって生じるリスクを抽出，リスクを許容できる程度まで低減する，という手順で行うものなので，その危険性・有害性の抽出ができれば，どのような作業でもアセスメント可能である．しかし，逆に危険性・有害性を抽出できなければアセスメントすることができない．上述の事例-3の作業で，THF，金属ナトリウム，そしてベンゾフェノンは使用する化学物質としてその危険性・有害性を確認し，リスクアセスメントを実施したが，事故例にあるような，金属ナトリウムを使用後に不活化処理するさいのリスクアセスメントにまで考えが至るだろうか？　金属ナトリウム自体が水と急激な反応をする，という爆発・火災危険性を知ったうえで，不活化処理という"作業"を行うことのリスクも考えなければならない．もちろん，"密閉"状態で"加熱"するという"作業"を行うことによって，リスクは大幅に増大する．この操作のリスクも考えなければならない．

また，THFのようなエーテル系溶媒は酸素との接触により過酸化物を生成しやすい傾向がある．このため，長時間にわたって蒸留し続けると，爆発性をもつ過酸化物が濃縮されることになり，爆発の危険性が高まる．使用する化学物質の古さ，保存状態によっても，リスクが変化する可能性があることに留意しなければならない．

## 2. 正しいアセスメントを行うために

　化学物質のリスクアセスメントとして，世の中で広く公開されている，あるいは推奨されているツールは多々あるが，多くは化学物質の健康有害性リスク(ばく露リスク)に特化したアセスメント手法を提示するものである．健康有害性リスクは当然，重要な点だが，化学物質には爆発・火災危険性があること，そしてその取扱いや作業にも大きなリスクが潜むことを認識し，正しくアセスメントする必要がある．

　汎用的なツールは簡易的な評価を行うことができるという長所がある反面，ツールによっては爆発・火災危険性の評価がしにくいことや，作業や工程などのリスクを考慮できないという短所などがある．これらのツールの長所と短所を理解したうえで活用することが重要である．また，汎用的なツールに頼ってしまうと，そのツールでリスクアセスメントを実施することが目的となってしまい，本来のリスクをアセスメントするという目的を達成することができなくなることもあわせて認識しておくといい．

　リスクアセスメントによってリスクを見積もった結果を受け，このリスクを低減させる対策を行うことこそ，実験者にとって一番重要なことになる．リスクを低減させるための対策，設備についてはこれまでの章でも多数述べてきたところである．

　重要なことは危険性・有害性の抽出であり，化学物質のもつ健康有害性だけでなく，爆発・火災危険性あるいは環境有害性もあること，さらにはその化学物質をどう使うか，という"作業"方法にも危険性があることは明確であり，このリスクも考慮する必要がある．抽出する場面においても，実施する実験に目を向けがちであるが，準備作業などの実験前段階，あるいは洗浄，廃棄作業などの実験後段階でもリスクが存在する．地震が起きた場合の落下等のリスク，一人での実験時のリスクなども想定する必要があり，実験時の化学物質のリスクアセスメントは多岐に渡って考える必要がある．

　とくに化学実験は未知へのチャレンジである以上，先の予測ができない場合も多い．この場合，事前にリスクを想定できないことになり，リスクアセスメントがきわめて難しい状況になる．実験者には，時々刻々変化する実験内容に対する臨機応変のリスク判断が求められ，この判断のためには多数の化学物質の危険性・有害性，反応の理解などが必要であり，この知識に基づいた臨機応変の対応が不可欠となる．もちろん，リスク低減のための対策として，最悪の事態を想定した対策も効果的である．爆発を想定したバリケードの設置，あるいは無人状態での運転の実施，使用する化学物質の種類によらない局所排気の徹底など，実験の内容に応じた対応が必要になる．

# 8-5 健康有害性リスク評価に基づいた健康管理

**本節で学ぶこと**
- 作業者の健康リスク評価法
- リスクアセスメントに基づいて行うべき対策
- リスクアセスメント対象物健康診断

## 1. 作業者の健康有害性リスク評価法

　化学物質の健康有害性リスクを評価するさいに考慮しなければいけない因子は，その化学物質固有の健康有害性(health hazard)と取扱者(作業者)のばく露の程度である．健康有害性リスクの種類と程度(大きさ)に関する指標は，GHS の有害性分類項目と区分(Ⅰ～Ⅳ)やばく露限界値(許容濃度や最大許容濃度)が目安となり，これらの情報は SDS より把握することが可能である．化学物質の自律的管理に向けた労働安全衛生規則等の一部改正では，許容濃度(日本産業衛生学会)や TLV-TWA(ACGIH)[*1]のような固有のばく露限界値が定められていなかったリスクアセスメント対象物質について，新たなばく露限界値として，"濃度基準値"を設定した．濃度基準値は，これまでのばく露限界値よりもさらに厳しいばく露限界値であることから，化学物質を用いた実験のリスクアセスメントに用いるばく露限界値の優先順位は，① 濃度基準値，② 学会等が勧告しているばく露限界値(許容濃度，TLV-TWA など)，③ GHS 分類と区分に基づく管理目標濃度，の順番になる．ばく露量の指標は，ばく露限界値が設定されている場合と，ばく露限界値が設定されていない場合では，評価方法は異なっている．ばく露限界値が設定されている場合では，実際に，呼吸域の化学物質の気中濃度を測定し，ばく露限界値と比較する実測値(作業環境測定，個人ばく露測定，検知管，リアルタイムモニター)によるリスクアセスメントを，また，ばく露限界値が設定されていない場合では，CREATE-SIMPLE やコントロールバンディングのような数理モデルを用いたリスクアセスメントを行う．健康有害性リスク評価を主体としたリスクアセスメントでは，CREATE-SIMPLE の利用が推奨されている．

● 実測値によるリスクアセスメント
(1) 検知管による簡易な測定

　検知管は，測定可能な化学物質が多い，簡単な操作でリアルタイムの気中濃度を測定することが可能，専門的知識や設備がなくても測定できるなどのメリットがあるが，一方，共存ガスの影響を受けやすいというデメリットもある．測定方法については，厚生労働省"職場のあんぜんサイト"の"検知管を用いた化学物質のリスクアセスメントガイドブック"を参照のこと[*2]．
　検知管用ばく露基準値の決定方法を以下に示す．

[*1] ACGIH：米国産業衛生専門家会議 (American Conference of Governmental Industrial Hygienists)

[*2] https://anzeninfo.mhlw.go.jp/user/anzen/kag/pdf/kenchi-guidebook.pdf

> **検知管用ばく露基準値の決定方法**
>
> [厚生労働省，"職場のあんぜんサイト"，検知管を用いた化学物質のリスクアセスメントガイドブック，p. 20 を一部改変]

**短時間ばく露限界値がある場合**： SDS などを確認し，下記の値のいずれかがある場合は，それらのうち最小の値を検知管用ばく露基準値とする．
  ・ACGIH が定める TLV-STEL(15 分間の時間加重平均値)
  ・ACGIH が定める TLV-C(天井値)
  ・日本産業衛生学会が定める最大許容濃度

**長時間(8 時間)ばく露限界値のみある場合(短時間ばく露限界値がない場合)**： SDS などを確認し，下記の値のいずれかがある場合は，それらのうち最小の値を 3 倍[*1]した値を検知管用ばく露基準値とする．
  ・ACGIH が定める TLV-TWA(1 日 8 時間，1 週 40 時間の時間荷重平均濃度)
  ・日本産業衛生学会が定める許容濃度

上記のばく露限界値が存在しない場合，英国の WELs，ドイツの MAK などに短時間ばく露限界値があれば，その最小値を，長時間(8 時間)ばく露限界値のみある場合には，その最小の値を 3 倍した値を検知管用ばく露基準値とする．

> [*1] 3 倍という値は，ばく露濃度の 1 日内での変動の大きさから導かれたもので，その変動を抑えることで高濃度ばく露による健康障害を防止するという考えによる(日本産業衛生学会，化学物質の個人ばく露測定のガイドライン参照)．

**(2) 個人ばく露測定**

個人ばく露測定は，バッジ型パッシブサンプラーなどを用い，個人がばく露した量(ばく露濃度)を呼吸域で把握する方法で，許容濃度などと直接比較してリスクを見積もることが可能である．

**(3) 作業環境測定**

作業環境測定は，作業環境中の有害物濃度を測定する方法で，作業場の定点にポンプおよび捕集材を設置して測定を行う．定常的な作業を行う作業場の測定に適しているが，得られる結果は"場"の気中濃度であり，ばく露濃度ではない．比較する基準値も"場の管理基準"として行政的に設定された管理濃度であり，ばく露限界値ではない．

● **数理モデルを用いたリスクアセスメント**

2024 年 4 月現在，厚生労働省"職場のあんぜんサイト"では，混合物中の成分を最大 10 物質まで一斉に評価する機能が追加された CREATE-SIMPLE Ver 3.02 が公開されている[*2]．

ばく露リスクを評価するさいには，化学物質の取扱量，使用頻度，使用方法，保護具の種類と管理方法，作業場の換気状態などが必要な情報である．また，自律的管理においては，リスクアセスメントにあたり，職場巡視の機会などを活用し，現場の労働者の意見を聴取した(リスクコミュニケーション)内容を反映させることも重要な判断要因とされている．

> [*2] https://anzeninfo.mhlw.go.jp/user/anzen/kag/ankgc07_3.htm

## 2. リスクアセスメントに基づいて行うべき対策

化学物質の自律的管理への移行に伴って改正された，労働安全衛生規則第 577 条の 2 第 1 項では，「事業者は，リスクアセスメント対象物を製造し，又は取り扱う事業場において，リスクアセスメントの結果等に基づき，労働者の健康障害を防止するため，代替物の使用，発散源を密閉する設備，局所排気装置又は全体換気装置の設置及び稼働，作業の方法の改善，有効な呼吸用保護具を使用させること等必要な措置を講ずることにより，リスクアセスメ

ント対象物に労働者がばく露する程度を最小限度にしなければならない.」と, 第2項ではそのばく露の程度は,「厚生労働大臣が定める濃度の基準以下としなければならない.」とされている. すなわち, "リスクアセスメントの結果に基づいて, 可能な工学的対策を行い, ばく露を濃度基準値以下(かつ最小限)に抑えること"が, 原則である. 労働衛生の3管理・5管理に準じたリスクアセスメントに基づいて行うべき対策の進め方は, ① リスクの高い物質・作業内容からリスクの低減措置を行う, ② 作業環境管理, 作業管理の順に進める, のが原則であり, 図のようになる.

| 優先順位 | 内容 | 区分 |
|---|---|---|
| 高 ↓ 低 | 【設計や計画の段階における対策】<br>・ハザードのより低い物質への代替<br>　(GHS区分やばく露限界値の確認)<br>・化学反応のプロセスなどの運転条件の変更<br>　(温度や圧力を変更し発散量を減らす)<br>・取り扱う化学物質などの形状の変更(粉から粒に変更する)<br>※ ハザードの不明な物質に代替することは避ける | 作業環境管理 |
| | 【工学的対策(ハード面の措置)】<br>・機械設備などの防爆構造化・安全装置の二重化・密閉化<br>　(蓋をつける, 仕切りの設置)<br>・局所排気装置の設置<br>・全体換気 | |
| | 【管理的対策(ソフト面の措置)】<br>・作業手順の改善(風上側で作業する, 発散の少ない手順にする, 作業(ばく露)時間を減らす)<br>・立入禁止などの管理的対策のほか教育訓練など<br>　(汚染した器具, ウエスを片づける) | 作業管理 |
| | 【個人用保護具の使用】<br>・化学物質などの有害性に応じた有効な保護具の使用<br>　(使用期限, 保管方法に注意)<br>※ 他の対策を講じても, 除去・低減しきれなかったリスクに対して実施 | |

リスクアセスメントに基づいて実施すべきリスク軽減対策の進め方

[厚生労働省, "職場のあんぜんサイト", 検知管を用いた化学物質のリスクアセスメントガイドブック, p.13より一部改変]

## 3. リスクアセスメント(RA)対象物健康診断

### ● 概要と健康診断の種類

リスクアセスメント対象物健康診断には, 安衛則577条の2第3項に基づく健康診断(第3項健診)と同第4項に基づく健康診断(第4項健診)がある. いずれも事業者が実施する健康診断であるが, 第3項健診は,「リスクアセスメントの結果, 健康障害発生リスクが許容される範囲を超えると判断された場合に, 関係労働者(取扱者)の意見を聴き, 必要があると認められた者について, 当該リスクアセスメント対象物による健康影響を確認するために実施する」健診である. 第3項健診を持続的に行う必要がある, ということは, 安衛則第577条の2第1項にある「ばく露される程度を最小限度に」する事業者義務に反している可能性もあるので, 注意が必要である. 一方, 第4項健診は,「ばく露の程度を抑制するための局所排気装置が正常に稼働していない又は使用されているはずの呼吸用保護具が使用されていないなど, 何らかの異常事態が判明し, 労働者(取扱者)が濃度基準値を超えて当該リスクア

### 第3項健診と第4項健診

|  | 第3項健診 | 第4項健診 |
|---|---|---|
| 実施対象 | リスクアセスメントの結果，健康障害発生リスクが許容範囲を超えると判断された場合 | 何らかの異常事態が生じて濃度基準値を超えてばく露したおそれがある場合 |
| 対象 | ・事業者が労働者の意見を聴き，健康障害発生リスクが許容範囲を超えると判断した者<br>・事業者が労働者（取扱者）ごとに判断する | ・濃度基準値を超えてばく露したおそれがある労働者（取扱者）<br>・同じラインの他の労働者（取扱者） |
| 実施時期<br>実施頻度 | ・急性障害発生のリスク：6月以内ごとに1回<br>・がん原性物質ばく露によるリスク：1年以内ごとに1回<br>・急性以外の健康障害リスク：3年以内ごとに1回 | ・すみやかに実施が義務（必須） |
| 検査項目 | ・医師等（産業医，健診機関医師等）が対象物質の有害性情報（GHS区分，SDS）をもとに設定<br>・急性影響は，作業条件の調査と自他覚症状の問診で行う | |

セスメント対象物にばく露したおそれが生じた場合に実施する」健診である．

● **リスクアセスメント対象物健康診断の適用と化学物質取扱者の健康診断**

自律的管理の一環として実施される"リスクアセスメント対象物健康診断"は，作業環境管理・作業管理を行ってもなお，化学物質のばく露による健康障害発生リスクが高いと判断された・あるいは疑われる取扱者に対してのみ，医師等が必要と認める項目について，健康障害発生リスクの程度および有害

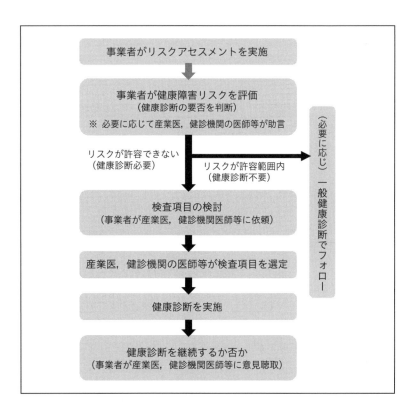

リスクアセスメント（RA）対象物健康診断の流れ

[厚生労働省，リスクアセスメント対象物健康診断についてより一部改変]

性の種類に応じた頻度で実施するものである．

　化学物質のばく露防止対策（工学的対策，管理的対策，保護具の使用など）が適切に実施され，取扱者の健康障害発生リスクが許容される範囲を超えないと事業者が判断すれば，リスクアセスメント対象物健康診断を実施する必要はない．また，ばく露防止対策を十分に行わず，リスクアセスメント対象物健康診断で労働者のばく露防止対策を補うという考え方は適切ではない．したがって，有害物質を常時取り扱う者（労働者）を対象に網羅的・定期的に規定された項目の健康診断を実施することが義務づけられている，特別則等の特殊健康診断とは趣旨が異なっている．現在，特別則によって規定されている化学物質については，原則としてリスクアセスメント対象物健康診断の対象から除外し，現行の特殊健康診断を継続することとなっている．特殊健康診断とリスクアセスメント対象物健康診断の概要を表に示す．

▌化学物質取扱者の健康診断

|  | 特殊健康診断 | リスクアセスメント対象物健康診断 |
|---|---|---|
| 法規 | ・じん肺法　・行政通達<br>・特別規則（有機則，特化則，鉛則，四アルキル鉛則，石綿則） | 労働安全衛生規則 |
| 対象化学物質 | 法規で規定 | リスクアセスメント対象物 |
| 対象者の選定方法 | 作業列挙方式 | ・濃度基準値を超えたおそれがある作業の従事者（第4項健診）<br>・リスクが受容範囲を超え健康診断が必要と事業者が判断した作業の従事者（第3項健診） |
| 実施の頻度 | 6カ月以内ごとに1回 | 6カ月〜3年以内ごとに1回を推奨 |
| 健康診断項目 | 法規で規定 | 医師または歯科医師が必要と認めた項目 |
| 事後措置 | 作業管理，作業環境管理，必要に応じ配置転換 | リスク低減対策，必要に応じ配置転換 |

［労働安全衛生総合研究所 化学物質情報管理研究センター 山本健也氏による表を一部改変］

## 8-6 環境安全教育

**本節で学ぶこと**
- 実効的な環境安全教育の実施
- 化学物質取扱者を対象とした教育の事例
- 環境安全教育の受講管理

### 1. 環境安全教育の目的

先にも述べたとおり，"自分"とそのまわりの安全を守ることが環境安全である．"自分"は個人の場合もあれば，物理的空間の場合もあれば，組織の場合もある．いずれの場合も，そのまわりを定義することができる．

組織における環境安全教育の目的は，環境安全に対する素養を身につけることに加えて，実際に構成員が生活・実験に伴うリスクを認識し，研究生活を安全に遂行するため，あるいは研究に関連するさまざまな法律や規則に違反しないための知識を身につけることにある．研究推進の活性化・学際化に伴い，取り扱う物質や実験操作の複雑多様化が進んでおり，また，組織構成員の多様性や国際化の推進も相まって，国内外からの研究者の流動性が高まった．これらは，ともするとリスクの高度化・複雑多様化と増加をもたらしている．そのため，研究現場を安全な状態で維持するには，あらゆる分野にも適用できるマニュアルを求めるのでは実効性が薄く，各分野に対応可能なフレキシビリティが要求される．また，初等中等教育に続く大学での高等教育では，教育研究を通じて，各分野での専門的知識を習得した人材育成と同時に，社会との接合点として広い視野をもち，思考力・実践力を身につけた課題解決型人材の育成が期待されている[6]．

環境安全に関する課題解決型人材育成

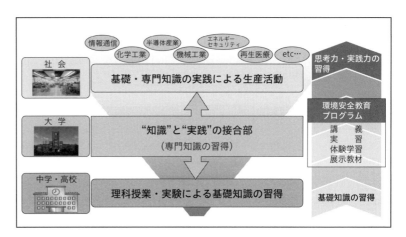

すなわち，個々の研究者の規則や規制の遵守にとどまらず，研究者自らが環境安全を自分の問題として捉え，自発的に考えるようになるための，合理的かつ実効的な教育の実現が重要である．また，環境安全教育は，実際の研究現場の実態と乖離しないこと，作業手順の標準化とその徹底のための講習ではないこと，座学で得た知識を実践的な知識にすることが可能な教育であること，が重要である．そのためには，① 基礎教育・各論の専門教育・管理者向け教育といった段階的な教育の体系化，② 座学・実習・体験学習・演習を組み合わせた教育手法を取り入れること，が有効である．

たとえば東京大学では，大学などのような教育・研究現場が目指すべき環境安全教育体系を以下のように考えている．

理科系文科系にかかわらず，全構成員を対象とした"環境安全基礎"において，環境安全の考え方，安全配慮姿勢，大学の活動と構成員の責任，コンプライアンス，防災，緊急時対応，環境安全管理体制・教育体系について学習する．そのうえで，理科系学生や実験研究者は，実験研究における環境安全に関する理解を深めるために，"実験安全の基本"および"実験室管理の基礎"について学習する．さらに，各専門分野に応じた各論，たとえば化学物質，高圧ガス，実験系廃棄物管理，放射線，放射性物質・核燃料物質，バイオハザードなどについて，具体的な知識と素養を身につけるための教育を必要に応じて行う．より専門性の高い教育を必要とする博士課程の学生や実験室管理を行う立場のスタッフに対しては，アドバンスト各論が必要となってくる．

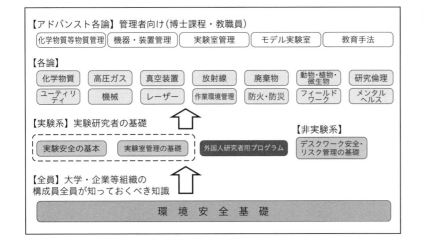

環境安全教育の体系化

また，ユーザーの環境安全に対する素養および感覚を育成しつつ，研究・教育現場の安全向上に役立つ教育を行うためには，座学で得た知識を，自分自身の問題として実践的な知識にする教育教材の開発と新しい教育手法の検討が必要である．たとえば，化学物質はヒュームフードの中で取扱いをすること，というルールは座学で学ぶことであるが，実験室にはその作業スペースのみがあり，排ガス処理装置や給気と排気の制御については十分な理解が進んでいないため，ヒュームフードの適切な使用に至らず，化学物質のばく露により気分が悪くなるといった事故が発生することがある．そこで，六面体構造をもつスチール製フレームシステム[7]の各面をガラスで作製し，実験室と見立てた透明な密閉空間（$W = 3$ m, $L = 3$ m, $H = 2.8$ m）に給排気装置および透明ポリ塩化ビニル製のヒュームフードを設置した[8〜10]．この実習装置では，ヒュームフードの構造と周辺装置機能を理解するために，給気/排気速度やヒュームフード内の障害物の有無による気流の影響評価，化学物質のばく露量計測が行えるようにした．アドバンスト教育としては，流体シミュレーションソフトによる気流解析から実習結果の考察を行うことも可能とした．

透明ポリ塩化ビニル(PVC)で作製したヒュームフード実習教材

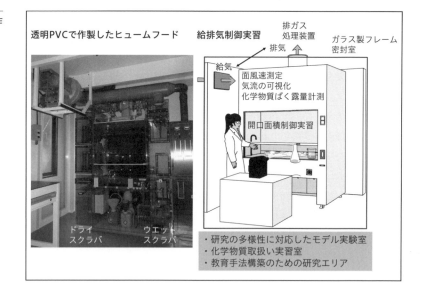

## 2. 化学物質取扱者を対象とした教育

東京大学を一例に化学物質取扱者を対象とした教育について説明する[11].

● 環境安全講習会・見学会

化学物質を取り扱う教職員,学生,研究員は,学内所属か否かによらず環境安全研究センター主催の環境安全講習会・見学会の受講が推奨されている.環境安全講習会では,先に述べた教育体系にあわせて環境安全基礎,実験安全の基本と実験室管理の基礎,化学物質取扱者として知っておくべき化学物質の取扱い,廃棄物の取扱いについての内容が包括されている講義形式の講習会である.

東京大学における環境安全講習会の時間割

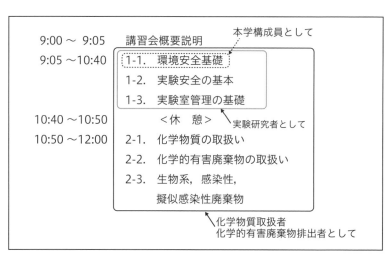

環境安全見学会は,講習会で得た知識を実践的な知識とすることを目的として,化学的有害廃棄物に関する演習,実験系不明廃棄物保管・処理現場見学,化学物質取扱いモデル実習室見学から構成されている.講習会・見学会受講後には習得度テストが行われる.

● 講習修了証制度の導入

廃棄物の安全処理のための具体的な方策として，講習会・見学会を通じて化学物質取扱者として知っておくべき知識を十分に習得されたと判断される受講者に対して，"環境安全講習会修了証"を発行している．修了証の取得には，環境安全講習会・見学会の受講，習熟度テストへの合格を義務づけている．この制度は，座学，試験制度，体験型学習の組合せにより化学物質取扱者としての自覚・知識・モラルの取得と徹底をはかることを目的としている．単なる専門知識ではなく，研究現場で実践できる知識として十分理解した者に対してのみ実験廃液を排出できる資格を付与している点が大きな特徴である．生産活動を行っていない東京大学においては，この修了証を取得することが，すなわち化学物質を取り扱うためのライセンスとなる．

環境安全講習修了証制度

- 実験系廃棄物処理依頼に"修了証"が必要
- "修了証"取得のための3要件
  (1) 講習会を受講
  (2) 見学会を受講
  (3) テストに合格
- "修了証"に有効期間を設定（取得から3年間）

効果 →
- 年間1700人以上の受講者
- 理系部局の学生教育（とくに新人）に貢献
- 実験系廃棄物排出状況の改善
  廃液の排出ルール違反数が減少
  → 廃液受け入れ条件の緩和を実現
- ルール変更を周知徹底する有効な手段

また，環境安全に関する法律や規則の改正，学内ルールの見直しや変更がしばしば行われる．このような状況変化に対応するために，修了証には3年間の有効期限が設けられている．必要に応じて3年ごとに修了証の更新手続きが必要である．

## 3. 環境安全教育受講の管理

環境安全教育プログラムでは，座学・実習・体験学習・演習を組み合わせ，かつ，段階的な教育を目指している．そこで，組織の構成員に対して，① 誰が何を受講したかの把握，および，② 効果的な受講プログラムの提示が大切であり，このための受講管理システムが必要となる．

東京大学では，環境安全教育受講管理システムを構築・運用している．システム上の個人データは人事・学務データと日々連動しており，システムへのログインは，Shibboleth を使用した学術認証フェデレーション経由で行っている．教育の主催者は，その講座の環境安全教育プログラム上での位置づけ，座学・演習・実習の区別，受講対象者，開催日時などを設定し，構成員は，各種講座の受講申込み，および，すでに取得している資格の更新手続きなどを本システムから行っている．

東京大学環境安全教育受講管理システムのユーザー画面

## 4. まとめ

　研究・教育現場において，学生などに教育したつもりでいる事項が必ずしも定着していないといった問題点を十分考慮したうえで，ユーザーの環境安全に対する素養および感覚を育成しつつ，研究・教育現場の安全向上に役立つ教育を行うことが重要である．今後，さらなる教育教材と教育手法の開発を推進し，合理的かつ実効的で研究現場のフレキシビリティを考慮した環境安全教育プログラムの普及が，研究現場における環境安全レベルの底上げにつながる．

参考文献

1) 根津友紀子ら，Radio Frequency Identification システム及び web カメラを用いた化学実験室における試薬の動態に関するケーススタディ，環境と安全，5, 99 (2014).
2) 厚生労働省，"職場のあんぜんサイト"，検知管を用いた化学物質のリスクアセスメントガイドブック．
https://anzeninfo.mhlw.go.jp/user/anzen/kag/pdf/kenchi-guidebook.pdf
3) 厚生労働省，リスクアセスメント対象物健康診断に関するガイドライン．
https://www.mhlw.go.jp/content/11300000/001161296.pdf
4) 厚生労働省，"職場のあんぜんサイト"，CREATE-SIMPLE.
https://anzeninfo.mhlw.go.jp/user/anzen/kag/ankgc07_3.htm
5) 山本健也，リスクアセスメント対象物健康診断について，産業保健総合支援センタースタッフ向け研修(2024 年 3 月 1 日 Web 開催).
6) Y. Tsuji et al., Toward a comprehensive, effective and concrete program for environmental safety education, J. Env. Safety, 6, 75 (2015).
7) H. Yamamoto, Designing safe and comfortable laboratories—Consideration of flexibility, indoor current of air and measures of for earthquake—, J. Env. Safety, 5, 143(2014).
8) 辻 佳子，富田賢吾，知識と実践の接合点としての大学における環境安全管理および教育，化学と工業，71, 8(2018).
9) 辻 佳子，複雑多様化する研究現場に対応した環境安全教育，安全工学，56, 238(2017).
10) 辻 佳子，化学システム工学に基づく環境安全学創成，学術の動向，22,

12_40(2017).
11) Y. Tsuji *et al.*, How should we harmonize the safety education with diversity in universities and research centers, *J. Env. Safety*, 10, 53 (2019).

# 付録　化学物質に関連する法令

# 1 法令の概要

わが国の法律は国会で議決されることにより効力を発する．法律より上位にあるものは憲法および条約である．法律には基本法と個別法がある．これらの法律を施行運用していくのは行政省庁の業務である．実際にはきめ細かい規定が必要であり，内閣が制定した命令である政令，所轄の各省大臣が発する命令である省令，さらに所管省庁が必要事項を知らせる告示，出先の地方自治体への命令・示達である通達，さらには関連して地方自治体の議会で制定される条例などがあげられる．このほか法の細かな運用に関する指針や連絡など現場行政官の裁量に関するものもあり，個別には労働基準監督署，消防署，保健所，高圧ガスなどの担当部署と協議しながら取り進める必要がある．このほか，当事者間での協定もあり，法に準じて対応する必要がある．

大学や研究機関の安全管理に関連する法令は作業内容，取扱物質，設備設置および管理などの面だけでも多種多様であるが，おもなものを以下に示す．

大学や研究機関の安全管理の中核となるものの一つが化学物質の適正な保管，使用，廃棄である．化学物質はその特性上環境保全・健康被害の防止・災害等の防止・輸出入管理など多面的な視点で管理が必要である．

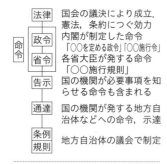

日本の法体系

| 法律 | 国会の議決により成立．憲法，条約につぐ効力 |
| 命令 政令 | 内閣が制定した命令「○○を定める政令」「○○施行令」 |
| 命令 省令 | 各省大臣が発する命令「○○施行規則」 |
| 告示 | 国の機関が必要事項を知らせる命令も含まれる |
| 通達 | 国の機関が発する地方自治体などへの命令，示達 |
| 条例 規則 | 地方自治体の議会で制定 |
| 協定 | 公害防止協定など二つ以上の当事者間での取り決め |

大学・研究機関の安全管理に関連するおもな法令規則

【労働安全衛生】
1．労働安全衛生法　2．労働安全衛生規則　3．有機溶剤中毒予防規則　4．鉛中毒予防規則　5．特定化学物質等障害予防規則　6．石綿障害予防規則　7．電離放射線障害防止規則　8．事務所衛生基準規則　9．粉じん障害防止規則

【建築・設備】
1．建築基準法　2．都市計画法　3．建築物における衛生的環境の確保に関する法律　4．高圧ガス保安法　5．ガス事業法　6．消防法　7．水道法　8．下水道法　9．学校保健安全法　10．省エネ法

【毒劇物など】
1．毒物及び劇物取締法　2．麻薬及び向精神薬取締法　3．薬事法

【環境保全】
1．環境基本法　2．大気汚染防止法　3．水質汚濁防止法　4．悪臭防止法　5．騒音規制法　6．廃棄物の処理及び清掃に関する法律　7．環境配慮促進法　8．PRTR制度　9．各種リサイクル法

【遺伝子組換え】
1．遺伝子組換え生物等の使用等の規制による生物の多様性の確保に関する法律

【病原体】1．感染症の予防及び感染症の患者に対する医療に関する法律

【放射性同位元素など】
1．放射性同位元素等による放射線障害の防止に関する法律

【核原料物質など】
1．核原料物質，核燃料物質及び原子炉の規制に関する法律

【その他】1．刑法　2．民法

# 2 おもな法令の内容

## 1. 労働安全衛生法

　労働安全衛生法は労働者の安全と健康（衛生）を確保し，労働災害を未然に防止するために労働基準法から労働安全衛生に関する部分が独立して制定されたものである．ここで注意しなければならないのは，企業の研究所や研究機関で雇用される研究者に加えて大学の教員や研究者など，法人に雇用されている者はすべて"労働者"となることである（国家公務員や地方公務員は別の法律で管理されている）．企業の役員および国公立大学の学長や理事は労働者を雇用する立場にあるので，労働安全衛生法は適用されない．なお，労働者の労働条件などの基本は労働基準法に規定されている．

> 目的　労働災害の防止のための災害防止基準の設定
> 　　　職場の安全衛生確保のための責任体制の明確化
> 　　　職場の安全衛生の向上のための自主的活動の促進
> 　　　　　　　　　　　↓
> 　　　労働災害の防止，労働者（研究者）の安全と衛生の確保
>
> ■ 危険有害作業における安全衛生確保のための規定遵守の義務化
> 　　　危険有害化学物質の使用，放射線・放射性物質の使用，
> 　　　高所作業，潜水作業，低酸素作業，粉じん作業など
>
> ■ 危険を伴う機械類の規格の制定と安全点検の義務化
> 　　　小型圧力容器，局所排気装置，遠心分離機など

労働安全衛生法の概要

　大学の場合，多数を占める構成員は学生であるが，学生は大学とは雇用関係がなく労働安全衛生法による直接適用の対象とはならない（アルバイトなどのように雇用されれば労働者となる）．しかし，大学における事故災害の相当部分は学生の被災であり，学生の安全衛生確保は教職員と同等に対処すべきである．また，令和3年5月に出された石綿作業従事者等による国家賠償請求訴訟の最高裁判決を踏まえ，労働者と同じ場所で働く労働者以外の者に対しても災害を防止するための保護措置を講じることが義務化された．たとえば，危険有害作業が行われている現場で事故などが発生し，雇用関係にある労働者を退避させる必要があるときは，同じ作業場所にいる労働者以外の者（資材搬入業者など）も退避させる義務がある．

　大学で労働安全衛生法適用により対応が求められている点は，組織としての責任体制を明確にした管理体制の構築である．学長をトップとした日常の管理，全員参加を目的とした衛生委員会の開催，教育，巡視，健康診断がこの例である．とくに注意を払わなければならないのが化学物質の取扱いと管理である．このほか圧力容器，クレーン，局所排気装置の適切な使用と管理，保守点検も重要である．

**大学における労働安全衛生法への対応のポイント**

(1) **管理体制** → 管理組織構築（責任体制，安全衛生委員会，実務担当者など）
　　　　　　　安全衛生教育実施，職場巡視，健康診断

(2) **有機溶剤，特定化学物質使用時の管理**
　　　　　　　→ 局所排気装置，保護具使用，掲示，表示，作業環境測定，
　　　　　　　　特殊健康診断

(3) **設備の届出と点検** → 圧力容器，ボイラー，クレーン，局所排気装置，
　　　　　　　　　　　　　乾燥設備など

　事業者（事業を行うもので，労働者を使用するもの．個人事業主の場合事業主本人，法人の場合は企業などの組織そのものを指す）は実際に作業をする労働者に対し，安全衛生に関する教育を行う義務，関連法令，作業の危険性，作業の責任者などの必要事項を伝達する義務がある．また，事業者と職場の代表者からなる委員会には労働者を参加させなければならない．

　労働安全衛生法では所定規模以上の事業所に対し安全委員会または衛生委員会の設置が規定されている．委員会での調査審議事項は危険や健康障害の防止，災害の原因調査と再発防止，各種安全衛生に関する規定や実施計画・教育計画の作成，健康診断や作業環境測定の結果と改善対策などが主たるものである．委員会の議長には統括安全衛生管理者（または事業の実施を統括管理する者もしくはこれに準ずる者）が就任し，安全委員会ではさらに安全管理者，安全に関し経験を有する労働者によって構成され，衛生委員会は衛生管理者，産業医，衛生に関し経験を有する労働者など安全衛生管理に関与するものが委員となる．委員会は毎月1回以上開催し，議事録の保管と労働者への周知を行わなければならない．

　事業場では取扱物質，危険な機械の使用，作業環境などにより種々の危険な要因が存在する．事業者は政省令で規定されるこれらについて危険防止をする責務を有する．また，労働者は事業者が定めた規則などを守らなければならない．加えて危険な作業に関しては技術上の指針が定められている．

**労働安全衛生法に関する諸規則**

1. 労働安全衛生規則
2. 特定機械等に係る安全規則　　ボイラー及び圧力容器安全規則
　　　　　　　　　　　　　　　　クレーン等安全規則
　　　　　　　　　　　　　　　　ゴンドラ安全規則
3. 特別衛生規則　　電離放射線障害防止規則
　　　　　　　　　　四アルキル鉛中毒予防規則
　　　　　　　　　　有機溶剤中毒予防規則
　　　　　　　　　　高気圧作業安全衛生規則
　　　　　　　　　　鉛中毒予防規則
　　　　　　　　　　特定化学物質障害予防規則
　　　　　　　　　　事務所衛生基準規則
　　　　　　　　　　酸素欠乏症等防止規則
　　　　　　　　　　粉じん障害防止規則
　　　　　　　　　　石綿障害予防規則
　　　　　　　　　　除染業務等に係る電離放射線障害防止規則

　かねてより労働安全衛生法における化学物質管理は，とくに有害性が高く労働者の重大な健康被害を引き起こした8物質の製造・使用などを禁止とし，

さらに自主管理が困難で有害性が高い物質については特定化学物質障害予防規則（特化則），有機溶剤中毒予防規則（有機則）などに基づいて具体的な措置義務が規定されていた．しかし，化学物質による災害の多くは措置義務がかかっていない物質で発生していること，またそのような物質を措置義務対象に追加しても，措置義務を忌避して危険性・有害性の確認・評価を十分行わないまま規制対象外の物質を使用するようにプロセスを変更し，結果として労働災害が発生する，といったことが繰り返されていることから，自律的な管理を基軸とする規制へと見直しが行われた．

> 新たな化学物質規制の制度

```
1.1 ラベル表示・SDS 等による通知の義務対象物質の追加
1.2 リスクアセスメント対象物に関する事業者の義務
1.3 皮膚等障害化学物質等への直接接触の防止
1.4 衛生委員会の付議事項の追加
1.5 がん等の遅発性疾病の把握強化
1.6 リスクアセスメント結果等に関する記録の作成と保存
1.7 労働災害発生事業場等への労働基準監督署長による指示
1.8 リスクアセスメント対象物に関する事業者の義務（健康診断等）

2.1 化学物質管理者の選任の義務化
2.2 保護具着用管理責任者の選任の義務化
2.3 雇い入れ時等教育の拡充
2.4 職長等に対する安全衛生教育が必要となる業種の拡大

3.1 SDS 等による通知方法の柔軟化
3.2 SDS 等の「人体に及ぼす作用」の定期確認と更新
3.3 SDS 等による通知事項の追加と含有量表示の適正化
3.4 化学物質を事業場内で別容器等で保管する際の措置の強化
3.5 注文者が必要な措置を講じなければならない設備の範囲の拡大

4. 化学物質管理の水準が一定以上の事業場の個別規制の適用除外
5. ばく露の程度が低い場合における健康診断の実施頻度の緩和
6. 作業環境測定結果が第 3 管理区分の事業場に対する措置の強化
```

そのおもなポイントは
- 措置義務対象が，国の GHS 分類により危険性・有害性が確認されたすべての物質へと大幅に拡大．
- SDS の情報などに基づくリスクアセスメント実施が義務となり，リスクアセスメント対象物の製造・取扱いなどを行う事業所ごとに，化学物質管理者を選任して管理体制を強化．
- 国がばく露限界値を設定した物質については"ばく露限界値"以下とする義務，ばく露限界値未設定の物質についてはばく露濃度をなるべく低くする措置を講じる義務（ただし，その方法は"① 有害性の低い物質への変更""② 密閉化・換気装置設置等""③ 作業手順の改善等""④ 有効な呼吸用保護具の使用"の考え方・優先順位に基づいて事業者が自ら選択することができる）の設定．
- すべての物質について，保護めがね，保護手袋，保護衣等の使用が義務化（皮膚への刺激性・腐食性・皮膚吸収による健康影響のおそれがない

ことが明らかな物質は除外)され,有効な保護具の選択,労働者の使用状況の管理その他保護具の管理にかかわる業務を行う保護具着用管理責任者の選任が義務化.

・譲渡・提供するさいのラベル表示・SDS交付による危険性・有害性情報の伝達義務化.また,譲渡・提供時のラベル表示が義務づけられている化学物質(安衛法第57条・労働安全衛生法施行令第18条で規定,「ラベル表示対象物」とよばれる)について,以下の場合もラベル表示・文書の交付その他の方法で,内容物の名称・種類だけでなくその危険性・有害性情報が伝わるようにしなければならない.

① ラベル表示対象物を,他の容器に移し替えて保管する場合.
② 自ら製造したラベル表示対象物を,容器に入れて保管する場合.

・国がGHS分類していない(未分類)の物質については,ラベル表示・SDS交付の努力義務,リスクアセスメントの努力義務,ばく露濃度をなるべく低くする措置を講じる努力義務がある.

そのほか,

・衛生委員会において化学物質の自律的な管理の実施状況の調査・審議を行うことを義務づけるなど,化学物質の管理状況に関する労使等のモニタリングの強化.

・全業種で雇入れ時などの教育が義務化(教育の対象業種の拡大／教育の拡充)され,危険性・有害性のある化学物質を製造し,または取り扱うすべての事業場で,化学物質の安全衛生に関する必要な教育を実施.

がある.なお,"化学物質管理者"の職務は以下のとおりであり,リスクアセスメント対象物を製造している事業所は"専門的講習"を修了した者でなければならない.リスクアセスメント対象物を製造していない事業所では特段の資格要件はないが,専門的講習の受講が推奨されている.

| 化学物質管理者の職務 |
|---|

・ラベル・SDS等の確認
・化学物質にかかわるリスクアセスメントの実施管理
・リスクアセスメント結果に基づくばく露防止措置の選択,実施の管理
・化学物質の自律的な管理にかかわる各種記録の作成・保存
・化学物質の自律的な管理にかかわる労働者への周知,教育
・ラベル・SDSの作成(リスクアセスメント対象物の製造事業場の場合)
・リスクアセスメント対象物による労働災害が発生した場合の対応

また,化学物質の製造・取扱設備の改造,修理,清掃などの仕事を外注する場合,請負人が化学物質による被害を受けることを防止するために,発注者は化学物質の危険性および有害性,作業において注意すべき事項,安全確保措置等を記載した文書を交付しなければならないことが,労働安全衛生法第31条の2で規定されている.この設備の範囲が拡大され,化学設備,特定化学設備に加えて,SDSなどによる通知の義務対象物を製造・取扱いする設備も対象となった.

なお,化学物質の自律的な管理は,業種ごとの職場の特性に応じて行われることとなるため,(独)労働者健康安全機構 労働安全衛生総合研究所のWebサイトに"職場の化学物質管理に関する業種別マニュアル等の紹介"が

設けられ，いくつかの業種のマニュアルが掲載されている．国立大学協会は，ワーキンググループを設けて"大学の自律的化学物質管理ガイドライン"を作成しており，前述の労働安全衛生総合研究所の Web サイトにも掲載されている．これらは大学や研究機関では参考となる内容となっている．

## 2. 消　防　法

　消防法は火災の予防，消火を具体的な内容とし，火災からの身体や財産の保護，地震などによる被害軽減を目的としている．実験室では多種多様な可燃物を取り扱っており，これによる火災発生のニュースも多い．防火防災を目的としての消防訓練や危険物の適正な貯蔵・取扱いが強く求められており，大学においてもっとも身近に接する法律の一つである．

消防法の概要

```
目的　火災の予防，警戒，鎮圧
　　　国民の生命，身体および財産を火災から保護
　　　火災または地震などの災害による被害を軽減
　　　　　　　　　　↓
　　　安寧秩序を保持，社会公共の福祉の増進に資する
```

- ■ 防火防災管理：学校は防火防災管理が義務づけられている
　　防火防災管理者選定　消防計画および防災計画作成　防災管理点検報告
　　自衛消防組織設置，初期消火，通報および避難の訓練の実施
- ■ 消防法危険物の適正な貯蔵，取扱い
　・性質を把握し適正に貯蔵，取扱い　取扱資格（危険物取扱者）
　・危険物の数量管理　規定量以上の保有には届出・許可が必要
　　少量危険物取扱所，危険物貯蔵所など
- ■ 消防用設備などの設置，維持：点検・報告，整備，適正な維持管理

　消防法も他の法律と同様に，施行にさいしては政省令や各種の規則および市町村の条例で規定されている．なお，市町村の消防は市町村長が管理し，実際の業務の遂行にあたって消防機関の長を通じて指揮監督を行う．

消防法の法体系

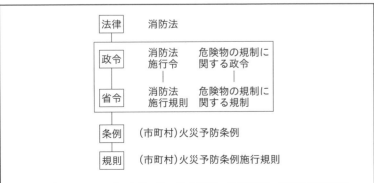

- ■ 国民が守るべき規則：火災予防，防火器具の設置管理，危険物取扱管理，消火活動
- ■ 消防機関：火災の予防と点検検査，消火活動，火災の調査

大学などの事業者は物的・人的両面から防火管理体制を整備しなければならない．これは防火対象物を明らかにするとともに防火管理者を選任し，防火管理者のもとに消防計画策定・設備の管理や点検，教育を行うことを定めている．このほか，自衛消防組織の設置や万一の対応を定め，周知徹底しなければならない．とくに，火災発生の場合は初期消火とともにすみやかな消防への通報が必要である．火災発生の場合，消防による消火活動が行われるが，消火活動を円滑に行うためには，障害となりうる物質に配慮して二次災害の発生を防止しなければならない．そのためには消火活動の障害となりうる物質の保管について，対象物質名と保管数量をあらかじめ消防署に届け出なければならない．

防火管理者と自衛消防組織ならびに消火活動に重大な障害のある物質の規制

■ 防火管理体制の確立（物的・人的の体制整備）
　・防火管理を行うべき防火対象物：
　　　劇場・百貨店・ホテル・病院・学校・工場など
　・防火管理者の選任：消防計画・訓練・消火設備点検・火気使用監督
　　　　　　　　　　避難や防火設備維持管理，防火管理教育
　・防火管理者による定期点検

■ 自衛消防組織の設置：多数の出入りがある大規模な設備
　　　　　　　　　　初期消火・通報・避難誘導・火災被害軽減，教育

■ 防炎防火対象規制：カーテン，ブラインド，絨毯など

【危険物の規制】
　圧縮アセチレンガス・液化石油ガスなど火災予防や消火活動に支障を生じるおそれのあるものの届出
　　指定対象物質
　　　圧縮アセチレンガス　　　　40 kg 以上
　　　無水硫酸　　　　　　　　200 kg 以上
　　　液化石油ガス　　　　　　300 kg 以上
　　　生石灰　　　　　　　　　500 kg 以上
　　　毒物及び劇物取締法に規定する毒劇物のうちシアン化水素，シアン化ナ
　　　　トリウム，水銀，セレン，ヒ素，フッ化水素，モノフルオロ酢酸など
　　　　その他，アンモニア，塩化水素，クロロホルム，四塩化炭素，臭素など

消防法では火災などにつながる危険物についてはその性質に応じて第一類から第六類に分類し，品名と数量を定めて貯蔵や取扱いの基準を示している．品名は危険物として直接指定されるものではなく，いわば危険物となる可能性のある候補リストというべきものであり，これらの品名に該当する物品に対して危険性の性質に応じて定められている試験を適用した結果，一定以上の危険性状を示すものが危険物であるとされている．なお，消防法上の危険物とは固体または液体であり，気体は危険物に該当しない．また，この定められた数量を指定数量と称する．当然ではあるが，指定数量の小さいものほど火災が発生しやすいことを示す．指定数量未満については各市町村で指定数量の 0.2 倍以上を少量危険物として届出を定めている．このほか，多量の紙くずや可燃性固体については指定可燃物としている．危険物の取扱いや貯蔵に関してはこれらに従って行わなければならない．とくに実験室において，日常の実験に不便という理由でヘキサンやアセトンなどの一斗缶を多数

置いてある例をみかけるが，これは少量危険物貯蔵所・少量危険物取扱所としての許認可を得てない限り法令違反である．

> ■ **危険物の分類と指定数量** 危険物を性質に応じて分類し品名を示す．危険物の指定数量・混載・貯蔵については後送
>
> ■ **少量危険物（市町村条例）** 指定数量未満で，指定数量の 0.2 倍以上 0.2 倍未満は微量危険物とする
>
> ■ **指定可燃物** 綿花類，かんなくず，紙くず，糸類，わら類，再生資源燃料，可燃性固体類，石炭木炭，可燃性液体，木材加工品および木くず，合成樹脂類（発泡，その他）

危険物の指定数量と少量危険物

以下にこれらの分類や取扱いの基準を示すが，これは危険物の取扱いと貯蔵の基本である．

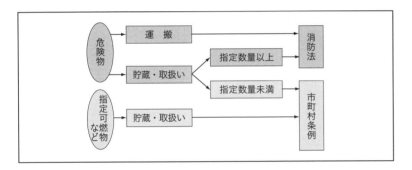

危険物に関する消防法と市町村条例

## 危険物の分類

| 類別 | 性質 | 特性 | 代表的な品名（物品の例） |
|---|---|---|---|
| 第一類 | 酸化性固体 | そのもの自体は燃焼しないが，ほかの物質を強く酸化させる性質を有する固体であり，可燃物と混合したとき，熱，衝撃，摩擦によって分解し，きわめて激しい燃焼を起こさせる． | 塩素酸塩類（塩素酸ナトリウム），硝酸塩類（硝酸カリウム，硝酸アンモニウム） |
| 第二類 | 可燃性固体 | 火災によって着火しやすい固体または比較的低温（40℃未満）で引火しやすい固体であり，出火しやすく，かつ燃焼が速く消火することが困難である． | 赤りん，硫黄，鉄粉，金属粉（アルミニウム粉，亜鉛粉），マグネシウム，引火性固体（固形アルコール，ラッカーパテ） |
| 第三類 | 自然発火性物質 禁水性物質 | 空気にさらされることにより自然に発火し，または水と接触して発火しもしくは可燃性ガスを発生する． | ナトリウム，アルキルアルミニウム（トリエチルアルミニウム），黄りん |
| 第四類 | 引火性液体 | 液体であって引火性を有する． | 特殊引火物（ジエチルエーテル），第1石油類（ガソリン，アセトン），アルコール類（メタノール），第2石油類（灯油，軽油），第3石油類（重油） |
| 第五類 | 自己反応性物質 | 固体または液体であって，加熱分解などの自己反応により比較的低い温度で多量の熱を発生し，または爆発的に反応が進行する． | 硝酸エステル類（ニトログリセリン），ニトロ化合物（トリニトロトルエン），ヒドロキシルアミン |
| 第六類 | 酸化性液体 | そのもの自体は燃焼しない液体であるが，混在するほかの可燃物の燃焼を促進する性質を有する． | 過塩素酸，過酸化水素，硝酸 |

**指定数量の計算方法と防火区画**

$$\frac{\text{危険物の貯蔵量}}{\text{危険物の指定数量}} = \text{指定数量の倍数}$$

■ 同一の場所で二つ以上危険物を貯蔵し，または取り扱う場合

$$\frac{\text{Aの取扱量}}{\text{Aの指定数量}} + \frac{\text{Bの取扱量}}{\text{Bの指定数量}} + \frac{\text{Cの取扱量}}{\text{Cの指定数量}} = \text{指定数量の倍数}$$

**防火区画**：建築基準法では，**耐火構造**でつくられた壁や床によって，建築物を一定の面積ごとに区画することを求めており，防火区画は，それ自体が耐火構造であると同時に，開口部や配管の貫通部に火災の貫通を防ぐ処理をしなければならない．

例）空調用のダクトには**ファイアダンパ**とよばれる火災防止装置，扉や窓は特定防火設備をそろえる．

**竪穴区画**(防火区画の一つ)：階段や吹き抜け，エレベータのシャフト，パイプシャフトのように縦方向に抜けた部分は，煙突化現象によって，有害な煙や火災の熱がほかの階層に広がる可能性が高い．このため竪穴となる部分はすべて防火区画によって囲われ，ほかの部分からの煙や火炎から守られている．この区画を竪穴区画という．

## 危険物の混載の可否

|  | 第一類 | 第二類 | 第三類 | 第四類 | 第五類 | 第六類 |
|---|---|---|---|---|---|---|
| 第一類 |  | × | × | × | × | ○ |
| 第二類 | × |  | × | ○ | ○ | × |
| 第三類 | × | × |  | ○ | × | × |
| 第四類 | × | ○ | ○ |  | ○ | × |
| 第五類 | × | ○ | × | ○ |  | × |
| 第六類 | ○ | × | × | × | × |  |

×：混載を禁止，○：混載に差し支えがない．指定数量の1/10以下の危険物は適応外．

**類を異にする危険物の同時貯蔵禁止の例外**

- 第一類の危険物(アルカリ金属の過酸化物またはこれを含有するものを除く)と第五類の危険物
- 第一類の危険物と第六類の危険物
- 第二類の危険物と自然発火性物品(黄りんまたはこれを含有するものに限る)
- 第二類の危険物のうち引火性固体と第四類の危険物
- アルキルアルミニウム等と第四類の危険物のうちアルキルアルミニウムまたはアルキルリチウムのいずれかを含有するもの
- 第四類の危険物のうち有機過酸化物またはこれを含有するものと第五類の危険物のうち有機過酸化物またはこれを含有するもの
- 第四類の危険物と第五類の危険物のうち1-アリルオキシ-2,3-エポキシプロパンもしくは4-メチリデンオキセタン-2-オンまたはこれらのいずれかを含有するもの

実験室で使用する試薬に貼られているラベルの事例としてアセトンを示す．化学物質名と性状，取扱い上の注意事項，GHS による有害性表示，適用される法規などが記載されている．実験者はこれらを理解したうえで薬品を使用しなければならない．

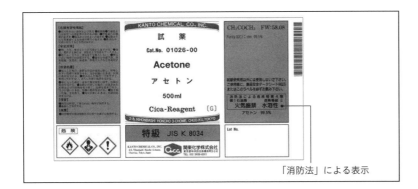

試薬の表示

「消防法」による表示

消防法では危険物の製造・取扱い・貯蔵に関し設備に対する各種の基準を定めているほか，一定数量以上の危険物の製造・取扱い・貯蔵に関しては届出や許可申請が必要である．消防当局はこれらの設備が基準に不適合の場合は使用停止，許可取り消しを行うことができる．

事業者は危険物を安全に取り扱うために保安監督者などの任命，予防規定の作成，定期的な点検や保安検査，万一に備えての自衛消防組織の策定が必要である．大学や研究機関においてもパイロットテストの設備や危険物貯蔵所などのように相当量の危険物の製造・取扱い・貯蔵の事例がみられるので，この項目も重要である．

■ 危険物施設の区分　　製造所，貯蔵所，取扱所
■ 技術上の基準　　位置，構造，設備などのハード面
　　　　　　　　　危険物の貯蔵・取扱いのソフト面
■ 設置・変更の許可および完成検査，変更許可・仮使用
　基準適合命令・措置命令（使用停止など）
　許可の取り消し
■ 危険物施設保安員，保安監督者
■ 予防規定
■ 定期点検，保安検査
■ 自衛消防組織

危険物の製造・取扱い・貯蔵

実験室において，いかに法令を遵守した設備で製造・取扱い・貯蔵の基準を満たしていたとしても火災を完全に防ぐことはできない．万一の火災発生に備えて消火設備，警報設備，避難設備などの整備は消防法でも定められており，設置は必須である．また，これらの設備はつねに使用可能な状態に整備するとともに，実験者がただちに使えるよう日常の訓練が必要である．忘れてならないのは実験室や貯蔵庫の整理整頓と適正な通路の確保である．消火設備の前に物が置かれ緊急時に使用できないとか，避難通路に実験器具が置かれ避難の障害になるということは絶対にあってはならない．

| 火災予防，万一に備えての消火および避難設備 | ■ 消火設備　　消火器および簡易消火用具（水バケツ，乾燥砂など）<br>　　　　　　　屋内消火栓，スプリンクラー，泡消火，不活性ガス<br>　　　　　　　屋外消火栓，動力消火ポンプ<br>■ 警報設備　　自動火災報知機，ガス漏れ警報，漏電火災警報<br>　　　　　　　消防への通報<br>　　　　　　　非常警報器具・設備（サイレン・放送設備）<br>■ 避難設備　　避難階段，避難はしご<br>■ 消防用水　　水槽，給水設備<br>■ その他設備　排煙設備，連結散水・送水設備，非常電源 |
|---|---|

　消防法では火災防止と緊急時における一般人の協力義務，消防活動への協力，救急などについても種々の規定を定めている．

　教職員や学生も日常の火気の取扱いや万一の場合の通報，消防活動への協力，負傷者の救急など危険物を取り扱う者の常識を頭に入れておく必要がある．

| 危険物を取り扱う者の常識 | ■ 火災警報設備の設置，たき火および喫煙の制限<br>■ 火災発見の通報義務<br>■ 応急消火義務，消火の協力，関係者への情報提供<br>■ 消防隊の緊急通行権，警戒区域と規制，緊急措置，緊急水利，原因調査・被害調査<br>■ 救急業務（傷病者の搬送）　救急隊員による応急措置と医療機関への搬送<br>　　　　　　　　　　　　　　関係者への協力要請 |
|---|---|

## 3. 高圧ガス保安法

　大学や研究機関の実験室には各種高圧ガスのボンベが使用されている．また，屋外には液化窒素のタンクがあり，実験者はタンクから液体窒素を低温容器に移して運び実験室で使用する．これら一連の行為はすべて高圧ガス保安法の適用を受けている．

　高圧ガスは産業界のみならず，LPガスなどは家庭などでも広く使われているが，取扱いを誤ると大事故に直結する．高圧ガス保安法は高圧ガスによる事故や災害を防止するための各種規制および保安に関する自主的な活動の促進により公共の安全確保を目指すものであり，このための各種規定が設けられている．なお，大学や研究機関でも高圧ガス使用に関する設計不備，不適切な取扱いにより多数の悲惨な事故が発生していることを忘れてはならない．

　高圧ガス保安法の窓口は各都道府県（市の場合もある）の高圧ガス担当部門である．

## 高圧ガス保安法の概要

> 目的　高圧ガスによる災害の防止のため
> 　　　高圧ガスの製造，販売，貯蔵，移動その他の取扱いおよび消費
> 　　　ならびに容器の製造および取扱いの規制
> 　　　高圧ガス保安協会による高圧ガス保安の自主的な活動の促進
> 　　　　　　　　　　　　　　↓
> 　　　　　　　　　　公共の安全確保

- ■ 高圧ガスの製造，貯蔵，取扱いにおける安全確保のための規定
  - ・高圧ガスの危険有害性に配慮した取扱いと保安教育
  - ・製造，貯蔵，取扱いに関する設備基準，管理，法定資格等
  - ・特殊材料ガス
- ■ 高圧ガスの容器に関する適正な使用と安全点検

高圧ガス保安法では下記のように高圧ガスが定義されており，状態，性質，法令で定めた特性で分類されている．それぞれの分類を表に示す．

## 高圧ガスの定義

> 圧縮ガス・液化ガスのうち法で定められた圧力以上のもの（種類は関係ない）
> （高圧ガス保安法第 2 条）．
>
> (1) 常温で 1 MPa（10 kg/cm²）以上または 35 °C において圧力が 1 MPa 以上の圧縮ガス．
> (2) 常温で 0.2 MPa 以上または温度 15 °C において圧力 0.2 MPa 以上の圧縮アセチレンガス．
> (3) 常温で 0.2 MPa 以上または圧力 0.2 MPa となる温度が 35 °C 以下の液化ガス．
> (4) (3) 以外で 35 °C において 0 Pa を超える液化シアン化水素，液化ブロムメチル，液化酸化エチレン．

### 容器内の状態による分類

| | |
|---|---|
| 圧縮ガス | 窒素，酸素，アルゴン，水素，メタン，アセチレンなど |
| 液化ガス | LP ガス（プロパン，ブタン，プロピレンなど），アンモニア，二酸化炭素（炭酸ガス），塩素，酸化エチレン，液化酸素，液化窒素など |
| 溶解ガス | アセチレンなど |

### 高圧ガスの性質（物性）による分類

| | | |
|---|---|---|
| 可燃性ガス | 空気中または酸素中で燃えるガス | 水素，メタン，プロパン，モノシラン，一酸化炭素，アンモニアなど |
| 支燃性ガス | 他の物質を燃焼させることができるガス | 酸素，空気，亜酸化窒素，塩素など |
| 毒性ガス | 人体に有害（有毒）なガス | 硫化水素，一酸化炭素，アンモニア，アルシン，ホスフィン，ジボランなど |
| 腐食性ガス | 化学的相互作用によって，金属などを変質あるいは劣化させるガス | 塩素，フッ素，塩化水素，臭化水素，アンモニア，三フッ化ホウ素など |
| 不燃性ガス（不活性ガス） | 当該ガス自身も燃焼せず，他の物質を燃焼させる性質もないガス | 窒素，二酸化炭素（炭酸ガス），アルゴン，ヘリウムなど |
| 単純窒息性ガス | ほとんどのガスは，空気中に高濃度で存在した場合，酸素濃度を低下させ，結果的に酸素欠乏症の原因となりうる． | 酸素，空気以外のガス（水素やメタンも燃えなければ……！） |

## 高圧ガス保安法による分類(太字は法律上の定義)

| 可燃性ガス | ・**法律（一般則）で指定されたガス**<br>・**爆発下限界が10%以下のもの**<br>・**爆発上限界と下限界の差が20%以上のもの** | 水素，メタン，プロパン，モノシラン，一酸化炭素，アンモニア，アクリロニトリル，塩化ビニルなど |
|---|---|---|
| 支燃性ガス | 酸素，三フッ化窒素，…… | — |
| 不活性ガス<br>（第一種ガス） | ヘリウム，ネオン，アルゴン，クリプトン，キセノン，ラドン，窒素，二酸化炭素，フルオロカーボン（可燃性のものを除く） | — |
| 毒性ガス | ・**じょ限量（許容濃度）が200 ppm以下のもの**<br>・**法律（一般則）で指定されたガス** | シアン化水素，二酸化硫黄，硫化水素，アルシン，ホスフィンなど |
| 特定高圧ガス | ・**法律（施行令）で指定された種類のガス**<br>① 災害防止に特別の注意を要する，きわめて危険性の高い7種類のガス（＝特殊高圧ガス）<br>② 一定量以上を扱う場合，災害防止に特別の注意を要する危険なガス（2016年現在，6種類） | ① アルシン，ジシラン，ジボラン，セレン化水素など<br>② 圧縮水素，液化酸素，液化塩素，液化石油ガスなど |

## 高圧ガスの分類図

ガスは低温になると液化する．以下の表に実験室で一般に使うガスの大気圧下での沸点を示す．気をつけなければいけないのは，これらのガスが気化すると体積が大きく増加することである．液化ガスを密閉状態で保管し，その温度が上昇すると，ガスの気化により容器が破損し，事故に至った例は多数みられる．また，液体窒素を長時間放置すると空気中の酸素が液化して混入することとなる．これによる事故もよく知られている．

## おもな低温液化ガスの沸点

| ガス名（化学式） | 沸点 [℃] (1 atm) |
|---|---|
| 二酸化炭素（$CO_2$） | −78.5(昇華) |
| 液化天然ガス（$CH_4$） | −162 |
| 酸素（$O_2$） | −183 |
| アルゴン（Ar） | −186 |
| 窒素（$N_2$） | −196 |
| 水素（$H_2$） | −253 |
| ヘリウム（He） | −269 |

## 低温液化ガスの比重と気化時の体積比

| ガス名（化学式） | 気体の比重<br>（空気＝1） | 体積比<br>（気体/液体） |
|---|---|---|
| 二酸化炭素（$CO_2$） | 1.53 | — |
| 酸素（$O_2$） | 1.11 | 800 |
| アルゴン（Ar） | 1.38 | 770 |
| 窒素（$N_2$） | 0.97 | 650 |
| 水素（$H_2$） | 0.07 | 800 |
| ヘリウム（He） | 0.14 | 700 |

高圧ガス保安法でいう高圧ガスの製造とは，圧力の変化，液化や気化のような状態の変化，移動や充填などをさし，化学合成などでガスを製造することではないことに注意しなければならない．また，製造規模により第一種，第二種に分けられる．この高圧ガス製造に関する安全確保のために各種基準が定められている．実験室においても，ガスの状態の変化や移動は小規模であっても高圧ガスの製造にあたることを忘れてはならない．

> 高圧ガスの製造の許可制度の概要

1. 高圧ガスの製造とは　　圧力の変化（昇圧，減圧）
　　　　　　　　　　　　状態の変化（液化，蒸発気化）
　　　　　　　　　　　　容器への移動や充填
2. 製造規模の大小による許認可および届出　　第一種，第二種
3. 許可の基準　　事業所の境界線明示，警戒標設置
　　　　　　　　保安距離の確保（第一種保安物件，第二種保安物件）
　　　　　　　　火気取扱設備との距離，漏えい時の消火措置
　　　　　　　　設備間距離，貯槽間距離，貯槽内容の表示，
　　　　　　　　漏えい流出の防止（防液堤の設置）
　　　　　　　　耐圧試験（常用圧力の1.5倍），気密試験（常用圧力）
　　　　　　　　耐震設計
　　　　　　　　圧力計および安全装置の設置
　　　　　　　　使用開始と終了時および1日1回以上の作動状況点検
4. 許可の取り消し　　正当な理由がなく1年以内に製造を開始しない
5. 第一種製造者の承継
6. 第一種製造者・第二種製造者・その他の製造者の製造のための施設および製造の方法
7. 製造のための施設の変更

　高圧ガスは大きな潜在危険を有するため，貯蔵に関しても若干の例外を除いて法規制の対象となる．実験室で一般的に使用するボンベについても種々の規制がある．とくに，貯蔵量が一定値以上になると，届出や許可申請が必要となる．その場合，技術基準に従う必要があり，不活性ガス以外のガスではキャビネットに入れて貯蔵するなど厳重な管理が求められる．貯蔵量は，以前は同一構築物内の高圧ガスすべての量を合算して算出することとなっていたが，2016年に合算規定の見直しがあり，リスク合算が必要な距離なども考慮した合算方法に改正された（詳細は関係法令を参照のこと）．

　高圧ガスの移動は通常は液化ガスのタンクローリー輸送，トラックの荷台に多数のボンベを載せるばら積み輸送および配管による輸送があり，大学や研究機関でも頻繁に行われている．これらは危険な高圧ガスを市街地などの公共道路を使用して移動させるため，安全確保のための種々の規制が行われている．高圧ガスに起因する事故災害は多発しており，重大な事例も少なくない．

　高圧ガスの保安を確保するための特記事項を次ページに示す．とくに広く使用されている危険なガスは特定高圧ガスと指定され，厳しい技術基準がある．

| 高圧ガスの貯蔵に関する法規制の概要 | 1. 高圧ガスの貯蔵に関する技術上の基準<br>　　対象外：製造にかかわる貯蔵，家庭用 LP ガス（液化ガス法適用）<br>　　　　　　少量の貯蔵（圧縮ガスは $0.15\,m^3$，液化ガスは $1.5\,kg$ 以下）<br>2. 貯槽による貯蔵<br>　　通風のよい場所<br>　　周囲 2 m での火気使用禁止，引火性発火性の物を置かない<br>　　液化ガスは 90 % 以上の充塡禁止<br>　　修理時の安全確保，地盤沈下への対応，配管バルブの破損防止<br>3. ボンベによる貯蔵<br>　　通風のよい場所<br>　　充塡容器と残ガス容器の区分<br>　　可燃性ガス，毒性ガス，酸素を区分して置く<br>　　必要なもの以外は置かない<br>　　周囲の火気使用禁止，引火性発火性の物を置かない<br>　　温度は 40 ℃以下，車両上の容器での貯蔵禁止<br>　　転落・転倒やバルブの損傷防止，15 年以上のボンベ使用禁止<br>　　シアン化水素の漏えい防止点検，60 日以上の保管禁止<br>4. 第一種貯蔵所（都道府県知事の許可）<br>　　貯蔵容積が $1000\,m^3$ 以上（第一種ガスは $3000\,m^3$ 以上）<br>　　　第一種ガス（窒素，アルゴン，ヘリウムなど）とそれ以外のガス（LPG，水素，アセチレンなど）の両方が含まれる場合は，貯蔵量を合算した合計貯蔵量<br>　　合算の計算法：配管で接続，または容器（建屋）間の距離が 30 m 以下，または同一建屋内<br>5. 第二種貯蔵所（都道府県知事への届出）<br>　　貯蔵容積が $300\,m^3$ 以上 $1000\,m^3$ 未満（第一種ガスは $300\,m^3$ 以上 $3000\,m^3$ 未満）<br>6. 容器置場　充塡容器，残ガス容器を収納，外壁，直射日光をさえぎる屋根つき構造<br>7. 変更許可申請および届出<br>8. 第一種貯蔵所の完成検査 |
|---|---|
| 高圧ガスの移動に関する法規制の概要 | 移動手段　　タンクローリー，ばら積み，輸送配管<br>■ タンクローリー<br>　・15 年以上経過したものの使用禁止<br>　・警戒標，40 ℃以下，防波板，高さ検知棒，ガラス液面計使用不可<br>　・元弁や緊急遮断弁の損傷防止，バルブ開閉表示，異常の有無点検<br>　・消火設備や防災機材の携行，毒ガスの緊急用具携行<br>　・駐車時の対応，移動監視者の同乗，イエローカード持参<br>　・指定数量：可燃性ガスや酸素　　$300\,m^3$ または $3000\,kg$<br>　　　　　　　毒性ガス　　　　　　$100\,m^3$ または $1000\,kg$<br>■ ばら積み（基本的にはタンクローリーと同じ）<br>　・混載禁止（充塡容器と第四類危険物，塩素とアセチレン・アンモニア・水素）<br>　・毒性ガスは木枠またはパッキン<br>　・除害装置（アルシン，セレン化水素）<br>■ 配　管　　製造設備と同じ |

一方，近年半導体プロセスなどで広く使われているものに特定高圧ガス（特殊材料ガス）があり，これらは反応性，毒性が高く取扱いにさいしては細心の注意が必要である．特定高圧ガスのうちとくに広く使われている7種類のガスを特殊高圧ガスとしてより厳しい技術基準が定められている．

> 1. 特定高圧ガスと特殊高圧ガス
>    特定高圧ガス：圧縮水素，圧縮天然ガス，液化酸素，液化アンモニア，液化石油ガス，液化塩素
>    特殊高圧ガス：モノシラン，ジシラン，アルシン，ホスフィン，ジボラン，モノゲルマン，セレン化水素
>    上記7種類にその他を含めた39種を特殊材料ガスとよび，より厳しい技術基準が定められている．
> 2. 安全な廃棄
> 3. 危害予防規定の作成と届出
> 4. 保安教育
> 5. 保安統括者，保安技術管理者，保安係員，保安主任者，保安企画推進員
> 6. 販売主任者，取扱主任者
> 7. 保安責任者免状（製造・販売）
> 8. 法令で規定された保安検査，定期自主検査
> 9. 危険時の届出，火気等の制限
> 10. 許可の取り消し，緊急措置
> 11. 容器についての規定
>     製造方法，検査，刻印，表示（内容物による塗色），譲渡，付属品

*高圧ガスの保安に関する規制の概要*

## 特殊高圧ガス7種類

| 種類 | 危険性 | | | 備考* |
|---|---|---|---|---|
| | 毒性 | 可燃性 | 自然発火性 | |
| アルシン（$AsH_3$） | ◎ | ○ | | 0.005 ppm |
| ホスフィン（$PH_3$） | ◎ | ○ | ○ | 0.3 ppm |
| モノシラン（$SiH_4$） | ○ | ◎ | ◎ | 事故例多数 |
| ジシラン（$Si_2H_6$） | ○ | ◎ | ◎ | |
| モノゲルマン（$GeH_4$） | ◎ | ◎ | ○ | |
| ジボラン（$B_2H_6$） | ◎ | ○ | ○ | 0.1 ppm |
| セレン化水素（$H_2Se$） | ◎ | ○ | ○ | 0.05 ppm |

＊ 数値はACGIH 2015による作業環境許容濃度（TLV-TWA）．1日8時間，1週40時間の時間荷重平均濃度．

　実験室で一般的に使用されている容器も高圧ガス保安法の規定に則っていなければならない．容器（ボンベ）については使用するガスに応じて容器の色が定められているほか，容器の仕様，耐圧試験合格等が記された刻印が印されている．注意しなければならないのは実験室に長期間放置されていた容器が耐圧試験の期限切れになっているケースがあることである．

高圧ガス容器

■ 容器の外観

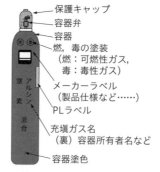

- 保護キャップ
- 容器弁
- 容器
- 燃, 毒の塗装
  (燃:可燃性ガス, 毒:毒性ガス)
- メーカーラベル
  (製品仕様など……)
- PLラベル
- 充塡ガス名
  (裏) 容器所有者名など
- 容器塗色

| 高圧ガス容器の塗色 | |
|---|---|
| ガス名 | 塗色区分 |
| 水　素 | 赤　色 |
| 酸　素 | 黒　色 |
| 液化二酸化炭素 | 緑　色 |
| 液化アンモニア | 白　色 |
| 塩　素 | 黄　色 |
| アセチレン | かっ色 |
| 上記以外のガス | ねずみ色 |

注:ただし, 輸入(外国製)容器は例外

■ 容器の刻印

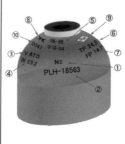

| No. | 記載事項 | 記載例 |
|---|---|---|
| ① | ガス名(化学式) | $N_2$ |
| ② | 容器記号番号 | PLH-18563 |
| ③ | 容器の内容積(L) | V47.0 |
| ④ | 容器の重量(kg) | W53.2 |
| ⑤ | 耐圧試験合格年月 再検査 | ◎6-98 (=1998年5月) ◎10-04 (=2004年10月) |
| ⑥ | 耐圧試験圧力(MPa) | TP 24.5 |
| ⑦ | 最高使用(充塡)圧力 | FP 14.7 |
| ⑧ | KHKの検査合格刻印 | － |
| ⑨ | 容器製造者刻印 | 会社のシンボルマーク |
| ⑩ | 容器所有者番号 | 事前に登録した番号 |

## 4. 毒物及び劇物取締法

　大学や研究機関の実験室で使用する化学物質(薬品)には人体に対して毒性を有するものが多く,一方これらの物質は犯罪などに使用される可能性もあるので,厳重な保管管理が必要である.近年,毒物や劇物の管理不十分による紛失や盗難の事例も報道されており,より厳密な管理が求められる.
　毒物および劇物は保健衛生上の見地から厳重な保管・管理が求められており,保管にあたっては鍵のかかる厳重な保管庫に所定の表示をするとともに,使用記録と在庫管理が求められている.この法律の担当は地域の保健所である.

毒物及び劇物取締法の概要

> 目的　毒物及び劇物について保健衛生上の見地から必要な取締りを行うこと

■ 厳重な保管,管理体制・緊急連絡体制(連絡網,応急処置)の整備
　・施錠できる堅固な保管庫
　・表示(医薬用外毒物,医薬用外劇物)
　・毒劇物以外の薬品を一緒に置かない

■ 使用記録と在庫管理

毒物および劇物の判定基準は経口毒性を基準に定められており，法令の別表にその物質名が記載されている．また，このなかでとくに毒性が強いものは特定毒物としてより厳しい管理が必要である．なお，毒性が強くても医薬品や医薬部外品に該当するものは薬事法で規定されているのでこの法律からは除外されている．

> 「毒物」とは別表第一に掲げるもので，医薬品及医薬部外品以外のもの
> 「劇物」とは別表第二に掲げるもので，医薬品及医薬部外品以外のもの
> 「特定毒物」とは，毒物であって別表第三に掲げるもの
>   判定基準例
>   (1) 動物における知見
>     ・急性毒性：経口　毒物　$LD_{50}$ が 50 mg/kg 以下
>                       劇物　　　　50 mg/kg～300 mg/kg 以下
>              経皮，吸入（ガス，蒸気，ダスト・ミスト），その他
>     ・皮膚に対する腐食性，眼などの粘膜に対する重篤な損傷
>   (2) ヒトにおける知見，またはその他の知見により判定
>   (3) 毒物のうちで，毒性がきわめて強いが広く一般に使用されると考えられ，危害発生のおそれが著しいもの
>     ただし，医薬品および医薬部外品は薬事法で規定するため除外

毒物及び劇物の定義(第2条)

> 登録を受けたものでなければ製造，輸入，販売・授与・運搬・陳列してはならない
>
> ■ 特定毒物の製造・使用は都道府県知事の許可が必要（特定毒物研究者）
>     研究以外の用途は禁止，所持や譲渡の規制
>
> ■ シンナーの規制（興奮・幻覚及び麻酔の作用を有する毒物や劇物）
>     トルエン，酢酸エチル，シンナー，接着剤や塗料など
>
> ■ 引火性，発火性，爆発性のある毒物・劇物の所持禁止
>     ・亜塩素酸ナトリウム
>     ・塩素酸塩
>     ・ナトリウム
>     ・ピクリン酸

毒物及び劇物の禁止規定(第3条)

毒物及び劇物取締法の主眼は，許可なくして製造・輸入・販売・運搬をしてはならないことと，盗難紛失防止のための厳重な保管，表示である．大学や研究機関においてはこの法令に沿って，厳重な保管，保管庫の表示，盗難紛失がないことを確認するための使用記録と在庫管理を適切に行うことが求められている．

| 毒物及び劇物の取扱いに関する法規制 | 1. 製造,販売,輸入の登録および登録事項,登録の変更や届出<br>2. 製造所等の基準<br>　・飛散,漏れ,流出,しみ込みのない構造<br>　・粉じん,蒸気,廃水処理設備を備えていること<br>　・貯蔵設備<br>　　　毒物または劇物とその他の物を区分して貯蔵<br>　　　容器は飛散,漏れ,しみ出るおそれがないこと<br>　　　貯蔵場所は施錠できること,陳列場所も同じ<br>　　　運搬用具も同様<br>3. 特定毒物研究者の許可<br>4. 毒物劇物取扱責任者の配置と保健衛生上の危害の防止<br>5. 毒物劇物取扱責任者の資格<br>　・薬剤師,応用化学の学課修了者,毒物劇物試験合格者<br>6. 取り扱い<br>　・盗難や紛失の防止<br>　・毒物または劇物とその他の物を区分して貯蔵<br>　・容器は飛散,漏れ,しみ出る恐れがないこと<br>　・貯蔵場所は施錠できること,陳列場所も同じ<br>　・運搬用具も同様<br>　・通常飲食に利用される容器の使用禁止<br>7. 毒物・劇物の表示<br>　・医薬用外毒物(赤地に白)<br>　・医薬用外劇物(白地に赤)<br>　・容器の表示(名称・成分と含量・解毒剤・取扱上の必要事項)<br>8. 農業や一般消費者向けの販売の規制<br>9. 販売・譲渡　記録と保管,交付の制限<br>10. 廃棄の基準<br>　・中和・酸化・還元などにより毒劇物に該当しないもの<br>　・安全な場所で少量ずつ放出・揮発,燃焼<br>　・地中埋設,海中投棄,その他<br>11. 都道府県知事による回収命令<br>12. 運搬等の技術上の基準<br>13. 厚生労働大臣や都道府県知事による立ち入り検査など<br>14. 業務上取り扱う者の届出等<br>　・電気めっき,金属熱処理,運送,シロアリ防除は届出義務<br>　・その他(大学はこれに該当するが届出不要) |
|---|---|

## 5. 環境保全関連法令・廃棄物関連法令

　わが国では戦後の高度成長期に発生した公害問題への対応,さらにはリオサミットで合意されたサステイナブルデベロップメントや環境に有害な化学物質の適正な管理,循環型社会の構築,地球温暖化防止など種々の環境保全への取組みがなされてきた.大学や研究機関においても環境保全に対する教育・研究を行うのは当然であるが,加えて教育・研究過程における環境保全の取組みも忘れてはならない.

　ここで忘れてはならないのは大学や研究機関は事業者であり,ここから出る廃棄物は産業廃棄物であり一般家庭から出るいわゆる家庭ごみとは異なることである.また,下水へ排出される排水も下水道法で厳しく規制されてい

る．決して薬品や実験廃液を流しやトイレから直接下水へ排出してはならない（6 章参照）．

　事業者による化学物質の環境への排出量を公表することにより，事業者が自主的に特定化学物質の環境への排出量を削減することを目的として PRTR 制度が始まった．大学や研究機関でも実験室から排出される化学物質の数量を報告・公表するとともにこの量の削減に努めなければならない．

---

■ 環境保全関連
「環境基本法」　　　「環境配慮促進法」
「エネルギーの使用の合理化に関する法律」（省エネ法）
「循環型社会形成推進基本法」
「容器包装に係る分別収集及び再商品化の促進等に関する法律」
　（容器包装リサイクル法）
「特定家庭用品機器再商品化法」（家電リサイクル法）ほか
"持続的な社会" の形成のために大学においても，
資源リサイクルの促進，省エネルギーの促進，環境報告書の作成・公開が求められている

■ 廃棄物関連
「下水道法」　　　「水質汚濁防止法」　　　「大気汚染防止法」
「ダイオキシン類対策特別措置法」　　「悪臭防止法」
「廃棄物の処理及び清掃に関する法律」（廃棄物処理法）
「特定化学物質の環境への排出量の把握及び管理の改善の促進に関する法律」
　（化学物質管理促進法）ほか

　　大学は一般家庭と異なり，企業の工場などと同じ特定事業場として
　　指定されている
　　　　　　　　　↓
　・大学から出る廃棄物は産業廃棄物として取り扱われる
　・下水等の環境監視が必要（薬品を直接下水へ流してはいけない）

> 環境保全関連法令・廃棄物関連法令と大学の対応

---

PRTR（Pollutant Release and Transfer Register，環境汚染化学物質排出・移動登録）制度
　事業者による化学物質の排出・移動の管理を強化し，汚染を未然に防止することが目的

「特定化学物質の環境への排出量の把握及び管理の改善の促進に関する法律」
（2021 年政令改正）
・第一種指定化学物質：354 ⟹ 515 種類
　（うち 12 ⟹ 23　種類は特定第一種指定化学物質：発がん性物質など）
・第二種指定化学物質：81 ⟹ 134 種類
　大学はキャンパス（事業所）ごとに取扱量の総計が，
　　第一種指定化学物質では 1 t 以上
　　特定第一種指定化学物質では 0.5 t 以上
　のものについて，その排出，移動の内容を都道府県知事に報告する義務がある．
　第一種指定化学物質，第二種指定化学物質について SDS の提供が義務づけられている．

> PRTR 制度の概要

## SDS と ICSC

- ■ SDS：安全データシート
  - ・化学物質の名称（商品名），物理化学的性質，有害性情報，取扱い上の注意事項，廃棄の際の留意事項，応急処置などが記載
  - ・法的に SDS 提示を義務づけているものと化学物質製造企業・販売企業が自主的に作成したものがある
  - 【法的に提示を義務づけているもの（GHS 対応）】
    労働安全衛生法の通知対象物質
    PRTR 制度の第一種指定化学物質，第二種指定化学物質
    毒物及び劇物取締法で指定された毒物・劇物
  - 【参　考】
    企業が作成した SDS：日本試薬協会 SDS 検索サイト
    　　http://www.j-shiyaku.or.jp/sds/
    労働安全衛生法指定の SDS：安全衛生情報センター化学物質情報サイト
    　　http://www.jaish.gr.jp/user/anzen/kag/kagaku_index.html
- ■ ICSC：国際化学物質安全性カード
  - ・国際的に統一した化学物質危険有害性情報の提示を目的として作成
    国立医薬品食品研究所（日本語版 ICSC サイト）
    　　http://www.nihs.go.jp/ICSC/

化学物質の特性・有害性を把握し，適切に使用することを目的として法で指定された化学物質については SDS の添付が義務づけられている．化学物質の使用にあたっては SDS の内容を理解し，安全に使用・管理しなければならない．

また，化学物質の有害性をわかりやすく絵文字で表示したものに GHS がある．

## GHS

爆発物
自己反応性
有機過酸化物

可燃性・引火性
自己反応性
自然発火および自然発熱性
有機過酸化物

酸化性

高圧ガス

金属腐食性
皮膚腐食性
眼に対する重篤な損傷

急性毒性
（高毒性）

急性毒性
（低毒性）
皮膚刺激性
眼刺激性
皮膚感作性
特定標的臓器毒性
オゾン層への有害性

急性毒性
（高毒性）

呼吸器感作性
生殖細胞変異原性
発がん性
生殖毒性
特定標的臓器毒性
吸引性呼吸器有害性

## 6. 放射線関連法規

研究において放射線を使用するケースは多い．しかし取扱いを誤ると，放射線による被曝など大きな事故や健康障害につながる．放射線関連では以下にあるように種々の規制を設けて放射線による事故や健康障害発生防止を目的としている．

- ■ 放射線関連法規
  - ・放射性同位元素による放射線障害の防止に関する法律
  - ・核原料物質・核燃料物質および原子炉の規制に関する法律
  - ・電離放射線障害防止規定（人事院規則 10-5（職員の放射線障害の防止））
- ■ 放射性物質使用，放射線発生装置設置，核燃料物質使用
  ⟹ 監督官庁の承認などが必要
- ■ 取扱者
  ⟹ 放射線業務従事者の認可を受け登録することが必要
  　　教育訓練の受講および特別健康診断の受診が必要
- ■ 厳格な管理が要求される（管理区域，保管・使用・廃棄の記録，緊急時の連絡体制など）
  ⟹ 放射線管理組織作成，管理者選任が必要

## 7. その他

● 薬事法

薬事法の目的は「医薬品，医薬部外品，化粧品，医療機器及び再生医療等製品(以下「医薬品等」という)の品質，有効性及び安全性の確保並びにこれらの使用による保健衛生上の危害の発生及び拡大の防止」としており，医薬品を使用する医薬関係者として医師，歯科医師，薬剤師，獣医師などの責務が定められている．

【表示と保管管理】 毒性の強い医薬品(毒薬という)にはその直接の容器または被包の黒地に白枠，白字でその品名および"毒"の文字の記載，劇性が強い医薬品(劇薬という)には同様に白地に赤枠，赤字でその品名および"劇"と表示しなければならない．毒薬や劇薬については販売，陳列，譲渡等について厳しく規制されている．

【毒薬・劇薬の毒性】

毒薬：概略の致死量が経口 30 mg/kg 以下，皮下注射 20 mg/kg 以下，
　　　静脈(腹腔)注射 10 mg/kg 以下

劇薬：概略の致死量が経口 300 mg/kg 以下，皮下注射 200 mg/kg 以下，
　　　静脈(腹腔)注射 100 mg/kg 以下

● 農薬取締法

"農薬"は農作物の病虫害の防除に用いられる殺菌剤，殺虫剤，除草剤，忌避剤，展着剤や植物成長調整剤などをさす．なお，農薬取締法上の農作物とは人が栽培している植物の総称であり，一般にいう農作物の稲や野菜，果樹以外に山林樹木，芝生や盆栽など幅広く含まれる．室内鑑賞用の観葉植物や花卉，大学の実験農場や実験室内で研究用に栽培された植物も農作物である．

農薬は農薬登録がなければ製造・加工・輸入ができない．したがって，化学実験で合成された薬品を農薬登録なしに農薬として使用することは農薬取締法違反となる．

農薬はその特性上，生物の生息に影響を与える．したがって，使用可能な農薬であっても，使用方法を誤れば人畜に被害が生じる可能性があるため，省令により使用方法の基準が定められている．また，農薬には毒物や劇物に指定されているものもあるが，マスクや手袋など適正な保護具を使用することによりばく露量を減らすことができる．なお，適切な保管・管理が必要なことはいうまでもない．2007年に生産された農薬のうち 17.3％が劇物，1.0％が毒物，0.001％が特定毒物となっている．

過去に使用が許可されていた農薬であっても人畜への危険，農作物への残留，水産動植物への被害，水質汚濁，また「残留性有機汚染物質に関するストックホルム条約(POPs)」で規制された人や生物への毒性・環境残留性・生物濃縮性をもつ物質を成分とする農薬(たとえば，リンデン，DDT，アルドリン，パラチオン，水銀剤など)は国内での製造・販売が禁止され，現在 27 種類が省令で指定されている(販売禁止農薬)．

# 索引

■ 数字
3R　114
3管理　12, 89, 98
5S　21
5管理　12, 98

■ アルファベット
AED（automated external defibrillator：自動体外除細動器）　104, 143, 144
ARC（accelerating rate calorimeter：加速度熱量計）　26
CHETAH　78
CREATE-SIMPLE　167, 173, 174, 175, 178
CSR（corporate social responsibility：組織の社会的責務）　2, 142
DCP（1,2-ジクロロプロパン）　87
DMSO（ジメチルスルホキシド）　25
GHG プロトコル　113
GHS（Globally Harmonized System of Classification and Labelling of Chemicals：化学品の分類及び表示に関する世界調和システム）　4, 84, 96, 173, 177, 193, 210
ICSC　210
IPCC　113
ISO　142
LC$_{50}$（半数致死濃度）　93
LD$_{50}$（半数致死量）　93
LOAEL（lowest observed adverse effect level：最小毒性量）　94
LOEL（lowest observed effect level：最小影響量）　94
NOAEL（no observed adverse effect level：無毒性量）　94, 112
NOEL（no observed effect level：無影響量）　94
PRTR（Pollutant Release and Transfer Register）制度　132, 209
PubChem　96
Public Acceptance　118
REITP　78
SC-DSC（sealed cell-differential scanning calorimetry）　80
SDS（safety data sheet：安全データシート）　77, 96, 132, 177, 193, 210
TDI（tolerable daily intake：耐容一日摂取量）　112
THF（テトラヒドロフラン）　174
TLV（threshold limit value：許容限界値）　95
TLV-STEL　95, 178
TLV-TWA　177
TVOC（全有機物濃度）　149
VSD（virtual safe dose：実質安全量）　94
X線　39

■ あ
悪臭防止法　152
アセトン　173
アマニ油　33
アラートシステム　56
安全委員会　192
安全カバー　56
安全管理　3, 157
　──体制　141
安全装置　56
安全データシート ⇨ SDS
安全の定義　2
安全風土　20
安全文化　20, 63
安全弁　56
安全ボケ　137, 172
安全めがね　62
アンモニア　27

■ い
閾値　93
一次救命処置　103, 104
　──の流れ　105
一般健康診断　99
イメージトレーニング　161
威力　76
引火性物質　53
引火点　68
インジウム　87

■ え
衛生委員会　192, 194
衛生手袋　62
液体窒素　35
絵標示 ⇨ ピクトグラム
遠心分離機　140

■ お
応急処置　103
黄リン　29
屋内消火栓　143, 147
オートクレーブ　40, 140

■ か
外国為替及び外国貿易法　52
回復体位　103
化学的有害廃棄物　122, 123
　──の処理の流れ　125
　──の分別収集早見表　126
化学品の分類及び表示に関する世界調和システム ⇨ GHS
化学物質管理システム　61
化学物質管理者　168, 194
化学物質の総合安全管理　4
化学物質排出把握管理促進法　132
化学物質保有状態　60
かくはん　62
確率論的安全　5
火災　143, 154, 199
火災・爆発　136, 145
火災感知器　145, 152
過酢酸　34
加速度熱量計 ⇨ ARC
学研災　160
加熱　61
可燃性混合気　68
可燃物　68
過マンガン酸カリウム　32
ガラス管　59
ガラス製器具　58
カリウム　28, 41
環境安全　110
　──に対する組織としての責務　111

環境安全教育　182
　──受講管理　185
　──の体系　183
環境安全講習会　184
環境安全講習修了証制度　185
環境報告書　142
環境保全関連法令　208
環境有害性　7, 66, 164
環境有害性リスク　7
環境要素　111
環境リスク評価　112
感作性物質　86
乾性油　33
感染性廃棄物　122, 129
乾燥　62
乾燥砂　70, 147
感度　76
管理濃度　94
寒冷被害　156

■き
危機管理　157, 159, 161
　──の流れ　157
企業の社会的責任 ⇨ CSR
危険物
　国連──　67
　消防法──　67, 70, 145, 147, 196
　労働安全衛生法──　68
危険物の規制に関する政令　67
危険物の分類　197
危険物輸送に関する勧告　67
気候変動　113
気候変動に関する政府間パネル
　　（IPCC）　113
擬似感染性廃棄物　122, 129
記者会見　159
気道異物　104
気道感作性物質　86
逆止弁　56
救急車　144
救急蘇生法　144
給水　56
急性中毒　89
吸入ばく露　91
急病人　144
胸骨圧迫　104, 105
局所排気装置　53, 138, 139, 140, 141
許容限界値（TLV）　95
許容濃度　94, 177
緊急地震速報　155
緊急シャワー　56, 143, 145

緊急連絡網　143
銀鏡反応　32
禁水性物質　53, 70

■く
グリニャール試薬　30
グルコン酸カルシウム　107
クロロシランポリマー　37
訓練　160

■け
経口ばく露　92
経皮ばく露　92
警報装置　57
けが人　144
下水道　120
決定論的安全　5
煙　146
健康影響　93
健康管理　89
健康項目　120
健康診断　99
健康有害性　7, 66, 97, 164
　混合による──　71
健康有害性リスク　7, 167
検知管　177
原点処理　118

■こ
高圧ガス　57
　──の分類　202
高圧ガス保安法　57, 200
高圧ガス容器　206
工学的リスク　6
購入／使用（化学物質の）　49
誤嚥　104
呼吸器系の構造　91
国際化学物質安全性カード（ICSC）　210
国際標準化機構（ISO）　142
国立大学協会保険　160
ゴーグル　62
国連危険物　67
個人ばく露測定　178
ゴム栓　59
混合危険　70
混触危険物質　53
コンセント　56

■さ
最小影響量（LOEL）　94
最小着火エネルギー　69
最小毒性量（LOAEL）　94

作業衣　62
作業環境管理　89, 98
作業環境測定　54, 98, 178
作業管理　89, 98
作業条件の簡易な調査　101
酢酸　25
酸化硫黄ガス　73
酸化金属ヒューム　74
酸化窒素ガス　73
酸化ハロゲンガス　73
酸素　40
酸素欠乏（症状）　35, 103, 150
酸素バランス　78, 79

■し
四アルキル鉛則　87
シアンイオン　128
シアン化水素ガス　73
自衛消防隊　148
ジエチルエーテル　36, 45
時間荷重平均濃度　95
事業主としての責任　117
1,2-ジクロロプロパン（DCP）　87
ジクロロメタン　123
自己反応性　66
事故例　61
自主的管理　3
地震　41, 46, 154, 155, 157, 159, 160
自然災害　154
自然発火性物質　53, 70
実験系廃棄物　122
実験系廃棄物処理依頼伝票　127
実験系不明廃棄物　125
実験室の特徴　171
実質安全量（VSD）　94
指定可燃物　67, 197
指定数量　66, 67, 197
指定ポリタンクシステム　127
支燃物　68
シビアアクシデント　17
ジメチルスルホキシド（DMSO）　25
試薬管理システム　56
試薬キット　52
試薬の誤用　31
循環型社会　114
循環型社会形成推進基本法　114
巡視　139, 140, 153
消火器　56, 143, 145, 146, 147, 148
消火栓　143, 144

索 引

上限値(TLV-C)　95
情報空白地域　158
情報源　95
消防法　51, 195
消防法危険物　67, 70, 145, 147, 196
蒸　留　62
少量危険物　197
初期消火　146, 148, 154
"職場のあんぜんサイト"　139, 173
女性労働基準規則　54
シリコーン油　26
自律的管理　3, 166, 193
心臓マッサージ ⇒ 胸骨圧迫

■ す
水　銀　39, 123
水質汚濁防止法　151
スクラバ　53, 130
スクリーニング試験／評価　77, 80
スピルキット　149

■ せ
生活環境　112
生活環境項目　120
生活系廃棄物　120
製造禁止物質　86
静電気　75
生物系廃棄物　122, 128
生物由来の毒物　39
施錠管理　138, 141
洗眼器　56, 143, 145
潜在危険性　66
洗　浄　173
全有機物濃度(TVOC)　149

■ そ
想定外　15
組織の社会的責務 ⇒ CSR
ゾーニング　55
損害賠償　160

■ た
大気汚染防止法　51
対抗リスク　14
第3項健診　180
耐震対策　138
耐容一日摂取量(TDI)　112
第4項健診　180
打撃感度　81
炭酸ナトリウム過酸化水素化物　31
短時間ばく露限界　95, 178
断熱圧縮　69
断熱状態　69

■ ち
地球環境負荷　114
チタン　28
窒息消火　70, 147
着火感度　80
着火源　68, 69
抽　出　62
中　毒　136
長時間ばく露限界　178

■ つ
通達により指導勧奨されている検診　99

■ て
定期自主検査　140
停　電　42, 154
テトラヒドロフラン(THF)　174
点　検　137, 139, 140, 141
電源タップ　152
転倒防止策　53

■ と
統括安全衛生管理者　192
凍　結　156
同時多発火災　159
特殊引火物　128
特殊健康診断　98, 98, 181
特定化学物質　85
特定化学物質健康診断　101
特定施設　151
毒物及び劇物取締法　51, 52, 61, 206
特別管理物質　85
特別則　87
特化則　87
ドラフトチャンバー　53, 130
トラブルシューティング　157
トリクロロエチレン　90
ドリンカーの救命曲線　104
o-トルイジン　89

■ な
ナトリウム　27, 41
ナトリウム-カリウム合金(NaK)　41
鉛則　87

■ に
日本試薬協会　51
尿中の代謝物　100
認知バイアス　19

■ ね
熱化学計算　78
熱　傷　106, 144, 145
　——断面の推定法　107
　——の深さの分類　106
年間死亡リスク　5
燃焼の3要素　68, 147
粘膜障害　92

■ の
濃塩酸　40
濃度基準値　177
濃硫酸　40

■ は
廃　液　126
バイオハザードマーク　130
排ガス　130
排ガス処理設備　53
廃棄物関連法令　208
廃棄物の取扱い　119
廃棄物の分類　116
排出者責任　117
排　水　56, 119
排水桝　151
背部叩打法　104
白　衣　62
爆　発　143
爆発・火災危険性　7, 66, 70, 77, 164
爆発・火災リスク　7, 167
爆発下限界　68
爆発上限界　68
爆発性原子団　78
爆発範囲　68
ばく露量　93, 112
ハザード　6
　——の特定　10
発がん性分類　95
発熱開始温度　80
発熱量　80
ハロゲンガス　71
ハロゲン化水素ガス　71
反応熱量　81

■ ひ
ピクトグラム　96, 97
微生物　128

ヒドロキシルアミン　25, 36
避難誘導　145, 148, 150
皮膚感作性物質　86
皮膚等障害化学物質等に該当する化学物質　92
皮膚の構造　106
ヒヤリハット　61
ヒューマンファクター　17
ヒュームフード　53, 130, 184

■ ふ
フィジカル・ハザード ⇨ 爆発・火災リスク
風水害　154, 155
不活性化処理　129
腐食　42
$t$-ブチルリチウム　29
フッ化水素酸　35, 107
プラスチック製器具　58
プラスチック廃棄物　122
フレームアレスター　56
分電盤　56

■ へ
米国産業衛生専門家会議（ACGIH）　95
$n$-ヘキサン抽出物質　120

■ ほ
防火扉　145, 146
防火布　147
防護カバー　56
報告書　153
防護手袋　62
防護壁　56
放射線関連法規　210
暴風雨　46
法令準拠型　166
保険　160
保護具　61, 138, 141, 149, 151, 194
　　──着用管理責任者　168, 194

ホルマリン　129
ボンベ　57

■ ま
マグネシウム　27
摩擦感度　81
マスメディア（対応）　159
守る安全　172
慢性中毒　89

■ む
無影響量（NOEL）　94
無毒性量（NOAEL）　93, 112

■ め
メタノール　174
眼の構造　92
メンテナンス　57
　　──不備　37

■ や
薬傷　106, 136, 145
やけど　62

■ ゆ
有害固形廃棄物　127
有害性評価　112
有機則　87
有機溶剤　84
有機溶剤等健康診断　99
有機リチウム　29
遊離シアンイオン　128
ユーティリティ　48, 51

■ よ
溶解　61

■ り
リスク　5
　　──とベネフィット　13
　　──の最適化　14
　　──の社会受容　18

　　──の評価　11
リスクアセスメント　8, 49, 51, 55, 137, 138, 142, 166, 171, 173, 175, 176, 193
　　──支援手法・ツール　168
リスクアセスメント対象物健康診断　179, 181
　　──の流れ　180
リスク管理　157, 161
リスク軽減対策の進め方　179
リスク認知　19
リスクマトリクス　8
リスクマネジメント　11
リチウム　28
硫化水素　34
　　──ガス　73
量−影響関係（dose-effect relationship）　93
量−反応関係（dose-response relationship）　93

■ る
ルート連絡　160

■ れ
レーザー　39

■ ろ
漏えい　43, 136, 143, 149, 151, 154
　　──対応　149
漏水　136, 152, 155
労働安全衛生法　54, 137, 141, 191
　　──危険物　68
労働安全衛生マネジメントシステム　142
労働基準法　160
労働災害　160
労働者災害補償保険法　160
ローベンスレポート　166

安全な実験室管理のための
化学安全ノート　第4版

令和6年8月30日　発　行

編　者　　公益社団法人 日本化学会

発行者　　池　田　和　博

発行所　　丸善出版株式会社
〒101-0051　東京都千代田区神田神保町二丁目17番
編集：電話 (03) 3512-3263／FAX (03) 3512-3272
営業：電話 (03) 3512-3256／FAX (03) 3512-3270
https://www.maruzen-publishing.co.jp

Ⓒ The Chemical Society of Japan, 2024
組版印刷・製本／藤原印刷株式会社
ISBN 978-4-621-31001-4　C 3043　　　　　Printed in Japan

本書の無断複写は著作権法上での例外を除き禁じられています．